« RÉPONSES »
*Collection créée par Joëlle de Gravelaine,
dirigée par Sylvie Angel et Nathalie Le Breton*

PHILIPPE PRESLES – CATHERINE SOLANO

PRÉVENIR

Alzheimer, cancers, infarctus,
et vivre en forme plus longtemps

ROBERT LAFFONT

ISBN 2-221-10737-3

À nos enfants :
Éléna, Flora, Livia
Julien, Raphaël, Corentin

Avertissement

L'argumentation des auteurs repose sur le recoupement et l'analyse de nombreuses études scientifiques internationales parues jusqu'en février 2006. Les recherches en cours et non encore significatives à ce jour n'ont pas été prises en compte.

Par ailleurs, le contenu de ce livre ne peut remplacer une consultation ni l'avis personnalisé d'un médecin.

Introduction

Êtes-vous optimiste ? Si oui, ce livre est fait pour vous ! Car l'idée de prévenir les maladies graves réjouit les optimistes. Ils sont heureux de disposer d'informations utiles qui leur permettent d'agir concrètement pour leur santé. Les pessimistes, eux, se disent que de toute façon ils sont destinés à tomber malades et à mourir. Alors, à quoi bon faire quelque chose pour retarder ces échéances inéluctables ?

Comme l'a constaté Matthieu Ricard lui-même, les personnes optimistes sont souvent de nature réaliste et préfèrent l'action à l'ignorance [1].

Pour notre part, nous sommes résolument optimistes et nous constatons que la médecine moderne ne cesse de nous apporter, d'année en année, de nouveaux moyens de nous protéger des maladies qui nous menacent avec le temps. Tous les deux médecins et journalistes [2], nous analysons chaque semaine les nouvelles parutions médicales internationales pour les besoins de notre métier et nous sommes enthousiasmés de constater à quel point la prévention, riche en progrès majeurs, devient de plus en plus efficace.

---

1. Ricard Matthieu, *Plaidoyer pour le bonheur*, NiL éditions, 2003. Chapitre « Voir la vie en or, en rose ou en gris. Optimisme, naïveté et pessimisme ».
2. Catherine Solano est médecin, diplômée d'une maîtrise de biologie humaine et du diplôme universitaire de journalisme médical. Elle est sexologue, andrologue et a pratiqué pendant plusieurs années dans un cabinet spécialisé dans la nutrition. Elle tient la chronique psychologie du site www.e-sante.fr et utilise la méthode eriksonnienne dans ses psychothérapies. Elle participe à diverses émissions santé dans plusieurs médias.
Philippe Presles est médecin, tabacologue et diplômé du MBA (Master of Busines Administration) du groupe HEC. Il est rédacteur en chef du site www.e-sante.fr qui propose un hebdomadaire santé à ses lecteurs ainsi que de nombreux guides. Il est directeur de l'Institut Moncey de prévention santé.

Nous sommes de fervents adeptes de la prévention et nous la pratiquons activement. C'est pour nous un choix de vie pour être heureux et heureux longtemps. Notre objectif n'est pas de rester jeune à tout prix, mais de vieillir le plus doucement possible et le plus tranquillement. C'est la même chose ? Pas tout à fait...

Pour rester jeune d'apparence, vous pouvez utiliser toutes sortes d'artifices qui existent de nos jours ! Et ils sont nombreux ! Mais ils agissent seulement en surface et ne durent que peu de temps. Il s'agit souvent d'une course sans fin plutôt déprimante... Et si dans le même temps vous avez négligé votre santé, c'est l'âge qui tôt ou tard reprend de l'avance.

À l'opposé, vous pouvez ralentir votre vieillissement en adoptant un mode de vie sain et en vous opposant activement aux grandes maladies qui nous menacent tous : Alzheimer, cancer, infarctus pour les trois principales. C'est cela notre choix, ce qui n'exclut pas de vouloir aussi paraître naturellement plus jeune que son âge, bien au contraire puisque cela y contribue...

Sans souhaiter nécessairement devenir des centenaires, nous observons que ceux qui parviennent à l'âge de 100 ans sont en bonne santé toute leur vie et formidablement actifs. Ils souffrent de maladie grave uniquement dans leur dernière année de vie. Ils sont aussi d'apparence très jeune, faisant parfois jusqu'à trente ans de moins ! Et ceux qui ne deviennent pas centenaires ? Ils vivent beaucoup moins longtemps, et subissent dans leur majorité des maladies chroniques qui leur gâchent de très nombreuses années de vie. Ces données vont totalement à l'opposé d'une idée très répandue : « À quoi bon vivre plus longtemps si c'est pour être gâteux, malade, ou dépendant ? » En fait, c'est exactement le contraire. Les centenaires sont moins dépendants, moins « gâteux », et moins malades que ceux qui meurent plus jeunes !

Si les moyens de se maintenir en bonne santé existent, encore faut-il les connaître. Tout le monde sait qu'il faut bien manger, faire de l'exercice, ne pas fumer, etc. Mais concrètement de nombreuses questions plus précises restent sans réponse claire : faut-il prendre des vitamines ou des compléments alimentaires ? Quels sont les médicaments vraiment efficaces en prévention ? Quels check-up faire et quand ? Faut-il éviter la viande ? Et si l'on mange de la viande, comment la consommer ? Quelle est la meilleure activité physique adaptée à mon cas ? Comment faire le maximum pour éviter la maladie d'Alzheimer ? L'alcool est-il un peu bénéfique et si oui, à quelle dose ? Etc.

Il est essentiel de connaître les réponses à ces questions (et à d'autres), pour savoir quelles sont les possibilités offertes par la médecine aujourd'hui, celles que les médecins les plus à la pointe utilisent pour eux-mêmes et leurs familles, voire pour leurs patients. C'est important pour choisir un médecin traitant qui soit sensible à ces questions et ne se contente pas de soigner vos bronchites et autres bobos : la médecine préventive est aujourd'hui une réalité dont chacun peut avantageusement bénéficier. Gageons qu'elle sera demain une nouvelle spécialité.

En matière de prévention médicale, les comportements des médecins sont très partagés entre ceux qui ne font rien du tout et ceux qui se donnent tous les moyens de gérer la santé de leurs patients de manière préventive.

Quelques exemples tirés d'études anglo-saxonnes vous permettront de vous faire une idée. Dans ces documents, on a demandé à des centaines de médecins généralistes quels seraient leurs attitudes ou leur niveau de confiance pour proposer à leurs patients des approches préventives dans différentes situations :

— prévention de la démence par des médicaments (statines) : 47 % des praticiens [1] se sentent prêts ;

— idem pour 42 % [2] des médecins dans la prévention du risque de cancer du sein par un médicament (raloxifène ou tamoxifène) ;

— 36 % [3] se sentent en confiance pour prescrire un régime amaigrissant ;

— 62 % se sentent capables d'accompagner un patient pour son sevrage tabagique ;

— idem pour 46 % des médecins pour un sevrage alcoolique ;

— 35 % se pensent prêts à aider leurs patients à manager leur stress ;

— idem pour 36 % d'entre eux pour des conseils en nutrition ;

— 53 % des médecins enfin savent donner des conseils autour de l'activité physique.

---

1. Suribhatla S., Dennis M. S., Potter J. F., « A study of statin use in the prevention of cognitive impairment of vascular origin in the UK », *J. Neurol Sci.*, 229-230(1), 15 mars 2005, p. 147-150.
2. Kaplan C. P., Haas J. S., Perez-Stable E. J. *et al.*, « Factor affecting breast cancer risk reduction practices among California physicians », *Prev. Med.,* 41(1), juillet 2005, p. 7-15.
3. Castaldo J., Nester J., Wasser T. *et al.*, « Physician attitudes regarding cardiovascular risk reduction : the gaps between clinical importance, knowledge, and effectiveness », *Dis. Manag.*, 8(2), avril 2005, p. 93-105.

La prévention est bien une façon discriminante de choisir son médecin traitant. Or pour le choisir, il faut être soi-même bien informé !

Trouver et réunir les réponses les plus à la pointe n'est pas simple. Nous avons, dans ce but, engagé un véritable travail de journalisme scientifique que nous avons d'abord mené pour nous, avec toutes nos questions ! Ce sujet nous intéresse tous deux pour des raisons personnelles ! Puis nous avons rédigé ce livre pour vous, en partageant toutes nos sources : nous considérons qu'aujourd'hui chacun a le droit de savoir ce que la médecine découvre, année après année. Nous n'acceptons plus que l'information médicale soit réservée à certains, les autres devant se contenter de poncifs officiels et souvent condescendants. Le droit de savoir et de se faire une opinion doit devenir une réalité pour ceux qui le souhaitent.

Nous avons fait valider ce travail de journalisme scientifique par des experts des différents sujets abordés. Qu'ils soient remerciés pour leur aide précieuse et leurs conseils.

Reste une question : quand commencer à s'occuper de la prévention de sa santé ? Pour nous l'âge idéal, c'est 15 ans ! Plus on commence tôt, plus les bénéfices qu'on en retire sont grands, c'est la règle d'or. Dans tous les cas, il n'est jamais trop tard pour s'y mettre !

Nous tenons à remercier très vivement les experts qui nous ont fait bénéficier de leurs remarques, en particulier pour le travail de documentation. Ces experts ne sont cependant pas engagés par les prises de position des auteurs, notamment sur les sujets encore peu explorés.

Dr Marion Adler, tabacologue à l'hôpital Antoine Béclère, Petit-Clamart.

Philippe Askenazy, économiste, chargé de recherche au CNRS sur la santé au travail.

Dr Saïd Bekka, endocrinologue au CH de Chartres, coach des raids Diabète et sports de l'extrême.

Jean-Paul Blanc, diététicien à Paris.

Dr Michel Brack, médecin, Centre d'investigations biocliniques du stress oxydatif, Paris-Unité INSERM 551.

Pr Christophe Dupont, gastro-pédiatre à l'hôpital Saint-Vincent-de-Paul à Paris.

INTRODUCTION

Dr Marc Espié, cancérologue, directeur du Centre des maladies du sein de l'hôpital Saint-Louis à Paris.

Pr Marquis Fortin, professeur de médecine familiale à l'université de Montréal.

Alain Goudsmet, coach de sportif et directeur de l'Institut Mentally Fit à Bruxelles.

Pr Alain Hagège, cardiologue à l'hôpital européen Georges Pompidou.

Dr Jean-Michel Lecerf, endocrinologue, service de nutrition de l'Institut Pasteur de Lille.

Pr François Lhoste, pharmacologue, membre du Comité économique des produits de santé.

Dr Michèle Micas, psycho-gériatre, spécialiste de la maladie d'Alzheimer, CHU de Toulouse.

Dr Gérard Porte, médecin généraliste, spécialiste de la médecine du sport, médecin chef du Tour de France.

Pr David Servan-Schreiber, psychiatre, directeur du centre de médecine complémentaire à l'université de Pittsburgh aux États-Unis, auteur de *Guérir*.

Quelle est mon espérance de vie ?

Quand nous avons parlé à une amie, Nathalie, de l'idée de ce livre, elle nous a répondu : « À quoi bon vivre plus longtemps si c'est pour être diminué, malade, handicapé, ou même grabataire, pour être isolé et déprimé ! »

En fait, cette remarque est contraire à la réalité objective. Les centenaires sont en meilleure forme que les autres et plus longtemps. Ils paraissent bien plus jeunes que leur âge, sont très actifs physiquement et intellectuellement, très entourés socialement, en bonne santé jusqu'à leur dernière année de vie, et ils ont même plus de sens de l'humour que la moyenne des gens...

La réalité est plutôt que l'on peut vivre longtemps et en bonne santé physique et morale, ou bien, au contraire, vivre moins longtemps et en moins bonne forme !

Alors, cette question : comment vivre plus longtemps, est vraiment intéressante !

En France, notre durée de vie augmente régulièrement. Aujourd'hui, en 2006, elle est pratiquement de soixante-dix-sept ans pour les hommes et de quatre-vingt-quatre ans pour les femmes. Elle a progressé d'une quinzaine d'années en un demi-siècle. En 1950, elle était seulement de soixante-trois ans pour les hommes et de soixante-neuf ans pour les femmes.

Cette espérance de vie à la naissance continue à augmenter d'un trimestre par an. On pourrait conclure qu'il suffit d'attendre pour gagner sans rien faire un trimestre de vie par an...

Mais rester passif et attendre n'est pas l'attitude idéale, car cette

17

augmentation de la durée de vie est une moyenne, alors que chacun d'entre nous est un cas particulier !

Il vaut bien mieux agir pour rester en bonne santé, actif très longtemps.

Quelle est mon espérance de vie moyenne ?

L'espérance de vie à la naissance est une chose, l'espérance de vie à votre âge en est une autre ! Vous pourrez trouver sur le tableau ci-dessous, et en fonction de votre âge aujourd'hui, l'âge jusqu'auquel vous vivrez **en moyenne**, c'est-à-dire en ayant le comportement du Français moyen ! Vous pouvez bien sûr faire mieux en vous prenant en main !

Âge	0	5	15	30	45	60	75	90
Hommes	77	77	77	78	79	81	86	94
Femmes	84	84	84	85	85	87	89	95

Ce tableau est issu des données statistiques de l'Institut national d'études démographiques (INED) [1] :

La différence de sept années de vie supplémentaire en faveur des femmes est particulièrement injuste. Cette caractéristique n'est pas propre aux humains, on la retrouve chez la plupart des animaux. Pourquoi ? Les scientifiques l'expliquent uniquement par les différences hormonales, la testostérone pourrait pousser à vivre plus dangereusement, tant en termes de comportement agressif (morts violentes) qu'en termes de toxicomanies (tabac, alcool, autre). Les hommes doivent tenir compte de leur naturel plus combatif et apprendre à devenir plus calmes : le stress est l'un des plus puissants accélérateurs du vieillissement.

L'espérance de vie augmente constamment. Alors, jusqu'où allons-nous vieillir comme cela ? Selon les projections démographiques de l'INED, les hommes qui naîtront en 2100 vivront quatre-vingt-onze ans en moyenne et les femmes quatre-vingt-

---

1. Vallin Jacques, Meslé France, « Tables de mortalité françaises pour les xixe et xxe siècles et projections pour le xxie siècle », *INED Données statistiques*, 4, 2001.

quinze ans... Mais ces chiffres sont seulement des suppositions. D'autres experts prédisent qu'au contraire l'augmentation de l'espérance de vie se ralentira notamment à cause de l'augmentation des cas d'obésité chez les enfants [1] et de la consommation de tabac chez les femmes.

Concrètement existe-t-il des critères qui permettent de prévoir plus finement le potentiel de durée de vie de chacun ? Pour les démographes, ces critères ne sont pas nombreux et peuvent se résumer à trois :
— le pays de naissance ;
— le niveau d'éducation ;
— le niveau de richesse.

Autrement dit, si vous êtes né en France, pays bénéfique pour la durée de vie, si vous avez fait de longues études et que vous soyez aisé financièrement, vous avez davantage de chances de vivre longtemps...

Comment calculer mon espérance de vie plus précisément ?

Il existe une méthode d'estimation de l'espérance de vie en fonction des critères propres à chacun. Nous vous proposons donc de calculer votre espérance de vie tout en repérant les paramètres essentiels pour vivre mieux plus longtemps.

Cette méthode de calcul vient de Thomas Perls, et de l'analyse de la littérature scientifique sur les causes de la mortalité qui lui ont permis de la mettre au point.

Répondez aux questions suivantes et calculez votre score à la fin [2] :

---

1. Fumez-vous ou mâchez-vous du tabac, ou êtes-vous entouré(e) de nombreux fumeurs ? (Oui : – 10 ; Non : 0.)
2. Mangez-vous plus d'une fois par semaine des charcuteries, saucisses, bacon, etc. ? (Oui : – 3 ; Non : 0.)

---

1. Olshansky S. J., Passaro D. J., Hershow R. C. *et al.*, « A Potential Decline in Life Expectancy in the United States in the 21st Century », *N. Engl. J. Med.*, 352,1 ; www.nejm.org, 17 mars 2005.
2. Vous pouvez effectuer un calcul avec plus de paramètres en allant sur le site : www.livingto100.com.

3. Cuisinez-vous vos viandes, volailles et poissons, jusqu'à ce qu'ils soient calcinés ? (Oui : – 2 ; Non : 0.)

4. Évitez-vous le beurre, la crème, les gâteaux et autres graisses saturées aussi bien que les aliments frits (frites, panés...) (Oui : + 3 ; Non : – 7.)

5. Consommez-vous beaucoup de fruits et légumes, ainsi que de pain et céréales complètes, plutôt que de la viande que vous minimisez ? (Oui : + 5 ; Non : – 4.)

6. Buvez-vous de l'alcool en excès (plus de 2 verres par jour de vin, de bière ou d'autre alcool) ? (Oui : – 6 ; Non : 0.)

7. Buvez-vous de l'alcool de manière modérée (moins de 6 verres par semaine) (Oui : + 3 ; Non : 0.)

8. Est-ce qu'il y a des alertes à la pollution où vous vivez ? (Oui : – 4 ; Non : + 1.)

9. Pour vos boissons chaudes :
   — Buvez-vous plus de 3 tasses de café par jour ? (Oui : – 3 ; Non : 0.)
   — Buvez-vous du thé tous les jours ? (Oui : + 3 ; Non : 0.)

10. Prenez-vous de l'aspirine tous les jours (Oui : + 4 ; Non : 0.)

11. Nettoyez-vous vos dents au fil dentaire ou au jet dentaire tous les jours ? (Oui : + 2 ; Non : – 4.)

12. Allez-vous à la selle au moins tous les 2 jours ? (Oui : 0 ; Non : – 2.)

13. Avez-vous des relations sexuelles à risque, sans préservatifs, qui vous exposent au risque de contracter les virus du sida (HIV) ou de l'hépatite B ? (Oui : – 8 ; Non : 0.)

14. Vous protégez-vous du soleil avec une crème solaire ? (Oui : – 4 ; Non : + 3.)

15. Existe-t-il des niveaux dangereux de radon dans votre maison ? (Oui : – 7 ; Non : 0.)

16. Calculez votre indice de masse corporelle (poids en kg divisé 2 fois par la taille en m. Exemple pour 57 kg et 1,70 m : 57 /1,7/1,7 = 19,7) :
   — Moins de 18 (– 7) ;
   — 18 à 26 (+ 2) ;
   — 27 à 29 (– 7) ;
   — 30 à 34 (– 10) ;
   — 35 à 39 (– 15) ;
   — Plus de 40 (– 25).

17. Vivez-vous assez proche de gens, autres que votre époux (se) ou vos enfants dépendants, que vous pouvez et voulez visiter spontanément ? (Oui : + 5 ; Non : – 4.)

18. Quelle affirmation vous correspond le mieux ?
   — Je suis souvent stressé. Je n'arrive pas à l'éviter. (– 7.)

— J'évite facilement le stress, en priant, en méditant, en faisant de l'exercice, en prenant les choses avec humour ou d'une autre façon. (+ 7.)

19. Est-ce que plus d'une personne de votre famille proche (parents, frères et sœurs) a du diabète ? (Oui : – 4 ; Non : 0.)

20. Est-ce que vos deux parents :
— Sont morts de façon accidentelle avant l'âge de 75 ans ? (Oui : – 10 ; Non : 0.)
— Ou étaient-ils tous les deux (ou un seul si l'autre est décédé avant l'âge de 75 ans) dépendants avant d'avoir leurs 75 ans ? (Oui : – 10 ; Non : 0.)

21. Est-ce que plus d'une personne de votre famille (parents, grands-parents, oncles, tantes) a vécu plus de 90 ans en bonne santé ? (Oui : + 24 ; Non : 0.)

22. Pour votre activité physique :
— Êtes-vous plutôt sédentaire ? (– 7.)
— Vous entraînez-vous vingt minutes ou plus par jour ? (+ 7.)

23. Prenez-vous de la vitamine E ou du sélénium tous les jours ? (Oui : + 5 ; Non : – 3.)

Pour calculer votre potentiel de durée de vie, additionnez tous les points négatifs et positifs que vous avez obtenus en répondant aux questions (exemple : – 45, + 30 = – 15). Puis divisez le score obtenu par 5 (exemple : – 15 /5 = – 3). Enfin, ajoutez ou soustrayez ce nombre à :
— 84 si vous êtes un homme (exemple : 84 – 3 = 81 ans),
— 87 si vous êtes une femme (exemple : 87 – 3 = 84 ans).

Cette méthode de calcul peut être critiquée, mais outre qu'il n'en existe pas de meilleure à ce jour, elle a l'avantage de nous donner une idée du potentiel de nos gènes pour faire de nous des centenaires. En effet, un score au-dessus de 90 ans est de bon augure.

Pour faire encore mieux, prenons modèle sur les centenaires !

Tous ces calculs sont intéressants pour se donner une idée globale, mais ils valent seulement sur le plan statistique. Une façon totalement différente d'estimer le potentiel de vie de chacun est d'observer les centenaires et de voir si vous partagez des caractéristiques clés avec eux : plus vous leur ressemblerez, plus vos chances seront grandes !

La plus importante étude de centenaires effectuée à ce jour montre que, pour devenir centenaire, peu importent le lieu de naissance, le niveau d'éducation et le niveau de richesse : ce sont d'autres critères qui les caractérisent, liés à leur santé, à leur hérédité et à leur psychisme. Cela vaut la peine de se pencher sur ces critères...

Le docteur Thomas Perls a mené cette grande étude sur les centenaires [1]. Pour obtenir une véritable photographie de leurs caractéristiques, il a effectué, avec son équipe, un véritable travail de fourmi. Il a commencé par repérer tous les centenaires d'une même région. Son objectif était de les étudier pratiquement tous pour ne pas fausser les données. 169 centenaires ont ainsi été sélectionnés dans le Commonwealth du Massachusetts – USA (représentant 85 % de cette population). Que nous apprennent-ils sur eux-mêmes ?

Les centenaires sont issus de tous milieux socioéconomiques, de tous niveaux culturels, de toutes races et de toutes origines. Ils diffèrent également par la diversité de leurs activités.

Ils partagent de nombreuses constantes entre eux, dont voici la liste :

— Aucun ne fume et seuls 5 % sont d'anciens fumeurs (ayant arrêté dans leur jeunesse).

— La grande majorité ne boit pas du tout d'alcool et aucun n'a un passé d'abus d'alcool,

— 99 % sont non obèses et 80 % ont gardé leur poids d'adulte constant tout au long de leur vie.

— 99 % ne sont pas diabétiques.

— Ils sont en grande forme jusque dans leur dernière année de vie. 95 % d'entre eux n'ont eu aucune maladie grave avant de devenir nonagénaires. 99 % n'ont eu aucun cancer, ni infarctus.

— D'une manière générale, leur vieillissement est ralenti. Ils paraissent beaucoup plus jeunes que leur âge. Les femmes centenaires sont 20 % à avoir eu des enfants après 40 ans au lieu de 6 % dans la population générale. Cela traduit selon les auteurs un système génital performant plus longtemps.

— Ils sont actifs physiquement et beaucoup habitent au 2e ou 3e étage. Ils ont gardé une bonne musculature qu'ils entretiennent.

— Ils sont très actifs mentalement. Ils continuent à apprendre

---

1. Perls Thomas T. et Hutter Silver Margery, *Living to 100*, Basic Books, 1999.

(nouvelles activités), ils apprécient les occupations d'expression de soi et de coordination : écriture, peinture, musique... autant d'activités qui nécessitent à la fois de se projeter dans l'avenir et de coordonner plusieurs zones du cerveau, les aires cérébrales, visuelles, motrices, verbales, etc.

— Globalement, ils ont des journées pleines qui donnent toujours du sens à leur vie.

— Ils ont une vie sociale très développée. Ils attirent les autres par leur personnalité, leur bonne humeur et leur grand sens de l'humour.

— La grande majorité a une pratique religieuse. Ils sont sereins face à la mort et engagés dans la vie.

— De manière très significative, ils sont indemnes de troubles anxieux et de dépression. Cette bonne nature psychique les protège des conduites impulsives (accidents...) ou compulsives (tabac, alcool...) Les rares qui sont dépressifs s'arrangent pour surmonter les épreuves. Ils sont combatifs et ne se laissent pas abattre.

— Leur capacité d'adaptation est excellente, notamment du fait de leur réalisme. Ils s'occupent souvent eux-mêmes de leur placement en maison de retraite quand ils l'estiment nécessaire. D'une manière générale, ils cherchent des solutions.

— Ils sont peu sensibles au stress, savent relativiser et sont d'une nature peu hostile, toujours ouverte aux autres.

Autrement dit, ces centenaires sont taillés pour le marathon de la vie ! Que retenir en pratique ?

— Ils ont une vie saine sans usage de toxiques (tabac, alcool).

— Ils ont une bonne santé, leur permettant d'éviter longtemps cancers, infarctus et autres maladies graves.

— Ils sont actifs physiquement et mentalement.

— Ils sont d'une nature psychique positive, ouverte aux autres, résistante au stress tout en étant combative.

Éviter cancers, infarctus et Alzheimer

Que faire si notre score d'espérance de vie est nettement moindre ? Car c'est le cas de la plupart d'entre nous ! Simplement décider de profiter des progrès de la médecine préventive. Nous pouvons prévenir les maladies comme les cancers, la maladie d'Alzheimer et les maladies cardiovasculaires (infarctus et

---

Félicie doit marcher

« Il faut marcher, madame Félicie, c'est ce qu'il y a de mieux pour vos douleurs de jambes. » En proposant cela à sa patiente de 95 ans, le docteur Dupont répétait assez machinalement des conseils qu'il donnait régulièrement à ses patients. Il ne se doutait pas qu'il serait écouté à la lettre ! À 95 ans, Félicie rentra à pied chez elle en traversant toute la ville de Brest, soit une marche de plus de 15 kilomètres ! Par la suite, Félicie est devenue centenaire. Une chose est sûre, l'activité physique ne lui faisait pas peur !

---

attaques cérébrales). C'est l'objectif principal de la médecine préventive, et il justifie d'y consacrer du temps.

De plus, les facteurs de risques qui augmentent la probabilité de faire un cancer sont aussi ceux qui augmentent les risques de maladie d'Alzheimer ou d'infarctus. Il est démontré que ceux qui ont les facteurs de risques cardiovasculaires les plus bas sont ceux qui vivent le plus longtemps [1].

Les méthodes qui permettent d'éviter ces trois maladies ne contribuent pas seulement à allonger notre durée de vie, mais également à nous maintenir en grande forme.

Pourquoi chercher à éviter en priorité ces trois maladies que sont les cancers, les infarctus (et les maladies cardiovasculaires en général) et la maladie d'Alzheimer (et les autres démences) ? Parce que dans les statistiques, on les retrouve largement en tête des causes de mortalité [2], à côté des causes accidentelles dont la prévention n'est pas médicale, mais plutôt du registre de la santé publique.

Ces chiffres parlent tout seuls pour les cancers et l'infarctus qui représentent près des deux tiers des causes de mortalité. Il est évident qu'en cherchant à les éviter on gagne potentiellement beaucoup.

Mais pourquoi chercher à éviter les démences qui sont moins en cause dans ce tableau ? Pour une raison simple : une fois les cancers et infarctus évités, la maladie la plus redoutable est la maladie d'Alzheimer. En effet, sa survenue augmente avec l'âge.

---

1. Daviglus M. L., Stamler J., Pirzada A. *et al.*, « Favorable cardiovascular risk profile in young women and long-term risk of cardiovascular and all cause mortality », *JAMA*, n° 292(13), p. 1588-592.

2. Meslé F., d'après les données INSERM, in Prioux F., « L'évolution démographique récente en France », *Population*, n° 5, 2004.

Cause décès pour 100 000	Hommes	%	Femmes	%
Cancers	280	33,5	129	29,5
Mal. cardiovasculaires	223	26,7	124	28,3
Démences	12	1,4	29	6,8
Accidents	203	24,3	81	18,4
Autres	118	14,1	75	17

Est-ce à dire que cette maladie est inéluctable ? Non, elle est évitable. Le docteur Perls a obtenu l'autorisation des centenaires d'analyser leur cerveau après leur mort. Il a ainsi pu constater que la plupart de ceux qui étaient indemnes de toute démence ne présentaient aucun signe avant-coureur de la maladie d'Alzheimer. Pourtant, elle évolue pendant vingt à trente ans avant de donner des signes visibles sur le comportement. Leurs cerveaux étaient intacts et n'auraient jamais été concernés par la maladie d'Alzheimer s'ils avaient continué à vivre.

La maladie d'Alzheimer n'est donc pas une conséquence inéluctable de l'âge. Il s'agit d'un processus autre que celui du vieillissement inévitable. On peut donc se battre contre lui. C'est ce que nous vous proposons dans le prochain chapitre, avant d'aborder la prévention des cancers et de l'infarctus.

Alzheimer : je n'en veux pas,
ni pour moi ni pour mon entourage !

Savez-vous qui sont aujourd'hui les personnes les plus à l'abri d'une maladie d'Alzheimer ? Celles qui ont une vie saine ? Celles qui font travailler leur mémoire ? Pas du tout. Ce sont celles qui, souffrant d'un cholestérol trop élevé, sont soignées par une statine. Une statine est un médicament qui fait baisser le taux de cholestérol dans le sang. Six études ont démontré que cette famille des statines pouvait diminuer jusqu'à 70 % le risque de faire une démence. Alors, étonnamment, avoir trop de cholestérol et le soigner vous permet d'accéder à un traitement préventif très efficace avec peu d'effets secondaires, alors qu'une alimentation saine et un bon cholestérol naturel ne vous protègent pas aussi bien contre cette terrible maladie... même s'ils ont un effet positif.

Ainsi, la médecine a dans ses cartons des connaissances, des possibilités formidables qui ne sont pas encore intégrées dans les pratiques, ni accessibles au grand public. Et c'est plus que dommage. Car à l'heure actuelle, quand le diagnostic de maladie d'Alzheimer est fait, c'est une fatalité, et même si des traitements existent, ils sont encore insuffisamment efficaces. **Grâce à la prévention, on peut éviter un grand nombre de maladies d'Alzheimer (ou en retarder l'apparition).**

Pour se protéger de la maladie d'Alzheimer, il faut y penser tôt

En effet, notre cerveau est régulièrement agressé par divers événements comme des ivresses alcooliques, des chocs traumatiques, des inflammations diverses (rhumes, grippe, etc.). Or il récupère de moins en moins bien au fil des années. Car ses mécanismes de réparation ne fonctionnent plus aussi bien. C'est donc très tôt qu'il faut l'aider à se réparer pour éviter des dégâts souterrains. Très tôt, cela signifie dès 30 ou 40 ans. Parce qu'à cet âge, si les micro-lésions ne se ressentent pas, elles peuvent déjà exister. Si vous voulez disposer d'un cerveau à son maximum, hyper fonctionnel, il faut vous en occuper.

S'il faut penser très jeune à la prévention de la maladie d'Alzheimer, c'est aussi qu'il faut nous occuper de nos parents, investir dans leur santé. Connaissez-vous le pourcentage de personnes qui souffrent de démence [1] ? À 90 ans, une personne sur 2 ! et à 85 ans, une personne sur 6. Ce sont des chiffres épouvantablement élevés. Une personne atteinte de démence vit encore en moyenne quatre ans et demi. Ce sont des années extrêmement difficiles. Alors, autant agir avant pour éviter d'y être confrontés !

☞ **Pour la prévenir chez soi ou chez ses parents, il est bon de penser très tôt à se protéger contre la maladie d'Alzheimer.**

Voici ce qui est aujourd'hui prouvé scientifiquement :

— Les personnes obèses présentent un risque de maladie d'Alzheimer multiplié par 2.
— Le diabète multiplie le risque par 2.
— L'hypertension artérielle le multiplie non plus par 2, mais par 6 !
— Et un cholestérol élevé le multiplie par 6 [2]...

---

1. Étude PAQUID : http://www.isped.u-bordeaux2.fr/recherche/paquid/fr-paquid-accueil.htm. Les résultats de l'étude, un modèle de cohorte suivie sur de très nombreuses années, sont mis à jour régulièrement et sont disponibles sur Internet.

2. 9ᵉ conférence internationale sur la maladie d'Alzheimer à Philadelphie en 2004, d'après *Le Quotidien du médecin* du 22 juillet 2004, « Prévenir la maladie d'Alzheimer ».

Certains comportements ont au contraire un effet bénéfique démontré :

— Une consommation régulière de légumes verts préserve les fonctions cognitives, notamment l'intellect et la mémoire.

— Les pratiques physiques, mentales et sociales diminuent significativement l'apparition d'une démence. Cela est vrai pour les intérêts culturels, politiques, manuels, mais aussi pour la marche, la fréquentation de concerts...

— Le célibat double le risque de maladie d'Alzheimer [1].

☞ **Il est scientifiquement prouvé que certains facteurs accélèrent la survenue d'une maladie d'Alzheimer quand d'autres la ralentissent.**

Imaginez ce qui se passe dans votre cerveau si vous êtes en surpoids (en obésité vraie, pas juste un petit bourrelet !), si vous ne traitez ni votre hypertension, ni votre cholestérol... ou si, diabétique, vous prenez votre traitement « à peu près » au lieu de le prendre sérieusement... Votre cerveau a tendance à s'abîmer et à accélérer un processus dégénératif. Et, au lieu d'avoir un risque de maladie d'Alzheimer de 1 sur 6 à 85 ans, votre risque apparaîtra plus tôt et sera plus élevé.

Alors, la première action pour entretenir votre cerveau, c'est de suivre votre santé de près et d'être extrêmement sérieux pour soigner quelque chose qui vous semble tout à fait bénin (cholestérol, hypertension...), mais qui peut avoir des conséquences extrêmement graves.

Pourtant, ces données [2] intéressantes entraînent souvent chez les gens touchés de près par cette maladie, des réactions de colère bien compréhensibles :

« Toutes ces recommandations, c'est bien joli mais la seule personne que je connais qui a la maladie d'Alzheimer faisait de l'exercice physique de façon modérée mais régulière, s'alimentait de façon très équilibrée, ne souffrait ni d'hypertension, ni d'obésité et était très penchée sur des activités intellectuelles et manuelles toute sa vie » (Éliane).

---

1. Étude PAQUID : http://www.isped.u-bordeaux2.fr/recherche/paquid/fr-paquid-accueil.htm.

2. Données dont le point a été fait à la 9e conférence internationale sur la maladie d'Alzheimer et les troubles apparentés.

« Quand on voit Reagan, ancien président des USA, atteint de la maladie... Il a certainement été suivi médicalement, intellectuelle-ment, diététiquement... certainement QI supérieur (quoique ??)... » (Dominique).

« Je réagis à ce "lieu commun" que représente une "vie saine" pour éviter la maladie (celle-ci et d'autres !). Ma mère, malade d'Alz-heimer, âgée de 83 ans, a toujours été très active, menant de front une vie familiale et un emploi dans le privé, préparant les repas de la semaine le dimanche. Elle a toujours mangé sainement et nous a fait partager son goût des fruits frais qu'elle et mon père continuent de manger régulièrement, n'a jamais bu d'alcool, qu'elle ne sup-porte pas, ni même fumé ! Quant à son poids de 53 kilogrammes pour 1,60 mètre, il a toujours été le même depuis des années » (Odile).

Il est forcément horrible et quasiment impossible d'accepter sereinement un diagnostic de maladie d'Alzheimer. Mais cela ne doit pas empêcher de voir quelque chose que ces per-sonnes occultent : la suite du témoignage d'Odile peut le faire comprendre : « *Le frère jumeau de maman est décédé, il y a huit ans, des suites de cette même maladie qui était particulière-ment agressive.* » Même si la plupart des maladies d'Alzheimer ne sont sans doute pas génétiquement transmises, on peut penser que sa mère, grâce à un mode de vie particulièrement sain, a peut-être repoussé l'échéance d'une dizaine d'années. Chez elle, la maladie vient d'être diagnostiquée à 83 ans alors que son jumeau menant peut-être une vie moins saine en est décédé huit ans auparavant.

Car si une vie saine peut retarder l'apparition de la maladie, de façon certaine et prouvée, en permettant sans doute au cerveau de mieux lui résister, elle ne garantit pas à 100 % une bonne santé jusqu'à la mort.

Les facteurs de risques de démence les plus dangereux (tous types de démence confondus, vasculaires et dégénératives) sont un cholestérol ou une tension artérielle trop élevés. Ces deux facteurs multiplient chacun le risque par 6. Il n'est donc pas étonnant que les médicaments limitant ces deux facteurs aient potentiellement un effet positif pour prévenir la maladie d'Alzheimer. Ainsi, les statines, traitement anti-cholestérol, ont démontré un effet très important en prévention. D'après neuf études publiées depuis l'année 2000 [1], la baisse de la survenue des maladies d'Alzheimer se situe entre 37 et 73 %.

La maladie d'Alzheimer, définition [2]

La maladie d'Alzheimer est une maladie neurodégénérative qui détruit les cellules du cerveau de façon lente et progressive. Elle porte le nom d'Aloïs Alzheimer, neuropsychiatre allemand qui, en 1907, fit le rapprochement entre certaines démences et des lésions caractéristiques : des plaques « séniles » avec une dégénérescence de neurones, à l'intérieur desquelles se forment des filaments anormaux.

Cette maladie affecte la mémoire (surtout des faits récents) et le fonctionnement mental, altère le langage, perturbe les gestes élaborés, trouble l'orientation dans le temps et l'espace... Il existe aussi des manifestations psychocomportementales associées à ces troubles de la mémoire : perturbations de l'humeur (anxiété, dépression), instabilité psychomotrice, hallucinations, idées délirantes...

Il est probable que, pour être vraiment bénéfiques, les statines doivent être prises longtemps. En effet, dans une expérimentation dont la durée de prise de statine était de cinq ans, cet effet préventif sur la maladie d'Alzheimer n'a pas été observé.

En tout cas, il n'existe aujourd'hui aucune étude prospective sur le long terme qui comparerait le devenir d'un groupe de personnes prenant des statines et celui d'un autre groupe n'en prenant pas. Les résultats cités demandent donc à être confirmés.

---

1. Wolozin B. *et al.*, « Decreased prevalence of Alzheimer disease associated with 3-hydroxy-3-methylglutaryl coenzyme A reductase inhibitors », *Arch. Neurol.*, 57, 2000, p. 1439-1443 ; Jick H. *et al.*, « Statins and the risk of dementia », *Lancet*, 356, 2000, p. 1627-1631 ; Yaffe K. Barrett-Connor E., Lin F. *et al.*, « Serum lipoprotein levels, statin use, and cognitive function in older women. », *Arch. Neurol.*, 59, 2002, p. 378-384 ; Hajjar I. *et al.*, « The impact of the use of statins on the prevalence of dementia and the progression of cognitive pairment », *J. Gerontol. A. Biol. Sci. Med. Sci.*, 57, 2002, p. 408-414 ; Green R. C. *et al.*, « Statin use is associated with reduced risk of Alzheimer's disease » (abstract). *Neurobiol. Aging*, 23, 2002, p. 273-274 ; Zamrini E. *et al.* « Association between statin use and Alzheimer's disease. *Neuroepidemiology* », 23(1-2), janvier-avril 2004, p. 94-98 ; Zandi P. P. *et al.*, « Do statin reduce risk of incident dementia and Alzheimer disease ? The Cache Country Study », *Arch. Gen. Psychiatry*, 62(2), février 2005, p. 217-224 ; Li G. *et al.*, « Statin therapy and risk of dementia in the ederly : a community-based prospective cohort study », *Neurology*, 63(9), 9 novembre 2004, p. 1624-1628 ; Rea T. D., Breitner J. C., Psaty B. M. *et al*, « Statin use and the risk of incident dementia : the cardiovascular Health Study », *Arch. Neurol.*, 62(7), juillet 2005, p. 1047-1051.

2. D'après la définition du site www.francealzheimer.org.

Il est cependant particulièrement intéressant de noter que chez certaines personnes extrêmement exposées à la maladie d'Alzheimer, car porteuses d'un gène appelé gène apo E4, le risque de démence est diminué de 67 % par les statines.

Pourtant, curieusement, les médicaments anti-cholestérol autres que les statines ne font pas, eux, diminuer les démences [1]. Alors, pourquoi ces statines sont-elles si bénéfiques pour notre cerveau ?

— Les statines sont des hypocholestérolémiants très particuliers qui, à la fois, abaissent le cholestérol dans le sang, et agissent à l'intérieur des cellules du cerveau (les fameux neurones) sur les réactions du cholestérol.

— Le fait de diminuer le cholestérol circulant est bénéfique car, quand la quantité de cholestérol est trop élevée, il se dépose dans la paroi des artères et finit par les rétrécir. Le cerveau, alors moins oxygéné, souffre. C'est sans doute un facteur favorisant les démences.

Les neurones subissent un remaniement permanent pour lequel ils ont besoin d'un apport de cholestérol. Ce cholestérol provient de deux sources :

— un cholestérol externe, qui vient de la circulation sanguine ;

— un cholestérol interne, qui vient du recyclage des membranes neuronales usagées.

Il semblerait que le meilleur approvisionnement pour le corps soit le cholestérol externe qui vient du sang. En effet, bien que cela ne soit pas prouvé scientifiquement, des études incitent à penser que l'utilisation importante de cholestérol interne, recyclé, aurait tendance à devenir, à la longue, toxique pour les cellules, et augmenterait le risque de maladie d'Alzheimer.

La force des statines est de favoriser l'utilisation du cholestérol sanguin et bloquer l'utilisation du cholestérol interne de recyclage. Car elles inhibent une enzyme indispensable au recyclage du cholestérol interne. Du coup, les cellules sont obligées d'augmenter l'utilisation du cholestérol externe pour continuer leur travail. Et cela leur semble favorable. En outre, l'utilisation de statines se traduit aussi par la baisse de dépôts caractéristiques de la maladie d'Alzheimer dans le cerveau, les dépôts amyloïdes. (C'est démontré chez l'animal [2].)

---

1. Rockwood K. *et al.*, « Use of lipid-lowering agent, indication bias, and the risk of dementia in communuty-dwelling ederly people », *Arch Neurol.*, 59, 2005, p. 223-227.

2. Fassbender K. *et al.*, « Simvastatin strongly reduces levels of Alzheimer's disease ß-amyloïd peptides Aß42 and Aß40 *in vitro* and *in vivo* », *Proc. Natl. Acad. Sci. U. S. A.*, 98, 2001, p. 5856-5861.

Une autre situation montre que le cholestérol externe du sang est sans doute meilleur pour les neurones que le cholestérol recyclé. Pour entrer dans les cellules du cerveau, le cholestérol a besoin d'un « véhicule de transport », l'apolipoprotéine E. Or, chez 20 % d'entre nous, porteurs d'une apolipoprotéine (apo E4), ce transport du cholestérol est moins performant que la moyenne : le cholestérol peine à entrer dans les cellules qui font du coup beaucoup plus appel au cholestérol interne de recyclage. De plus, comme l'apo E4 est moins protectrice et moins antioxydante que les autres apo E, elle augmente l'exposition du cholestérol aux radicaux libres. Résultat : les personnes porteuses de l'apo E4 sont beaucoup plus exposées à la maladie d'Alzheimer que les personnes porteuses d'autres types d'apo E. Les statines sont alors très bénéfiques car elles corrigent cette tendance à privilégier le cholestérol de recyclage.

Les statines ont donc des propriétés anti-Alzheimer qui découlent directement de leur effet sur le métabolisme du cholestérol :

— elles abaissent le cholestérol sanguin sans abaisser le cholestérol dans le cerveau ;

— elles favorisent l'activité des apolipoprotéines E en inhibant la voie interne de recyclage du cholestérol.

— chez des personnes sous statines atteintes d'une forme légère de maladie d'Alzheimer [1], une étude a mis en évidence une baisse de la protéine bêta amyloïde dans les liquides cérébraux. Chez l'animal, les statines diminuent les dépôts amyloïdes [2] dans le cerveau, dépôts caractéristiques de la maladie d'Alzheimer.

☞ **Des médicaments anti-cholestérol, les statines, ont une action démontrée en prévention de la maladie d'Alzheimer. Si vous en prenez à cause d'un cholestérol trop élevé, ils protègent votre cerveau. Il n'est pas cependant prouvé qu'il soit bénéfique d'en prendre en prévention si votre cholestérol est normal.**

---

1. Locatelli S., *et al.*, « Reduction of plasma 24S-hydroxycholesterol (cerebrosterol) levels using high-dosage simvastatin in patients with hypercholesterolemia », *Arch. Neurol.*, 52, 2002, p. 213-216.

2. Fassbender K., *et al.*, « Simvastatin strongly reduces levels of Alzheimer's disease ß-amyloïd peptides Aß42 and Aß40 *in vitro* and *in vivo* », art. cité.

**La maladie d'Alzheimer
n'est pas la seule à abîmer le cerveau**

La deuxième grande forme de détérioration mentale est due à l'atteinte des vaisseaux (démence vasculaire) qui concerne une démence sur cinq.

Quelles sont les causes de ces dégâts ? Des attaques au niveau des artères, bouchées par des caillots, ou par des manques passagers d'oxygène (accidents ischémiques transitoires).

Suite aux attaques de ses vaisseaux, le cerveau souffre de troubles intellectuels qui concernent la mémoire, le langage, la capacité d'agir et le jugement. Ces troubles retentissent, comme pour la maladie d'Alzheimer, sur toute la vie quotidienne dont les activités sont progressivement perturbées.

Une grande étude prospective sur 17 256 personnes (Heart Protection Study, HPS) montre que les personnes à risque d'accident vasculaire cérébral qui sont traitées par une statine voient leur risque de première attaque cérébrale baisser de 25 % après une année de prise de médicament... Et cela même si leur taux de cholestérol est normal. Il est donc licite pour votre médecin de vous prescrire une statine si vous présentez des facteurs de risques cardiovasculaires, et un taux de cholestérol normal. D'ailleurs, ces statines sont tout aussi efficaces en prévention sur les vaisseaux du cœur (prévention des infarctus) que les vaisseaux du cerveau.

Si les statines sont aussi intéressantes, pourquoi n'en prescrit-on pas à tout le monde ?

Michel, 57 ans, traducteur scientifique :

« J'ai vu, il y a quelques années, mon père commencer à perdre la mémoire à 71 ans, et se dégrader petit à petit, de plus en plus. Il faut dire que nous avions perdu mon frère d'un accident, un an auparavant, et que le choc avait été terrible. Je ne sais pas si cela peut jouer un rôle. Mon père avait pourtant fait du sport toute sa vie et il continuait à faire du vélo, était plutôt mince, sans cholestérol ni hypertension. La plongée a été rapide puisqu'il est mort en trois ans. Enfin, je peux dire maintenant que ce fut rapide, mais à l'époque, c'était terrible, le temps s'étirait lentement, pour n'apporter que des mauvaises nouvelles. Il allait de plus en plus mal. Il a commencé par cacher de l'argent un peu partout, par perdre la mémoire, et par dire des choses de plus en plus bizarres, par tout oublier, être un peu agressif. Nous avons mis du temps à imaginer qu'il pouvait s'agir d'un début de démence. On ne peut pas accepter une idée pareille. Et puis, il arrive un moment où l'on n'a plus le choix. On est obligé de voir la réalité en face. C'était horrible pour ma mère, qui elle était diabétique et pas forcément en pleine forme. J'habitais tout près, alors je voyais les choses empirer et je la soutenais de mon mieux. Il a fugué plusieurs fois et nous nous faisions un sang d'encre. Nous avons fini par demander une place dans un établissement spécialisé, mais la durée de l'attente est telle, et les places sont si rares, qu'il y est resté seulement quatre mois avant de mourir. En plus, c'était assez loin de chez nous, à une centaine de kilomètres, alors nous nous sentions mal de l'envoyer si loin, même s'il ne nous reconnaissait plus ! Nous allions le voir aussi souvent que possible, plus par devoir que par plaisir, car voir son père, qu'on aime, dans un tel état, ne pouvant plus parler, ne vous reconnaissant pas, bavant, errant les yeux vides, ça vous détruit un peu à chaque fois.

Ma mère, un peu plus jeune que lui, a beaucoup souffert, et une fois mon père décédé, elle a commencé à déprimer. Je sentais que c'était grave, mais je pensais que c'était le contrecoup. En fait, il s'est avéré que, pour elle aussi, c'était un début de maladie d'Alzheimer ! Je ne peux même pas vous décrire comment je me suis senti assommé quand je l'ai compris. Je venais de vivre quelques années atroces, rongées par cette maladie, car toute la famille en pâtit, la mienne y compris, et nous allions perdre ma mère de la même manière... C'est terrible à dire, mais le décès de mon père a été un soulagement, même si nous l'aimions beaucoup. Nous pensions souffler quand cette nouvelle maladie nous est tombée dessus. Je n'ai pas osé annoncer le diagnostic à ma mère. Mais je sais qu'elle s'inquiétait. Quelques mois plus tard, elle s'est suicidée en prenant des médicaments. Je pense qu'elle avait compris et qu'après ce qu'elle venait de vivre, elle ne voulait pas nous imposer cela à nouveau, ni se voir perdre la tête complètement. Il faut dire que la pauvre, elle avait vu aussi sa mère mourir de cette même horrible maladie, encore Alzheimer.

Et cette fois, c'est moi qui ai commencé à déprimer. Cela peut sembler normal quand on perd ses deux parents dans de telles circonstances, mais ma déprime était aussi d'un autre ordre. Je commençais à avoir peur de tomber moi-même malade, de perdre la tête dans quelques années. Quand vos deux parents et une de vos grand-mères sont décédés de la même maladie, vous pouvez à juste titre vous demander si vous ne risquez pas de l'attraper vous aussi ! J'ai consulté un neurologue qui m'a dit que je menais une vie saine, que j'étais mince, je ne fumais pas, je faisais du sport... alors, mon risque était faible. Cela ne m'a pas vraiment rassuré, parce que mon père aussi avait mené une vie saine ! Alors, je me suis informé. Et j'ai appris que certains médicaments, de la famille des statines, avaient un effet préventif. J'ai été voir mon médecin généraliste pour lui demander s'il pouvait m'en prescrire. Il s'est trouvé bien embêté car, m'a-t-il dit, "c'est la première fois qu'un patient me fait pareille demande". Et il n'était pas pour prescrire un médicament qui peut avoir des effets secondaires pour une maladie non déclarée, que, peut-être je n'aurai jamais ! Résultat, je n'ai pas pu obtenir d'ordonnance pour une statine. Je me suis donc informé sur les effets secondaires, et j'ai vu que ça n'avait pas l'air bien terrible. C'est là que, par chance, j'ai découvert que, depuis quelques semaines, ces médicaments étaient en vente libre en Angleterre, sans doute en raison de leurs nombreux effets positifs et leur peu d'effets négatifs. Et là, je n'ai pas tergiversé. Je parle anglais puisque je suis traducteur, et j'ai l'occasion de me rendre en Angleterre. Aussitôt que j'ai pu, je suis allé en acheter là-bas, et j'ai fait des stocks. Je prends tous les jours une petite dose (simvastatine à la dose de 10 milligrammes par jour) et je me sens rassuré. Je sais parfaitement que je ne suis pas protégé à 100 %, mais si je diminue mes risques, je suis prêt à investir de mon argent. Je n'ai pas envie d'imposer à mes enfants ni à ma femme ce que j'ai vécu avec mes parents. Et moi-même, je suis angoissé à l'idée de commencer à perdre les pédales. Cela doit être vraiment atroce...

Je me demande bien pourquoi, si en Angleterre c'est en vente libre, on ne fait pas la même chose en France. Si j'évite une maladie de cette manière, je ne coûte rien à la Sécurité sociale, puisque je paie mon médicament de ma poche, et en plus, je fais faire des sacrées économies à la société ! »

☞ **Alors, pourquoi, comme se le demande Michel, les médecins ne prescrivent-ils pas plus facilement des statines ?**

Plusieurs raisons :

— Les résultats que nous présentons ici sont assez récents, et il faut souvent du temps pour intégrer de nouvelles habitudes.

— Il est parfaitement normal pour un médecin d'hésiter à prescrire un médicament à quelqu'un qui n'est pas malade. « D'abord ne pas nuire » est bien l'éthique essentielle et primordiale d'un médecin. Les médecins ne peuvent donc pas, pour une maladie hypothétique, faire prendre des risques à quelqu'un.

— Les statines sont chères. La Sécurité sociale voit d'un mauvais œil leur consommation augmenter, car les caisses se vident !

— Actuellement, officiellement, il n'y a pas d'indication médicale pour utiliser des statines en prévention de la maladie d'Alzheimer. Si elles étaient prescrites dans ce but, elles ne pourraient pas être remboursées. De plus, en cas d'effets secondaires, le médecin engagerait sa responsabilité personnelle.

— Les Français n'ont pas envie d'une médecine à deux vitesses où certains médicaments actifs ne sont plus remboursés. Car les riches pourront se payer des statines et « tant pis pour les moins riches » ! Et c'est tout à l'honneur de notre pays que de vouloir que tout le monde bénéficie des progrès de la médecine !

— Un médicament de la famille des statines a été, il y a quelques années, retiré du marché car elle avait effectivement des effets secondaires graves, parfois mortels. D'où une méfiance justifiée envers ces médicaments !

— On avait peur que la prise de statines puisse, sur le long terme, augmenter le nombre de cancers.

Certaines de ces objections restent valables, mais de moins en moins !

— Il n'y a pas d'augmentation de cancers sous statines, c'est prouvé.

— Les statines actuelles sont beaucoup plus sûres que le médicament qui a été retiré du marché, car elles n'ont pas la même formule chimique et nous avons désormais suffisamment d'années de recul pour en être certains.

— Les résultats positifs sur la prévention des démences sont maintenant scientifiquement prouvés, il ne s'agit plus de suppositions. Il est donc temps de les prendre en compte.

— Les effets secondaires sont bien plus minimes que ceux de l'aspirine, qui, elle, est en vente libre depuis longtemps.

— Quant au prix, un générique de la simvastatine est maintenant disponible...

Suis-je concerné et ai-je intérêt à prendre des statines ? Qui est concerné ?

Quand on cumule plusieurs facteurs de risques (surpoids, hypertension, hypercholestérolémie, diabète, sédentarité, tabagisme, alimentation dépourvue de légumes et de poissons), il est vivement recommandé de se prendre en charge de toutes les manières possibles, ne serait-ce qu'en corrigeant ses erreurs et en traitant ses facteurs de risque.

Mais au-delà du mode de vie, il existe aussi des prédispositions génétiques à la maladie d'Alzheimer. Ainsi, sommes-nous tous concernés, même si certains le sont plus que d'autres.

Il existe en effet trois sortes de maladies :

— la forme génétique familiale : transmise directement par plusieurs gènes, elle touche essentiellement les personnes jeunes, de moins de 65 ans. Cette forme rare concerne moins de 5 % des cas ;

— la forme sporadique avec prédisposition génétique : un individu peut posséder un ou deux gènes de l'apolipoprotéine E4 (gène qui produit une protéine moins efficace pour transporter le cholestérol dans les neurones). Cette forme touche plutôt des personnes de moins de 75 ans (en moyenne seize ans avant les autres) et concerne la moitié des malades [1] ;

— la forme sporadique sans aucun gène connu affecte encore plus tardivement, aux alentours des 85 ans, et concerne l'autre moitié des malades atteints.

Cette maladie a donc, pour certains d'entre nous, une composante génétique, alors que, pour d'autres, elle est essentiellement liée à notre environnement, notre histoire, notre mode de vie.

20 % d'entre nous sont porteurs d'un gène prédisposant à la maladie d'Alzheimer.

Les personnes les plus exposées sont celles dont les parents au premier degré (soit leur père ou leur mère) ont été touchés par la maladie avant l'âge de 65 ans. S'ils portent la même anomalie génétique, leur risque est majeur. Si la personne concernée préfère savoir pour mieux se préparer et mieux combattre la maladie ou au contraire être soulagée de se savoir indemne malgré ses antécédents familiaux, on peut proposer de procéder à une recherche génétique. On cherche alors des anomalies sur les chromosomes 1, 14, et 21 qui heureusement sont rares.

Ceux qui portent une anomalie du chromosome 19 codant pour l'apolipoprotéine E4 sont également très exposés avec un risque important, de l'ordre de 50 %, de faire la maladie [2].

---

1. Corder E. H. *et al.*, « Gene dose of apolipoprotein E allele and the risk of Alzheimer's disease in late onset families », *Science*, 261 (5123), 13 août 1993, p. 921-923.

2. Farrer L. A. *et al.*, « Apolipoprotein E genotype in patients with Alzheimer's disease : implications for the risk of dementia among relatives », *Ann. Neurol.*, 38(5), novembre 1995, p. 797-808.

Il est néanmoins très important de noter qu'ils ont une chance sur deux d'y échapper et que les traitements préventifs, décrits plus tard, sont particulièrement efficaces. C'est pour cela que l'on parle encore de maladie sporadique, car le fait d'avoir un ou plusieurs parents atteints de la maladie avant 75 ans constitue un risque important, certes, mais ce n'est pas une fatalité.

Les 80 % restants, soit la grande majorité d'entre nous, ne sont pas génétiquement prédisposés à développer la maladie d'Alzheimer : tout dépendra de leur environnement, de leur qualité de vie et de leur traitement préventif, s'il se révèle qu'ils ont du cholestérol, de l'hypertension, du diabète, etc. Cependant même pour ceux qui n'ont pas de prédisposition génétique, la probabilité de contracter la maladie est de 1 sur 10 avant 85 ans... La moitié des malades d'Alzheimer font partie de cette catégorie. Autrement dit, y compris en l'absence de gène spécifique, le risque reste très important et la prévention garde tout son sens.

Des centenaires parmi les porteurs de l'apolipoprotéine E4 !

Une étude sur 563 centenaires a démontré que 54 d'entre eux, soit 10 %, étaient porteurs du gène de l'apolipoprotéine E4. Autrement dit, cette prédisposition génétique à faire une maladie d'Alzheimer n'interdit pas de devenir centenaire, même si elle divise par 2,3 les chances d'y parvenir. Plus que jamais, la médecine préventive est essentielle [1].

Peut-on dépister le gène de l'apolipoprotéine E4 ?

Oui, un test existe, mais il n'est pas pris en charge par la Sécurité sociale. C'est donc un choix qui a son prix, de l'ordre de 165 euros. Est-ce vraiment intéressant de faire ce test ? Pas forcément car il n'existe pas de traitement spécifique si vous êtes porteur de ce gène. La prévention est la même, que vous soyez ou non porteur de ce gène. C'est pourquoi le Comité consultatif national d'éthique (CCNE) n'est pas favorable à l'utilisation d'un tel test réalisé pour détecter un risque et non une maladie avérée.

---

1. Blanché Hélène *et al.*, « A study for French centenarians ; are ACE and APOE associated with longevity ? », *Life Sciences*, 324, 2001, p. 129-135.

La prévention est-elle vraiment la même pour les porteurs du gène de l'apo E4 et les autres ? Pas tout à fait. En ce qui concerne l'alcool, chez les porteurs de l'apo E4, consommer plus de six verres par semaine multiplie par trois le risque de faire la maladie.

Finalement, dépister le gène de l'apo E4 peut donc être utile pour renforcer une motivation à tout faire pour prévenir la maladie d'Alzheimer. Cela pourrait aussi intéresser des personnes quand un ou plusieurs cas sont survenus chez leurs proches âgés de moins de 75 ans... à condition d'être prêt à en assumer les résultats.

Il ne faut jamais pousser quelqu'un à faire ce dépistage ! Chacun ressent les choses à sa manière et il n'y a pas de bonne ou mauvaise solution. L'idéal est de réfléchir avant d'aller en parler à son médecin, car les conséquences psychologiques peuvent être très importantes. Cela dit, il est impossible de se mettre à la place des autres, surtout quand ils ont vécu des moments douloureux.

Claude, une femme de 46 ans :

« Ma mère est devenue bizarre à l'âge de 70 ans et c'est à 71 ans que le diagnostic de maladie d'Alzheimer est tombé. Je m'en suis occupée pendant cinq ans trois fois par semaine, car j'habitais relativement près. Ma mère prenait sa voiture tous les jours pour rendre visite à ses amis et leur apporter sa bonne humeur et son sourire. Une fois malade, elle a été très vite obligée d'abandonner sa chère voiture, c'est le cap qui a été le plus difficile pour elle, car cela l'a vraiment isolée et elle en souffrait beaucoup. Puis, quand elle n'a vraiment plus pu rester seule, je l'ai accueillie chez moi pendant deux ans, je me suis organisée pour pouvoir m'en occuper. Mais, c'est devenu tellement invivable que nous avons dû la placer en institution et ça a duré encore deux ans, suite à quoi elle est décédée. Ma famille, mon mari et mes enfants ont été très marqués par cette expérience. Je ne regrette rien, surtout pas d'avoir pris ma mère chez moi. Si c'était à refaire, je le referais. Mais une chose est sûre, c'est que je veux faire tout ce qui est possible pour éviter cette maladie. Rien que d'imaginer que je puisse infliger une pareille peine à mes proches, je me sens mal ! C'est pourquoi je viens de faire le test de dépistage de l'apolipoprotéine E4. Je préfère savoir plutôt que de rester dans l'inconnu. D'après moi, on se bat mieux contre un ennemi identifié plutôt qu'en restant dans le flou. Je savais qu'il fallait attendre plusieurs semaines les résultats, mais ça ne m'ennuyait pas, puisque la prévention, ça se joue sur des années, pas juste sur quelques semaines. »

Une fois le test fait, trois cas sont possibles :
— vous ne portez aucun gène de l'apo E4 ;
— vous portez un gène de l'apo E4 : votre risque est alors doublé ;
— vous portez deux gènes de l'apo E4, soit un sur chaque chromosome (très rare) : votre risque est important et vous avez intérêt à prévoir une sérieuse attitude de prévention.

Claude a eu ses résultats : absence de l'apolipoprotéine E4.

« J'ai été contente des résultats, évidemment, mais je ne me sens pas pour autant totalement à l'abri. L'image de ma mère diminuée reste gravée dans ma mémoire, et ça, je ne suis pas près de l'oublier. Je vais donc m'employer, quand même, à faire tout ce qui est en mon pouvoir pour éviter la maladie. Et ce qui est bien pour moi, c'est que je suis sûre qu'en faisant le maximum je peux tellement reculer l'échéance que le risque ne viendra, j'espère, qu'après 110 ans ! J'aurai le temps de mourir d'autre chose entre temps ! »

☞ **Si l'un de vos parents a souffert avant 65 ans d'une maladie d'Alzheimer, la question de pratiquer un dépistage génétique peut être soulevée. Si vous êtes porteur d'un gène prédisposant à cette maladie, vous pouvez évoquer avec votre médecin la possibilité de prendre une statine en traitement régulier.**

Et l'hypertension artérielle ?

Avec l'excès de cholestérol, l'hypertension artérielle est un des facteurs favorisant les plus évidents de la maladie d'Alzheimer. Une tension artérielle élevée multiplie par 6 le risque d'en être atteint.

En effet, le cerveau supporte très mal une trop forte pression du flux sanguin. Cette pression varie naturellement : elle est forte au moment où le cœur se contracte pour envoyer le sang dans les artères. On parle de pression maximale. Cette pression maximale doit rester au-dessous de 13,5 au repos. Puis, la pression devient basse au moment où le cœur se remplit à nouveau de sang.

On parle alors de pression minima. Elle doit être au maximum à 8,5. Une bonne tension est donc inférieure ou égale à 13/8,5.

Une tension trop élevée augmente les attaques cérébrales et les maladies d'Alzheimer, cela est maintenant démontré scientifiquement. Deux études importantes vont plus loin : elles démontrent que les traitements antihypertenseurs sont efficaces en prévention de la maladie d'Alzheimer : l'étude Syst-Eur [1] et l'étude PROGRESS [2].

Dans l'étude Syst-Eur, le professeur Françoise Forette montre que des personnes dont la tension maximale était comprise entre 16 et 21,9 voient leur risque de survenue d'une démence diminuer de 55 % si elles suivent un traitement antihypertenseur.

Ce résultat est important et montre qu'il faut traiter de manière très active toutes les formes d'hypertension, pour prévenir les dégâts sur le cerveau.

L'étude PROGRESS est fort intéressante car complémentaire. Elle montre que, même sans hypertension, un antihypertenseur peut diminuer le risque de démence.

Cette étude concerne des personnes ayant été victimes d'une attaque cérébrale, qui sont très exposées aux démences. Ces personnes ont 19 % de moins de déclin intellectuel, 18 % de moins de dépendance et 34 % de moins de démence quand leur médecin leur prescrit un antihypertenseur. Ce résultat est observé quel que soit le niveau de tension artérielle des patients. Autrement dit, **ces hypertenseurs ont montré leur efficacité sur la prévention des démences, même chez ceux dont la tension était normale !**

Ces résultats correspondent à quelque chose dont les médecins se doutaient déjà : les anti-hypertenseurs peuvent se révéler bénéfiques par eux-mêmes. Ainsi, le niveau de tension arté-

---

1. Forette F. *et al.*, « The prevention of dementia with antihypertensive treatment : new evidence from the systolic hypertension in Europe (Syst-Eur) Study ». Dans cette étude traitement de base est de la nitrendipine (10-40 milligrammes par jour). Il s'agit d'un médicament de la famille des inhibiteurs calciques. Il pouvait être associé à deux autres antihypertenseurs de familles différentes si nécessaire (de l'énalapril 5-20 milligrammes par jour : il est de la famille des inhibiteurs de l'enzyme de conversion ou IEC ; et de l'hydrochlorothiazide 12,5-25 milligrammes par jour : il fait partie de la famille des diurétiques).
2. Chalmers J. *et al.*, « Perindopril pROtection aGainst REcurrent Stroke Study (PROGRESS) : interpretation and implementation », *J. Hypertension Suppl.*, suppl. 5, 21 juin 2003, p. 9-14. La réduction du nombre des démences est obtenue en prescrivant du périndropril à 4 milligrammes par jour (famille des IEC) associé ou non à de l'indapamide (famille des diurétiques).

rielle considéré comme normal est probablement encore trop élevé. La tendance aujourd'hui, quand on considère les bénéfices attendus, est à réduire la tension au-dessous des anciennes normes.

Il ressort de ces deux études qu'**il faut traiter toutes les hypertensions, même les plus minimes** et que de ce fait, mieux vaut contrôler sa tension artérielle très régulièrement et au moins à chaque consultation médicale.

Les médecins savent aussi que toutes les personnes qui ont fait une attaque cérébrale doivent être traitées à l'aide d'un antihypertenseur de la famille des inhibiteurs de l'enzyme de conversion (IEC), quel que soit leur niveau de tension artérielle.

Éléonore, 30 ans :

> « J'ai tendance à l'hypertension artérielle. Mon père aussi, et il est traité pour ça. Moi, j'en ai fait quand j'étais sous pilule, et j'ai dû choisir une autre contraception. Ma tension est toujours à la limite supérieure, 15/8 ou 15/9 et quelquefois même un peu plus. Mon médecin m'avait conseillé de prendre un médicament, mais ça m'embêtait donc je ne le prenais pas. Je suis jeune et cette tension n'est pas si haute, surtout que je suis anxieuse. Quand j'ai revu mon médecin, il a insisté. "Vous êtes jeune et une tension trop élevée à votre âge va abîmer vos artères au fil des années. Votre père a ce même problème et il est possible que ce soit familial. Et en plus, votre grand-mère est décédée d'une maladie d'Alzheimer, et l'hypertension en est un facteur favorisant. Donc j'insiste vraiment pour que vous preniez un médicament. Ce n'est pas une lubie de ma part, ni un luxe pour vous !" Et il a ajouté : "Peut-être que vous êtes anxieuse, mais quelle que soit la raison de votre hypertension, elle abîme vos artères." Après cette mise au point, j'ai compris que ce médecin n'agissait pas comme un robot "telle tension = tel traitement", mais qu'il me prenait vraiment en cause et qu'il pensait à ma santé future. Et depuis, je suis motivée pour me traiter. Je le prends depuis six mois. J'ai eu du mal à l'accepter au début, mais je commence à m'y faire. »

☞ **Plus votre tension artérielle est basse** [1]**, plus vous êtes protégé contre une maladie d'Alzheimer. C'est pourquoi il faut traiter toutes les hypertensions artérielles, même légères.**

---

1. Dans les limites de la normale évidemment ! En effet si votre tension artérielle est trop basse, vous perdez connaissance et si elle est à 0, vous êtes mort !

Le diabète

Les personnes diabétiques présentent un risque de survenue de maladie d'Alzheimer augmenté de 65 %, d'après la grande étude du Rush Alzheimer's Disease Center de Chicago [1].

Chez une personne diabétique, le taux de sucre dans le sang est anormalement élevé. Pourtant le cerveau aime le sucre : il en est le premier consommateur de l'organisme ! Oui, mais dans le diabète, ce sucre reste en dehors des cellules faute d'une hormone, l'insuline, qui lui permettrait d'entrer dans les neurones... Les traitements visent à augmenter cette insuline, et ils y parviennent, mais jamais d'une manière aussi bien adaptée qu'une insuline fonctionnant naturellement et spontanément.

Il paraît donc logique de préconiser de traiter au mieux le diabète, car les effets d'un traitement bien suivi sont bons. Par ailleurs, quand on est diabétique, il est encore plus important de bien suivre toutes les règles d'hygiène de vie. Cela permet d'atteindre le même niveau de risque de maladie d'Alzheimer que celui de la catégorie de population qui se prend bien en charge.

C'est facile à dire, mais parfois difficile à mettre en œuvre. Car nous en sommes conscients, être diabétique, c'est déjà beaucoup de contraintes non choisies. Mais le jeu en vaut la chandelle !

☞ **Quand on est diabétique, étant plus exposé à la maladie d'Alzheimer, il est bon de tout mettre en œuvre pour la prévenir.**

Les anti-inflammatoires

Les personnes traitées pour leur cholestérol ne sont pas les seules à voir leur risque de maladie d'Alzheimer diminuer. C'est aussi le cas de celles qui prennent des anti-inflammatoires (AINS ou anti-inflammatoires non stéroïdiens) pour une maladie des articulations (polyarthrite rhumatoïde, arthrose, etc.) : elles sont en partie protégées contre la maladie d'Alzheimer [2] !

---

1. Arvanitakis Z., Wilson R. S., Bienias J. L. *et al.* « Diabetes mellitus and Risk of Alzheimer Disease and Decline in Cognitive Function », *Arch. Neurol.*, 61, 2004, p. 661-666.
2. Christine A. *et al.*, « Nonsteroidal Anti-Inflammatory Drugs for the Prevention of Alzheimer's Disease : A Systematic Review », *Neuroepidemiology*, 23, 2004, p. 159-169.

La liste des anti-inflammatoires les plus utilisés [1]

- Acide méfénamique (Ponstyl®)
- Acide niflumique (Nifluril®)
- Acide tiaprofénique (Surgam®)
- Diclofénac (Voltarène®, Voldal®, Xenid®, etc.).
- Flurbiprofène (Cebutid®, Antadys®)
- Ibuprofène (Antarene®, Advil®, Ibuprofène®, Nureflex®, Nurofen®, etc.)
- Indométacine (Indocid®, Chrono-Indocid®, Dolcidium®)
- Kétoprofène (Bi-Profenid®, Profénid®, Ketum®, Toprec®)
- Naproxène (Apranax®, Naprosyne®)
- Piroxicam (Brexin®, Cycladol®, Feldène®)
- Sulindac (Arthrocine®)
- Ténoxicam (Tilcotil®)

Pourquoi ces médicaments ont-ils une action positive ? L'inflammation est une réaction de l'organisme à une agression extérieure ou intérieure. Si je me blesse, je vois la zone de ma blessure gonfler, devenir chaude, rouge, douloureuse : c'est l'inflammation. Cette inflammation peut être aiguë en cas d'accident ou d'infection. Elle peut aussi être chronique, comme dans les maladies rhumatismales.

Or, il a été montré que la maladie d'Alzheimer s'accompagnait de réactions inflammatoires. Cette inflammation est notamment liée aux radicaux libres.

Une analyse des onze études réalisées sur le sujet montre des résultats très clairs [2] : le risque de maladie d'Alzheimer peut se trouver réduit de moitié grâce aux anti-inflammatoires ! Ceux qui prennent des anti-inflammatoires occasionnellement voient leur risque diminuer de 26 %. Ceux qui en prennent pendant plus de deux ans régulièrement voient leur risque diminuer de 58 %. Toutes les études vont dans le même sens, ce qui confirme un effet majeur. Il n'existe pas d'étude en faveur de tel ou tel anti-inflammatoire plutôt qu'un autre, ni de telle ou telle dose. Dans

1. Autres marques d'anti-inflammatoires utilisées au Québec : Ibuprofène (Motrin®) ; Acide méfénamique (Ponstan®) ; Naproxène (Naprosyn®, Anaprox®) ; Sulindac (Clinoril®).

Autres marques d'anti-inflammatoires utilisées en Belgique : Ibuprofène (Brufen®, Spidifen®, Junifen ; Kétoprofène (Rofenid®) ; Diclofénac (Voltaren®, Motifene®), Indométacine (Dolcidium®).

2. Christine, 2004.

ces études, l'effet protecteur est le même chez les porteurs du gène de l'apo E4 que chez les autres [1].

Notons que, pour l'aspirine (qui est aussi un anti-inflammatoire), une dose très faible devient inefficace. On le sait pour ce médicament, car l'aspirine est utilisée à très faibles doses (moins de 300 mg par jour) pour diminuer les risques d'accident cardiaque. À ces doses, il n'existe pas d'effet anti-inflammatoire, mais un effet anti-agrégant plaquettaire. (Les plaquettes sont des petits éléments du sang qui participent à la coagulation quand elles s'agglutinent entre elles). Les études observent alors un effet non significatif, protecteur dans six des études analysées et au contraire négatif dans l'une d'entre elles [2].

Les médicaments anti-douleur (antalgiques) qui ne sont pas anti-inflammatoires n'ont pas d'effet particulier (le paracétamol ou Doliprane®, Dafalgan®, etc.).

Prendre des anti-inflammatoires, si on doit le faire pour une maladie chronique comme une maladie rhumatismale, est donc bénéfique pour le cerveau. Reste à savoir si cela est utile d'en prendre si l'on est touché par la maladie d'Alzheimer. La réponse est pour l'instant négative [3]. Les anti-inflammatoires n'ont pas d'effet démontré sur une maladie d'Alzheimer déclarée.

Nous nous posons donc une autre question : en prévention de la maladie d'Alzheimer, serait-il bénéfique de prendre des anti-inflammatoires, même si l'on ne souffre d'aucune maladie chronique inflammatoire ? Les chercheurs s'accordent à penser que les effets secondaires des anti-inflammatoires doivent pour l'instant en limiter l'usage. Il n'est pas question de risquer un effet secondaire important pour prévenir une maladie hypothétique. Il est cependant extrêmement intéressant de noter que les statines ont un effet anti-inflammatoire propre [4] et que cette propriété doit probablement participer à leur efficacité. Et leur effet préventif sur la maladie d'Alzheimer est aussi important que celui des anti-inflammatoires... Dans cette hypothèse d'un traitement préventif

---

1. In't Veld B. A. *et al.*, « Non steroidal antiinflammatory drugs and the risk of Alzheimer's disease », *N. Engl. J. Med.*, 345, 2001, p. 1515-1521.

2. Mahyar Etminan *et al.*, « Effect of non-steroidal anti-inflammatory drugs on risk of Alzheimer's disease : systematic review and meta-analys of observational studies », *BMJ*, vol. 327, 19 juillet 2003.

3. Tabet N. *et al.*, « Indomethacin for the treatment of Alzheimer's disease patients », *Cochrane Database Syst. Rev.*, 2002(2), CD003673.

4. Stuve O. *et al.*, « Statins as potential therapeutic agents in neuroinflammatory disorders », *Curr. Opin. Neurol.*, 16(3), juin 2003, p. 393-401.

de la maladie d'Alzheimer, les statines, qui ont un effet préventif aussi important que celui des AINS, doivent être considérées comme de meilleures candidates. Elles sont d'autant plus intéressantes que leur effet vasculaire est aussi majeur et que le cerveau est l'organe le plus vascularisé de notre organisme...

Paul explique :

« Ma mère est décédée à 98 ans, et elle avait une maladie d'Alzheimer. Je sais que c'est déjà bien d'arriver à cet âge-là, mais c'était horrible quand même. J'ai dans ma mémoire, incrustées, des images de ma mère dans un état épouvantable. Je préférerais n'avoir gardé que de belles images d'elle ! Et le pire, c'est que j'y pense de plus en plus. Forcément, j'arrive à 85 ans, âge qui s'approche de celui où elle est tombée malade. C'est pour ça que ça me travaille. Je sais que je ne suis plus jeune ! Je crains bien sûr la dépendance physique, mais voir partir mon cerveau en compote, ce serait pire pour moi.

Or, depuis un an, à cause d'une arthrose des genoux, je prends des anti-inflammatoires. Je déteste ça, vu que je n'ai jamais été malade, et n'ai pas eu l'habitude d'avaler des médicaments. Je ne prenais jamais rien avant ! Du coup, je me suis contenté de petites doses. Pourtant, j'avais si mal dans les genoux qu'il y a des jours où je ne pouvais quasiment pas marcher. Je restais assis toute la journée. Mon médecin m'a dit que j'étais idiot. Cela ne sert à rien de souffrir. Les anti-inflammatoires sont très bons pour moi ! D'abord, ils me permettent de bouger, ce qui est capital à mon âge, sinon, je vais finir par devenir grabataire ! Et en plus, c'est bon pour prévenir la maladie d'Alzheimer, tout comme la marche que je peux enfin reprendre. Ces explications concrètes m'ont beaucoup motivé. Je prends maintenant tous les jours et scrupuleusement mon médicament contre l'arthrose. Je suis légèrement moins angoissé pour mon cerveau. Il me semble que c'est très important pour un médecin de donner des explications en plus de l'ordonnance ! »

☞ **Si votre médecin vous prescrit un traitement anti-inflammatoire, sachez qu'il est susceptible d'agir pour prévenir une maladie d'Alzheimer. Sinon, il n'est pas conseillé de prendre un anti-inflammatoire dans le seul but de diminuer le risque de maladie d'Alzheimer, à cause des effets secondaires de ces médicaments.**

Les vitamines

Le cerveau est notre organe le plus actif : il consomme à lui seul 20 % de l'oxygène utilisé par l'organisme. Cela l'expose aux radicaux libres, dérivés toxiques de l'oxygène produits en permanence lors des réactions internes qui produisent de l'énergie. Pour contrebalancer l'effet néfaste des radicaux libres, notre organisme dispose notamment des vitamines antioxydantes C et E.

Cela fait maintenant une dizaine d'années que l'effet protecteur des antioxydants a été montré chez l'animal. Chez l'homme, les premiers résultats d'études sont disponibles depuis 2002. Ces résultats ne sont pas aussi simples à analyser que ceux des statines [1], mais ils permettent de tirer quelques conclusions pratiques.

Concernant les apports en vitamines à doses nutritionnelles (soit la dose apportée normalement par une alimentation équilibrée), nous disposons de trois documents. Deux d'entre eux montrent une prévention de la maladie d'Alzheimer chez ceux qui ont des apports élevés de vitamine E [2, 3], résultat qui n'est pas retrouvé dans la troisième [4]. Martha Morris conclut de ces études que l'on peut conseiller de consommer beaucoup de produits riches en vitamine E, notamment les huiles végétales, des margarines, des noix (toutes), des amandes, les œufs, certains légumes et fruits (légumes verts, avocats, pommes, melons).

On peut également conclure que l'apport à dose nutritionnelle classique, même relativement élevée, n'est pas toujours suffisant si l'on recherche un effet préventif contre la maladie d'Alzheimer. D'où la question suivante : qu'en est-il avec des suppléments vitaminiques ?

---

1. Les effets des statines sont positifs dans six études sur six.
2. Morris M. C. *et al.*, « Dietary intake of antioxidant nutrient and the risk of incident Alzheimer disease in a biracial community study », *JAMA*, 287(24), 26 juin 2002, p. 3230-3237.
3. Engelhart M. J. *et al.*, « Dietary intake of antioxidants and risk of Alzheimer disease », *JAMA*, 287(24), 26 juin 2002, p. 3223-3229.
4. Luchsinger J. A. *et al.*, « Antioxidant vitamin intake and risk of Alzheimer disease », *Arch. Neurol.*, 60(2), février 2003, p. 203-208.

Nous disposons là encore de trois études. L'une ne retrouve aucun effet protecteur des compléments vitaminiques E [1] et C et les deux autres les confirment [2, 3]. La plus récente est particulièrement intéressante car elle analyse les résultats en constituant un groupe spécial de ceux qui prennent au moins 400 UI de vitamine E par jour et 500 milligrammes de vitamine C. Sa conclusion est que **l'effet protecteur des vitamines C et E est confirmé à condition qu'elles soient combinées entre elles.**

Ainsi, les vitamines C et E, antioxydantes, auraient un effet préventif sur la maladie d'Alzheimer à condition d'être prises ensemble : jusqu'à 1 000 milligrammes de vitamine C et jusqu'à 265 milligrammes (soit 400 UI) de vitamine E, ces doses étant maximales. Cela dit, il s'agit de doses relativement élevées assez difficiles à prendre quotidiennement sur des années.

☞ **En prévention de la maladie d'Alzheimer, au long cours, 120 milligrammes de vitamine C et de 20 ou 30 milligrammes de vitamine E par jour nous semblent les doses à préconiser.** Elles permettent d'obtenir un effet de synergie et sont aussi bénéfiques en prévention des cancers (cf. chapitre médicaments).

Pourquoi les antioxydants sont sans doute importants chez les porteurs de l'apolipoprotéine E4 ?

Normalement, en transportant le cholestérol dans les neurones, les apolipoprotéines E le protègent aussi de l'oxydation. Les apolipoprotéines E4, moins antioxydantes que les autres apo E, protègent mal le cholestérol et le laissent s'oxyder plus facilement. Cela faciliterait l'augmentation des dépôts de protéines amyloïdes dans le cerveau des personnes atteintes de maladie d'Alzheimer. C'est un argument pour que les personnes porteuses de l'apolipoprotéine E4 prennent des antioxydants.

---

1. Laurin D. *et al.*, « Midlife dietary intake of antioxidants and risk of late-life incident dementia. The Honolulu-Asia Aging Study », *Am. J. Epidemiol*, 159, 2004, p. 959-967.

2. Morris M. C. *et al.*, « Vitamin E and vitamin C supplement use and risk of incident Alzheimer disease », *Alzheimer Dis. Assoc. Disord.*, 12(3), septembre 1998, p. 121-126.

3. Zandi P. P. *et al.*, « Reduced risk of Alzheimer disease in users of antioxidants vitamin supplements : the Cache County Study », *Arch. Neurol.*, 61(1), janvier 2004, p. 82-88.

☞ **C'est chez les personnes porteuses du gène codant pour l'apolipoprotéine E4 que les compléments en vitamines C et E sont probablement les plus utiles pour prévenir la maladie d'Alzheimer.**

Et les autres vitamines ?

La dernière étude citée ne retrouve pas d'effet positif des multivitamines seules ou des complexes de vitamines B.

La carence en vitamine PP, appelée aussi acide nicotinique ou vitamine B3, est connue pour causer la pellagre mais aussi, en cas de déficience sévère, des démences. Morris [1] a montré que plus la consommation de vitamine PP est importante, plus le risque d'Alzheimer diminue. La consommation journalière conseillée est de l'ordre de 15 milligrammes par jour. On la trouve dans tous les produits animaux dont le foie, les poissons (saumon, thon, flétan), ainsi que dans les fruits secs, les légumes secs et le pain complet. Attention, cette vitamine est potentiellement toxique à doses élevées. (Remarque : elle agit sur le cholestérol !)

☞ **La vitamine B3 agit en prévention de la maladie d'Alzheimer. On en trouve dans les poissons gras, le foie, les fruits secs et légumes secs...**

De hauts niveaux d'homocystéine (supérieurs à 14 μmol/litre) doublent le risque de faire une maladie d'Alzheimer [2]. Or, un haut niveau d'homocystéine est souvent lié à un déficit en vitamine B6, B12 et en folates. C'est pourquoi la consommation de légumes verts, d'agrumes, de pain complet et de légumes secs, riches en ces vitamines B6 et B12 est conseillée. Par ailleurs, l'ajout de folates dans les produits alimentaires à base de graines (pain, farines, céréales, maïs, pâtes, riz, etc.) est maintenant envisagé par plusieurs gouvernements.

La vitamine B12 et l'acide folique permettent de prévenir l'anémie et cela peut contribuer à leur effet positif, l'anémie ayant été

---

1. Morris M. C. *et al.*, « Dietary niacin and the risk of incident Alzheimer's disease and cognitive decline », *J. Neurol. Neurosurg. Psychiatry*, 75(8), août 2004, p. 1093-1099.
2. Étude de Framingham. Seshadri S. *et al.*, « Plasma homocysteine as a risk factor for dementia and Alzheimer's disease », *N. Engl. J. Med.* 346(7), 14 février 2002, p. 476-483.

établie comme un facteur de risque pouvant doubler le risque d'Alzheimer chez les personnes de plus de 70 ans [1].

Finalement, une chose est certaine : le cerveau supporte mal les carences en vitamines. **Les apports journaliers en vitamines doivent donc être suffisants. Sinon, il est bon d'envisager de prendre des suppléments à doses nutritionnelles** (c'est-à-dire correspondant à l'apport journalier conseillé), comme des multivitamines. On peut y ajouter des folates s'il s'avère que le dosage sanguin de l'homocystéine est supérieur à 14 μmol/litre. Pour les vitamines C et E, et chez ceux qui veulent s'engager dans une prévention active, une dose supérieure aux doses nutritionnelles est conseillée.

Et le curcumin ?

Le curcumin est une épice qui a des propriétés antioxydantes et anticancéreuses importantes (voir le chapitre cancer). Elle donne la couleur ocre du curry et elle est extraite de la curcuma longa ou turméric, une plante asiatique. Des études chez l'animal ont montré qu'elle inhibait dans le cerveau la formation des protéines bêta-amyloïdes [2], à l'origine de la maladie d'Alzheimer (inhibition plus importante avec le curcumin qu'avec les anti-inflammatoires !). Une étude a même montré que le curcumin avait la propriété de pouvoir rentrer dans le cerveau et de désagréger les plaques amyloïdes [3]. Le curcumin inhibe également la prolifération des cellules gliales [4] (cellules qui entourent les neurones) qui accompagne aussi la maladie. Des études sont en cours pour mieux apprécier ses bénéfices. D'ores et déjà, certains spécialistes l'incluent dans leurs stratégies antioxydantes [5]. En pratique, le curcumin se présente sous la forme d'une poudre jaune qui a un

---

1. Penninx B. X. J. H. *et al.*, « Anemia and decline in physical performance among older persons », *American Journal of Medicine*, vol. 115,2, p. 104-110.

2. Ono K., Hasegawa K., Naiki H., Yamada M., « Curcumin has potent anti-amyloidogenic effects for Alzheimer's beta-amyloid fibrils *in vitro* », *J. Neurosci. Res.*, 75(6), 15 mars 2004, p. 742-750.

3. Yang F., Lim G. P., Begum A. N. *et al.*, « Curcumin inhibits formation of amyloid beta oligomers and fibrils, bind plaques, and reduces amyloid in vivo », *J. Biol. Chem.*, 280(7), 18 février 2005, p. 5892-5901.

4. Ambegaokar S. S., Wu L., Alamshahi K. *et al.*, « Curcumin inhibits dose-dependently and time-dependently neuroglial cell proliferation and growth », *Neuro. Endocrinol. Lett.*, 24(6), 24 décembre 2003, p. 469-473.

5. Grundman M., Grundman M., Delaney P., « Antioxidant strategies for Alzheimer's disease », *Proc. Nutr. Soc.*, 61(12), mai 2002, p. 191-202.

goût plutôt léger et que l'on peut associer à presque tous les plats et salades. Il est même conseillé de l'associer à un peu de poivre noir qui potentialise ses propriétés anti-oxydantes.

Et la mélatonine ?

Dans la maladie d'Alzheimer, la mélatonine est une hormone intéressante pour ses propriétés antioxydantes très puissantes, susceptibles de protéger les neurones.

Plusieurs études chez l'animal indiquent que la mélatonine a un rôle potentiellement préventif. L'une d'entre elles a ainsi montré, chez des souris (génétiquement sélectionnées comme modèle de la maladie d'Alzheimer), un ralentissement de l'élévation des dépôts amyloïdes et une augmentation de la survie des animaux [1].

La sécrétion de la mélatonine est modulée en fonction de la lumière du jour et elle est responsable du cycle nuit-jour dans l'organisme. Elle est ainsi connue en traitement du jet lag ou décalage horaire. On observe que le taux de mélatonine baisse avec l'âge, baisse accentuée chez les personnes souffrant de maladie d'Alzheimer [2]. Des études montrent que la prise de mélatonine améliore le sommeil chez les personnes souffrant de maladie d'Alzheimer [3].

Ces données ne sont pas suffisantes pour préconiser la prise de mélatonine en prévention de la maladie d'Alzheimer. En revanche, ceux qui présentent des troubles du sommeil augmentant avec l'âge peuvent s'interroger sur l'opportunité d'un essai, par exemple en prenant 3 mg de mélatonine une heure avant l'heure d'endormissement. En toute logique, la luminothérapie consistant à s'exposer tous les matins pendant quinze minutes devant une source de lumière importante a potentiellement un effet similaire (des lampes spéciales sont nécessaires pour obtenir, en peu de temps, une dose maximale de lux).

On peut aussi penser qu'une bonne hygiène de vie favorisant un sommeil de qualité est également favorable.

---

1. Matsubara E., Bryant-Thomas T., Pacheco Quinto J. *et al.*, « Melatonin increases survival and inhibits oxidative and amyloid pathology in a transgenic model of Alzheimer's disease », *J. Neurochem.*, 85(5), juin 2003, p. 1101-1108.
2. Wu Y. H., Swaab D. F., « The human pineal gland and melatonin in aging and Alzheimer's disease », *J. Pineal. Res.*, (38), avril 2005, p. 145-152.
3. Singer C., Tractenberg R. E., Kaye J. *et al.*, « A multicenter, placebo-controlled trial of melatonin for sleep disturbance in Alzheimer's disease », *Sleep.*, 26(7), 1er novembre 2003, p. 893-901.

Quel mode de vie prévient la maladie d'Alzheimer ?

Éviter les chocs

Notre cerveau est un organe complexe qui est aussi très fragile. Il est tellement fragile que, si l'évolution a fait de nous des animaux à squelette interne (nous n'avons pas de carapace et nos os sont à l'intérieur), elle n'a pas pu faire de même pour le cerveau qui a gardé sa boîte osseuse ! Le crâne est un véritable écrin pour le cerveau qui est souple, flottant dans des fluides et soutenu par de véritables amortisseurs hydrauliques constitués par les méninges et le liquide céphalorachidien.

Grâce à ce dispositif, le cerveau peut absorber les petits chocs de la vie courante, mais les gros chocs restent dangereux. Les traumatismes crâniens augmentent le risque de faire plus tard une maladie d'Alzheimer, surtout s'il y a eu perte de conscience [1]. La plus simple des mesures de prévention consiste donc à toujours attacher sa ceinture de sécurité en voiture et à porter un casque pour toutes les situations à risque, moto, mais aussi vélo, skate et roller ! pensez-y pour vos enfants !

Le risque existe aussi pour les sports de combat avec choc sur la tête comme la boxe. Ceux qui les pratiquent doivent savoir que leurs chances de vivre une vieillesse heureuse ou même de conserver un cerveau en état de fonctionnement idéal sont diminuées.

Être actif

On entend souvent que, pour prévenir les troubles de mémoire au fil des années, dont la maladie d'Alzheimer, il est bon d'entraîner son cerveau. Nous interprétons souvent mal cette affirmation en concluant qu'il faut éviter de faire des listes de courses, mais plutôt entraîner notre mémoire à se souvenir. En fait, si l'entraînement du cerveau est bien positif, il est bien plus large qu'un simple exercice de mémoire : toute activité cérébrale est bonne. Cela comprend bien sûr les activités de mémoire, les exercices intellectuels, culturels, les réflexions, mais aussi les émotions et sentiments, et les mouvements, l'activité manuelle, et aussi le

---

1. France Alzheimer. www.francealzheimer.org.

sport ! Ce sont en effet les cellules du cerveau qui commandent tous les mouvements de nos muscles. Chaque exercice physique fait ainsi travailler les neurones. Au passage, c'est ce qui explique que le cerveau des hommes soit plus gros que celui des femmes : ils possèdent plus de muscles, des organes plus gros... Il leur faut donc plus de substance grise pour se piloter. (Si le cerveau masculin était plus gros à cause d'une intelligence supérieure, cela se saurait !)

Il serait dommage de tomber dans le piège de se concentrer sur l'entraînement exclusif des facultés intellectuelles et de se laisser aller sur le plan physique. Notre corps et notre esprit ne font qu'un et cela commence justement au niveau du cerveau !

Trois études ont noté un effet évident sur le cerveau [1] :

— Une heure et demie de marche par semaine diminue le risque de démence de 20 % chez les femmes par rapport à celles qui marchent moins de quarante minutes par semaine. Et l'évolution de leur mémoire est bien meilleure.

— 3 kilomètres de marche par jour entraînent un risque de démence deux fois moins élevé que chez les hommes qui marchent moins de 3 kilomètres par jour.

— Deux activités physiques de loisir par semaine diminuent de 62 % le risque de faire une maladie d'Alzheimer.

Il en ressort que même un petit effort (une heure et demie de marche par semaine, c'est très peu !) a déjà un effet nettement positif pour le cerveau. Et quand on agit encore plus (3 kilomètres de marche par jour, c'est environ quarante-cinq minutes), l'effet positif est bien plus puissant.

☞ **Conclusion : Marchez au moins quarante-cinq minutes par jour si vous voulez conserver une bonne mémoire, prévenir la maladie d'Alzheimer ou autres démences.**

---

1. Abbott R. D., White L. R., Ross G. W., *et al.*, « Walking and dementia in physically capable eldery men », *The Journal of American Medical Association,* vol. 292, 12, septembre 2004, 12, p. 1447-1453 ; Weuve J., Kang J. H., Manson J. E., *et al.*, « Physical activity, including walking, and cognitive function in older women », *The Journal of American Medical Association*, vol. 292, 12, septembre 2004, p. 1454-1461 ; Rovio S., Kareholt I., Helkala E. L. *et al.*, « Leisure-tem physical activity at midlife and the risk of dementia ans Alzheimer's disease », http://neurology.thelancet.com, publication en ligne le 4 octobre 2005, DOI :10 1016/S1474-4422(05)70198-8.

☞ **La retraite précoce augmentera-t-elle le nombre de maladies d'Alzheimer en France ?**

Aujourd'hui 855 000 personnes sont atteintes de la maladie d'Alzheimer en France. Elles seront 1,3 million en 2020. Mais ce dernier chiffre pourrait être bien plus élevé car la France souffre d'une caractéristique du monde du travail : seuls 35 % des plus de 55 ans sont actifs (contre plus de 65 % en Suède). L'inaction n'étant pas bonne pour la mémoire...

Ne pas fumer

À la fin des années 1990, on a pu penser un moment que le tabac avait peut-être un effet bénéfique pour la maladie d'Alzheimer. Actuellement on le sait : le tabagisme double le risque de survenue de la maladie d'Alzheimer. Il peut même le tripler chez les gros fumeurs [1] !

S'il y a eu controverse, c'est que l'on a compris que pour les personnes porteuses du gène apo E4, pourtant plus exposées à la maladie, le tabac n'a pas d'effet négatif [2]. Il aurait même, peut-être, un léger effet bénéfique [3] !

Autrement dit, nous avons maintenant la certitude que le tabac est mauvais pour le cerveau chez 80 % d'entre nous et qu'il pourrait avoir un léger effet positif chez les 20 % d'entre nous qui ont le gène de l'apo E4. En pratique on distingue trois composants dans le tabac : les goudrons cancérigènes et le monoxyde de carbone qui sont toujours toxiques ; la nicotine, et c'est elle qui pourrait avoir un effet bénéfique.

Des études sont en cours pour analyser l'effet de la nicotine seule (sans tabac, sous forme de substituts nicotiniques, patchs...). Elle n'est pas toxique pour la santé et pourrait potentiellement être utile aux personnes porteuses du gène de l'apo E4. La nicotine a en effet un impact sur un système de transmission de l'information entre les neurones, le système cholinergique qui est déprimé dans

---

1. Juan D. *et al.*, « A 2-year follow-up study of cigarette smoking and risk of dementia », *Eur. J. Neurol.*, 11(4), avril 2004, p. 277-282.

2. Ott A. *et al.*, « Smoking and risk of dementia and Alzheimer's disease in population-based cohort study : the Rotterdam Study », *Lancet*, 351(9119), 20 juin 1998, p. 1840-1843.

3. Defouil C. *et al.*, « Influence of apoliporotein E genotype on the risk of cognitive deterioration in moderate drinkers and smokers », *Epidemiology*, 11 (3), mai 2000, p. 280-284.

la maladie d'Alzheimer. À ce jour, aucun résultat intéressant n'a encore été rapporté.

Pour l'instant, dans tous les cas, donc, même pour les personnes possédant l'apo E4, fumer est dangereux !

☞ **Fumer double, voire triple le risque de maladie d'Alzheimer.**

Manger de bonnes graisses

Notre cerveau a besoin de cholestérol, mais aussi d'autres graisses pour fabriquer, renouveler les membranes de ses cellules.

Il existe deux sortes de graisses : les graisses saturées qui sont solides à température ambiante, et les graisses insaturées qui, elles, restent liquides.

Les graisses saturées sont stockées sous forme de réserves dans notre corps et contribuent à sculpter notre silhouette. Tous les animaux terrestres dont nous mangeons la viande sont faits de cette manière, et leur viande nous apporte ces mêmes graisses saturées.

Or ces graisses solides ne sont pas de bonnes graisses. Car elles exposent à l'augmentation du risque de maladie d'Alzheimer comme au risque d'infarctus.

Les graisses insaturées, elles, sont liquides et facilement utilisables par l'organisme. On les trouve dans les végétaux (huiles végétales) et chez les animaux marins (poissons et fruits de mer). Les fameux oméga-3 font partie de la famille de ces graisses insaturées.

Martha Morris (qui anime les plus grandes recherches actuelles sur la relation entre les aliments, les suppléments alimentaires et la maladie d'Alzheimer) a confirmé que **la prise alimentaire élevée de graisses saturées double le risque d'Alzheimer** [1]. **Il en est de même avec les graisses transinsaturées** obtenues à partir d'huiles végétales partiellement hydrogénées, le risque étant alors encore plus important : multiplié par 2 à 3.

Que sont ces graisses transinsaturées encore plus toxiques que les graisses animales ? Ce sont, au départ, des huiles végétales liquides rendues solides par des procédés chimiques qu'on appelle une hydrogénation. Ce procédé rend l'huile solide à température

---

1. Morris M. C. *et al.*, « Dietary fats and the risk of incident Alzheimer disease », *Arch. Neurol.*, 60, 2003, p. 194-200.

ambiante et prolonge sa stabilité. Elle ne rancit plus, elle est pratique à utiliser pour l'industrie, et bon marché. (C'est moins cher que le beurre pour fabriquer des pâtisseries industrielles !) Il est donc intéressant de lire les étiquettes. Si vous y voyez : « acide gras hydrogéné », « huile hydrogénée », « huile partiellement hydrogénée », évitez, surtout si c'est en tête de liste (les ingrédients sont classés par quantité décroissante). On peut ainsi, en pensant bien faire, manger des produits néfastes pour la santé !

Ainsi Lydie :

> « J'achetais de la margarine de soja. Je pensais qu'une graisse végétale était meilleure pour la santé que du beurre qui est une graisse animale. En plus, c'est du soja et je connais le lait de soja, dans mon idée, c'est un plus pour la santé. C'est lors de la lecture d'un article sur les graisses, que j'ai compris que je me faisais avoir à cause d'idées reçues ! Maintenant, je mange à nouveau un peu de beurre, et je lis la composition de la margarine quand j'en achète ! »

En effet, si votre margarine a une consistance proche de celle du beurre, c'est-à-dire si elle est relativement dure, il y a des chances qu'elle contienne des huiles végétales hydrogénées et qu'elle ne soit pas conseillée pour votre santé. En revanche une margarine qui ne contient pas de graisses hydrogénées sera nettement plus molle et à préférer de loin ! C'est un indice supplémentaire par rapport à la lecture de l'étiquette !

Faites attention aux brioches industrielles, aux croissants ordinaires, aux biscuits. Pour économiser sur les matières grasses, ils sont souvent remplis d'huiles hydrogénées. À quoi bon payer quelques centimes d'euros moins cher pour abîmer sa santé plus vite ?

À côté de ces mauvaises graisses, d'autres sont indispensables. Il en est ainsi des oméga-3 que l'on trouve en grande quantité dans les poissons.

L'étude PAQUID démontre que la consommation hebdomadaire de poisson protège significativement contre la maladie d'Alzheimer. Une étude américaine [1] confirme que **manger du poisson une fois par semaine ou davantage diminue de 60 % le risque de maladie d'Alzheimer** par rapport à ceux qui mangent rarement du poisson.

---

1. Morris M. C. *et al.*, « Consumption of fish and n-3 fatty acids and risk of incident Alzheimer disease », *Arch. Neurol.*, 60(7), juillet 2003, p. 923-924 (Rush Institute of Healthy Aging).

Alzheimer et oméga-3

Une étude récente [1] sur des souris a trouvé un effet préventif très important des oméga-3 sur cette maladie dégénérative. Ces souris à risque génétique important voient l'apparition de la maladie d'Alzheimer s'accélérer si elles sont carencées en d'oméga-3. Au contraire, si leur alimentation est riche en oméga-3, les signes de maladie n'apparaissent que beaucoup plus tard et sont moindres. En quoi consiste l'étude ?

Les souris sont introduites dans un bassin empli d'eau où se trouve une plate-forme qui leur permet de se hisser hors de l'eau. Les souris dont la mémoire est intacte (celles à qui l'on donne des oméga-3) vont directement sur la plate-forme. Les souris malades ont du mal à en retrouver l'emplacement. Elles se noieraient même parfois si les scientifiques réalisant l'étude n'allaient les chercher.

Ce qui est étonnant, ce sont les conclusions du professeur Calon, spécialiste en endocrinologie moléculaire, un des chercheurs principaux de cette étude. « Il est encore trop tôt pour recommander l'usage des oméga-3 pour traiter et prévenir la maladie d'Alzheimer. Cependant, compte tenu du faible risque associé à une consommation élevée d'acides gras oméga-3 et de leur effet protecteur possible dans les maladies cardiovasculaires, une consommation d'aliments riches en DHA ne devrait pas être découragée, particulièrement chez les personnes âgées. »

Bien sûr, on ne peut pas, après une étude sur les souris, avoir la certitude d'empêcher des maladies d'Alzheimer humaines. Mais les oméga-3 ne sont pas des médicaments. Ce sont des aliments. Alors, pourquoi attendre quand on sait ce que cette maladie entraîne comme souffrances ? Ne devrait-on pas plutôt dire, « sachant que plusieurs études vont dans le sens d'une action positive sur la maladie d'Alzheimer, on peut recommander de ne pas être en carence d'oméga-3, et même d'en prendre à titre préventif, ce qui ne peut être que bénéfique ! »

Manger régulièrement du poisson est donc très efficace. Qu'en est-il de la supplémentation en oméga-3 dont les poissons sont riches, mais aussi de nombreux végétaux ? Les premiers travaux chez l'animal sont prometteurs, les oméga-3 ayant des propriétés

---

1. Calon F., Lim G. P., Yang F. *et al.*, « Decosahexaenoic acid protects from dendritic pathology in an Alzheimer's disease mouse model », *Neuron.*, 43(5), 2 septembre 2004, p. 633-645.

protectrices sur les neurones, notamment grâce à leurs effets anti-oxydants [1].

Chez l'homme, Martha Morris a montré que ceux qui avaient l'alimentation la plus riche en oméga-3, toutes origines confondues, présentent un moindre déclin de leurs facultés intellectuelles que les autres après six années de suivi [2].

Donc, même sans parler d'atteinte grave du cerveau, **les bonnes graisses (oméga-3) améliorent les facultés intellectuelles**!

☞ **Si vous souhaitez minimiser vos risques de maladie d'Alzheimer, mangez du poisson plusieurs fois par semaine, ou sinon, prenez des compléments en oméga-3.**

Manger des légumes

Une consommation régulière de légumes verts préserve les fonctions intellectuelles (cognitives). C'est ce qu'a montré une étude sur 130 000 femmes [3] dont on a testé ces fonctions à l'âge de 70 ans. Les consommatrices des plus grandes quantités de légumes ont un meilleur état cognitif. Elles gagnent deux ans par rapport aux femmes qui mangent peu de légumes.

L'étude PAQUID [4] en Gironde indique que ceux qui consomment plus de flavonoïdes voient leur risque d'Alzheimer diminuer significativement. Les flavonoïdes sont des colorants des fruits et des légumes et ils sont connus pour leurs effets antioxydants, donc potentiellement bénéfiques pour le cerveau. Cela milite encore pour la consommation de fruits et de légumes!

☞ **Plus vous mangez de fruits et de légumes, plus vous diminuez votre risque de maladie d'Alzheimer.**

---

1. Calon F. *et al.*, « Docosahexaenoic Acid protects from dendritic pathology in Alzheimer's disease mouse model », *Neuron.*, 43(5), septembre 2004, p. 633-645.
2. Morris M. C. *et al.*, « Dietary fat intake and 6-year cognitive change in an older biracial community population », *Neurology.*, 62(9), 11 mai 2004, p. 1573-1579.
3. Kang J. H., Ascherio A., Grodstein F., « Fruit and vegetable consumption and cognitive decline in aging women », *Ann. Neurol.*, 57(5), mai 2005, p. 713-720.
4. Étude PAQUID : http://www.isped.u-bordeaux2.fr/recherche/paquid/fr-paquid-accueil.htm.

Éliminer le surpoids !

Le cerveau ne supporte pas le surpoids ou l'obésité. Le surpoids se calcule à partir de l'Indice de masse corporelle ou IMC. Il suffit de prendre son poids en kilos et de le diviser 2 fois par sa taille en mètres. Exemple : 60 kilos pour 1,70 mètre = 60/1,7/1,7 = 20,76. Au-dessus de 25, vous êtes en surpoids.

Les personnes touchées par la maladie d'Alzheimer ont un poids significativement plus élevé que la population moyenne. Dans une étude qui a duré dix-huit ans, les personnes atteintes avaient un indice de masse corporelle (IMC) de 27,7, très supérieur à celui des personnes indemnes de maladie. Et quand l'indice de masse corporelle augmente d'un point, le risque de la maladie d'Alzheimer augmente de 36 %[1] !

Cette relation est particulièrement vraie chez ceux qui ont le gène de l'apolipoprotéine E4. Le risque de maladie d'Alzheimer est directement lié à la richesse calorique de leur alimentation et à leur consommation de graisses[2]. À l'évidence, tous ces facteurs de risque sont cumulatifs et ceux qui ont une prédisposition génétique sont encore plus exposés.

À l'inverse, les porteurs du gène de l'apolipoprotéine E4 pourraient sans doute réduire leur risque de maladie d'Alzheimer de manière importante grâce à un régime hypocalorique pauvre en graisses saturées. Autrement dit, ils peuvent tirer un grand bénéfice de la restriction calorique[3].

☞ **Tout excès de poids augmente le risque de maladie d'Alzheimer. Pour l'éviter, veillez à rester mince.**

Et l'alcool ? Pas pour tout le monde !

D'après l'étude PAQUID, pour 80 % des gens, un peu d'alcool a un effet positif sur le cerveau. Positif car il prévient les troubles

---

1. Gustafson D. *et al.*, « An 18-year flollow-up overweight and risk of Alzheimer disease », *Arch. Intern. Med.*, 163(13), 14 juillet 2003, p. 1524-1528.

2. Luchsinger J. A., « Caloric intake and the risk of Alzheimer disease », *Arch. Neurol.*, 59(8), août 2002, p. 1258-1263.

3. *Ibid.*

de la mémoire [1] et il contribue à prévenir les maladies d'Alzheimer [2].

Cependant, pour 20 % des gens, l'alcool est potentiellement plus toxique. La différence entre ces deux groupes de personnes qui réagissent différemment à l'alcool, c'est le gène de l'apolipoprotéine E4.

Si vous n'êtes pas porteur de ce gène, vous faites partie de 80 % qui ont de la chance : la dose d'alcool que vous pouvez consommer pour un effet positif est comprise entre 1 et 21 verres par semaine [3], et les enivrements occasionnels n'ont pas de conséquence grave [4].

Les porteurs du gène de l'apo E4 ont un risque de maladie d'Alzheimer multiplié par 3 par rapport aux non-porteurs de ce gène. Mais, voici une précision essentielle : les porteurs de ce gène de l'apo E4 (20 % d'entre nous) *qui ne boivent jamais* ont un risque de maladie d'Alzheimer aussi bas que celui des non-porteurs de ce gène [5] ! Cette information est essentielle, car elle montre que l'alcool est particulièrement toxique pour le cerveau des porteurs du gène apo E4.

Si vous êtes porteur du gène de l'apolipoprotéine E4, l'alcool augmentera vos troubles de mémoire, même si vous buvez moins de 2 verres par jour [6].

Pour que l'alcool vous soit bénéfique, et c'est quand même possible, il faut **limiter strictement votre consommation : 1 à 6 verres par semaine maximum**. Car, dès 1 ou 2 verres par jour, votre risque de maladie d'Alzheimer est multiplié par 1,5. Si vous buvez encore plus, il est multiplié par 3,4 [7].

Quant à l'ivresse alcoolique, elle est extrêmement néfaste chez les porteurs de l'apo E4 : un épisode par mois multiplie par 2,3

---

1. Dufouil C. *et al.*, « Influence of Apolipoprotein E Genotype on the Risk of Cognitive Deterioration in Moderate Drinkers and Smokers », *Epidemiology*, vol. 11(3), mai 2000, p. 280-284.

2. Ruitenberg A. *et al.*, « Alcohol consumption and risk of dementia : The Rotterdam Study », *Lancet*, vol. 359, 26 janvier 2002, p. 281-286.

3. Mukamal K. J. *et al.*, « Prospective Study of Alcohol Consumption and Risk of Dementia in Older Adult », *JAMA*, 289, 2003, p. 1405-1413.

4. Anttila T. *et al.*, « Alcohol drinking in middle age and subsequent risk of mild cognitive impairment and dementia in old age : a prospective population based study », *BMJ*, Sep 4, 329(7465), p. 539. Epub.

5. *Ibid.*

6. Dufouil, art. cit.

7. Mukamal, art. cit.

votre risque d'Alzheimer et si vous vous enivrez davantage, votre risque est multiplié par 3,6 [1].

Ces effets positifs ou négatifs sont les mêmes quel que soit l'alcool consommé, vin, bière ou autre.

Quand on ne connaît pas, ou que l'on ne souhaite pas savoir si l'on est ou non porteur du gène de l'apolipoprotéine E4, dans tous les cas, l'idéal reste :

— d'éviter les « cuites » ;

— de ne pas dépasser 1 à 6 verres par semaine (l'effet bénéfique diminue rapidement avec la dose d'alcool consommé).

Fabien vient d'apprendre, suite à une prise de sang demandée par lui à son médecin, qu'il est porteur de deux gènes d'apolipoprotéine E4 :

> « J'ai décidé de ne plus boire du tout d'alcool, ou alors un verre par semaine, pas plus. Surtout que j'ai déjà tendance à avoir un cholestérol trop élevé pour lequel je suis en traitement. Pourtant, j'aime le bon vin, mais savoir qu'il augmente les risques d'abîmer mon cerveau, ça m'a complètement coupé l'envie d'en boire ! »

☞ **La dose conseillée d'alcool pour prévenir la maladie d'Alzheimer se situe entre 1 et 6 verres par semaine, à condition d'éviter les ivresses.**

Vivre en couple

Le célibat double le risque de maladie d'Alzheimer [2]. Évidemment, il est difficile de dire : « Mariez-vous » ! Mais une vie émotionnelle, relationnelle, quelqu'un qui prend soin de vous, qui se préoccupe de vous, qui échange avec vous... est certainement à la fois un stimulant et un « déstressant » très positif.

Les hormones sexuelles, un certain flou encore

Pendant longtemps et jusqu'en 2002, les traitements de la ménopause (THS ou traitement hormonal substitutif) ont semblé apporter un bénéfice en prévention de la maladie d'Alzheimer.

---

1. Anttila, art. cit.
2. Étude PAQUID : http://www.isped.u-bordeaux2.fr/recherche/paquid/fr-paquid-accueil.htm.

Puis cette idée a été totalement battue en brèche par la grande étude WHI (Women's Health Initiative) qui a suivi 16 608 femmes américaines de 50 à 79 ans. Cette étude indiquait que les femmes prenant des estrogènes (associés ou non à une autre hormone, la progestérone) voyaient leur risque de maladie d'Alzheimer pratiquement doubler !

Depuis, on attribue ces résultats désastreux au fait que les traitements américains de la ménopause sont à base d'hormones de synthèse (Prémarin® ou Prempro®). En France, les traitements prescrits sont plus souvent à base d'estrogènes transcutanés associés à de la progestérone naturelle micronisée. La seule étude disponible pour l'effet des traitements européens [1] n'a pas établi de différence de risque d'Alzheimer entre les femmes prenant un traitement de la ménopause et celles qui n'en ont pas pris.

On peut en déduire que les hormones de synthèse doivent être évitées et qu'il faut attendre pour connaître objectivement les effets des hormones naturelles, même si l'on se doute qu'elles sont probablement moins néfastes.

Chez les hommes, l'andropause existe, même si elle n'atteint pas tous les hommes. Elle correspond à une diminution du niveau de testostérone. La maladie d'Alzheimer survient plus souvent chez ceux dont le taux sanguin de testostérone est le plus bas [2]. L'abaissement de la testostérone se produit une dizaine d'années avant l'apparition de la démence.

Faut-il donc faire prendre un traitement de l'andropause à base de testostérone aux hommes qui pourraient en bénéficier ? Cela n'est pas certain. En effet, si la testostérone semble bénéfique sur le plan de l'Alzheimer, les risques d'un tel traitement existent : stimulation d'un cancer de la prostate préexistant, attaques cérébrales. En attendant des études sérieuses, la testostérone peut être prescrite seulement chez les hommes présentant une carence objective en testostérone, qui souffrent de ce déficit, et qui sont bien suivis sur le plan de la prostate. Il est possible qu'ils en tirent un bénéfice supplémentaire en prévention de la maladie d'Alzheimer.

---

1. Sehadri S. *et al.*, « Postmenopausal estrogen replacement therapy and the risk of Alzheimer disease », *Arch Neurol.*, 58(3), mars 2001, p. 435-440.
2. Moffat S. D. *et al.*, « Free testosterone and risk for Alzheimer disease in older men », *Neurology*, 62(2), 27 janvier 2004, p. 188-193.

Et la DHEA ? Nous sommes encore moins avancés avec la DHEA qu'avec les estrogènes et la testostérone. Il faut donc attendre des résultats d'études pour savoir si l'impact de cette substance peut être positif.

Les signes de l'andropause

Pour savoir si vous présentez des signes d'andropause, répondez simplement à ce questionnaire :
1. Éprouvez-vous une baisse du désir sexuel ?
2. Éprouvez-vous une baisse d'énergie ?
3. Éprouvez-vous une diminution de force et/ou d'endurance ?
4. Votre taille a-t-elle diminué ?
5. Avez-vous noté une diminution de « joie de vivre » ?
6. Êtes-vous triste et/ou maussade ?
7. Vos érections sont-elles moins fortes ?
8. Avez-vous noté une altération récente de vos capacités sportives ?
9. Vous endormez-vous après le dîner ?
10. Votre rendement professionnel s'est-il récemment dégradé ?
* Des réponses positives aux questions 1 et 7 ou à trois des dix questions font de l'homme un candidat à l'andropause et peut-être qu'un suivi serait utile...

En synthèse

Aujourd'hui, si vous souhaitez agir pour éviter la maladie d'Alzheimer, vous disposez de nombreuses informations pour agir en connaissance de cause. C'est d'autant plus intéressant que, pour l'instant, personne ne sait guérir cette maladie. Et pour agir efficacement, il faut s'y prendre tôt, car la maladie met une trentaine d'années à se préparer.

Les recommandations pratiques à appliquer pour tous :

— Évitez les chocs au cerveau : portez toujours votre ceinture en voiture, et un casque pour les sports à risque.
— Soyez actif : marchez au moins quarante-cinq minutes par jour, pratiquez des activités manuelles, intellectuelles, culturelles...
— Évitez le surpoids. (Votre indice de masse corporelle ou IMC doit être inférieur à 25.)

— Mangez du poisson au moins une fois par semaine, et trois fois par semaine si vous voulez être encore mieux protégé.

— Limitez les graisses saturées (viandes, beurre, crèmes glacées, viennoiseries) et évitez les graisses transinsaturées (pâtisseries industrielles ou margarines contenant des graisses hydrogénées).

— Mangez de bonnes graisses : remplacez votre huile habituelle par de l'huile de colza, de noix ou d'olive, elle aussi bonne pour la santé.

— Mangez souvent des légumes et des fruits ainsi que des aliments à base de noix, huiles végétales, légumes secs, pain complet.

— Ne fumez pas.

— Buvez 1 à 6 verres d'alcool par semaine.

— Ne vous enivrez pas.

— Si vous êtes une femme qui prend un traitement hormonal substitutif de la ménopause, seules les hormones naturelles devraient être envisagées, et pour une durée limitée.

— Ne prenez pas d'hormones de synthèse pour le traitement de la ménopause.

— Traitez votre andropause si elle entraîne des signes gênants pour vous.

— Prenez des anti-inflammatoires si vous souffrez de rhumatismes, ou même en cas d'agression inflammatoire, dès que vous êtes fiévreux ou grippé.

— Vivez en couple. Ce n'est pas très facile à inscrire sur une ordonnance quand on est médecin !

Les dépistages à faire pour tous

— Faites tous les trois ans une prise de sang pour doser votre sucre dans le sang (glycémie à jeun), votre cholestérol, de manière à vous traiter rapidement en cas de diabète ou d'hypercholestérolémie. Commencez dès 45 ans si vous êtes un homme et dès 55 ans si vous êtes une femme.

— À chaque consultation médicale, votre tension artérielle doit être prise pour détecter tôt une hypertension artérielle et la soigner immédiatement.

— Note : Si vous avez un facteur de risque cardiovasculaire, les prises de sang doivent être répétées tous les ans.

**Les facteurs de risque cardiovasculaires
(outre l'âge et les antécédents)**

1. Cholestérol
2. Tabagisme
3. Stress
4. Obésité abdominale
5. Hypertension artérielle
6. Apport quotidien insuffisant en fruits et légumes
7. Manque d'exercice physique
8. Diabète

Les traitements préventifs si vous voulez en faire plus

— Prenez tous les jours 120 milligrammes de vitamine C associée à 20 à 30 milligrammes de vitamine E.

— Prenez un complément multivitaminé qui couvrira vos besoins en toutes les vitamines (et qui vous apportera des vitamines B).

— Prenez des capsules d'oméga-3. La dose idéale est difficile à déterminer, puisque les études qui en parlent sont très variées. Il est probable que la bonne dose se situe entre 1 et 2 grammes par jour. Si vous mangez du poisson plus de trois fois par semaine, vous avez déjà un bon apport nutritionnel, et vous pouvez sans doute rester à une dose de 1 gramme. Si vous ne mangez jamais de poisson, visez plutôt les 2 grammes ! Attention, ces recommandations sont fixées par le bon sens, en attendant le résultat d'études officielles qui permettront de donner des conseils plus précis et plus fiables !

Les recommandations applicables aux cas particuliers

— Vous êtes soigné pour un cholestérol trop élevé.

En plus des recommandations générales, prenez votre traitement anti-cholestérol scrupuleusement. Assurez-vous qu'il s'agit bien d'une statine (les autres médicaments anti-cholestérol n'ont pas d'effet démontré sur la maladie d'Alzheimer). Et si votre cholestérol est « limite », choisissez d'être actif et de vous traiter.

> ### Le cas des personnes traitées
> ### pour troubles de la mémoire
>
> Les médicaments généralement prescrits pour troubles de la mémoire sont ce que l'on appelle des vasodilatateurs cérébraux. Ces médicaments rassurent, mais n'ont jamais fait preuve de leur efficacité. Le bénéfice apporté par ces traitements est jugé nul par l'Agence française de sécurité sanitaire des produits de la santé (AFSSAPS). Ces produits coûtent très cher à la collectivité et ne servent donc sans doute à rien. C'est pourquoi l'AFSSAPS propose depuis longtemps de ne plus les rembourser ! Ces préparations ne sont d'ailleurs pas diponibles au Québec ni remboursées par le régime d'assurance médicaments ! Si vous souffrez de troubles de la mémoire et que vous souhaitiez un traitement plus actif que le seul effet placebo, il vaut mieux substituer à ces vasodilatateurs une association de vitamine C, vitamine E et statine.
>
> Voici la liste des médicaments vasodilatateurs considérés comme totalement inefficaces et pourtant remboursés : Carlytene®, Cervilane®, Vascunormyl®, Dihydroergotoxine RPG®, Duxil®, Hydergine®, Iskedyl®, Iskedil fort®, Optamine®, Oxadilene®, Perenan®, Rheobral®, Stratene®, Vasocet®, Sureptil®, Ginkogink®, Tramisal®, Trivastal 20®, Trivastal 50 LP®, Vadilex®, Vasobral®, Vinca 20®, Vinca 30 retard®, Vincafor®, Vincarustine® [1].

— Vous êtes soigné pour hypertension artérielle.

En plus des recommandations générales, soyez très sérieux dans le traitement de votre hypertension. Il protège votre cerveau. Si, en plus, vous cumulez trois facteurs de risque cardiovasculaire [2], une statine peut vous être prescrite (même si vous n'avez pas de cholestérol trop élevé) car son efficacité en prévention des infarctus ou attaques cérébrales est prouvée [3]. (Cette statine sera aussi bénéfique en prévention d'une maladie d'Alzheimer.) Dans ce cas, ce médicament ne sera pas remboursé par la Sécurité sociale, qui

---

1. En Belgique, les vasodilatateurs cérébraux et centraux sont : Bio-flow®, Hydergine®, Loftyl®, Stugeron®, etc.

2. Trois facteurs de risques parmi les suivants : âge supérieur à 45 ans pour les hommes et 55 ans pour les femmes, infarctus ou accident vasculaire cérébral dans la famille proche, tabagisme, stress, obésité abdominale (tour de taille supérieur à 102 centimètres pour les hommes et 88 centimètres pour les femmes), diabète, manque d'exercice physique, ou autre à voir avec votre médecin.

3. Sever P. S. *et al.*, « Prevention of coronary and stroke events with atorvastatin in hypertensive patients who have average or lower-than average cholesterol concentrations, in the Anglo-Scandinavian Cardiac Outcomes Trial-lipid Lowering Arm (ASCOT-LLA) : a multicentre controlled trial », *Lancet*, 361, 2003, p. 1149-1158.

n'a pas encore pris en compte les résultats de cette étude. Votre médecin devra inscrire « NR » (pour non remboursé) sur l'ordonnance.

Et si vous avez beaucoup de facteurs de risques de maladie d'Alzheimer ?

Posez-vous la question de prendre un médicament anti-cholestérol de la famille des statines et parlez-en à votre médecin. Les études ne permettent pas de dégager la dose type ni la statine la mieux adaptée. Au Royaume-Uni, la simvastatine est en vente libre à dose minimale. En France, il faut une ordonnance pour s'en

---

Maladie d'Alzheimer et aluminium

Un éventuel effet favorisant de l'aluminium [1] de l'eau du robinet sur le développement de la maladie d'Alzheimer avait été évoqué.

Malgré plusieurs études [2] en faveur d'une augmentation de risque de démence ou de maladie d'Alzheimer (pour une concentration hydrique d'aluminium supérieure à 100 ou 110 microgrammes par litre), l'Institut de veille sanitaire conclut qu'« il n'est pas possible de considérer que l'aluminium ait un rôle causal dans la maladie d'Alzheimer, en l'absence totale de prise en compte dans les études de l'apport total en aluminium (surtout alimentaire)... » En effet, l'aluminium de l'eau du robinet représente seulement 5 à 10 % de l'aluminium ingéré.

Il nous semble que si vous êtes à risque important de maladie d'Alzheimer, et que vous agissiez déjà sur les facteurs majeurs dont l'efficacité est prouvée, vous pouvez, si vous le voulez, vous renseigner sur la composition de votre eau du robinet. Si elle est supérieure à 100 microgrammes par litre, par mesure de précaution, il vaut mieux boire de l'eau en bouteille. D'autre part, évitez alors les casseroles en aluminium pour la cuisson des aliments, et les déodorants à base d'aluminium (ils pénétreraient relativement facilement dans l'organisme). Même en l'absence de certitude évidente, il nous semble que ces précautions ne demandent pas un effort extraordinaire et valent peut-être la peine d'être appliquées.

---

1. Référence tirée du site « France Alzheimer : http://www.francealzheimer.org
2. Rapport de l'INVS (Institut de veille sanitaire) de novembre 2003. http://www.invs.sante.fr/

procurer. Elle doit porter la mention « prescription NR » et ne sera pas remboursée. En effet, les médicaments sont remboursés en France uniquement quand ils sont prescrits dans le cadre de l'Autorisation de mise sur le marché (AMM), c'est-à-dire, quand ils sont prescrits dans une indication précise, ici pour un cholestérol trop élevé.

Les cancers, je n'en veux pas

La France est la championne du monde des cancers. C'est en effet le pays où les cancers sont les plus nombreux... Cette information est très peu connue, peut-être cachée, car il n'y a pas de quoi en être fiers ! Et pourtant c'est évident et les chiffres parlent d'eux-mêmes. Voici un graphique significatif !

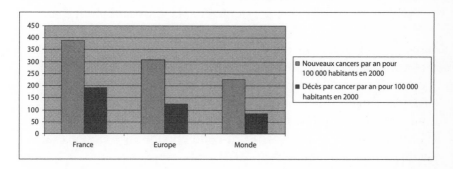

Cette place française de championne du monde des cancers, exceptionnellement mauvaise, est uniquement le fait des hommes. Les femmes françaises, elles, en meurent beaucoup moins ! Les chiffres en témoignent [1] :

Comment expliquer un si mauvais score chez les hommes français ? Parce qu'ils fument plus que les autres ? Non. Parce qu'ils sont plus gros et plus exposés ? Non plus. Notre première place en

---

1. Tableaux de l'économie française (2004-2005).

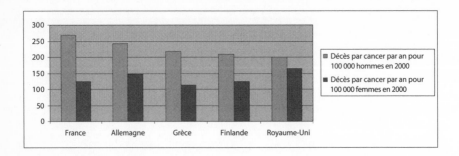

nombre de cancers chez les hommes s'explique uniquement par notre **surconsommation d'alcool**, depuis trente ans et plus...

Car nous partageons cette forte mortalité par cancer avec l'Allemagne, l'Autriche et quelques pays de l'Europe de Est, eux aussi forts consommateurs d'alcool.

Les hommes français sont donc très exposés aux cancers et à tous les problèmes liés à l'alcool : les cirrhoses, les accidents de la route ou autres morts violentes. C'est pourquoi, en France, ils vivent nettement moins longtemps que les femmes qui, elles, se classent parmi les meilleures au monde.

Pourtant en France, depuis trente ans, la consommation d'alcool a baissé de plus de 30 %. Et nous ne sommes plus les premiers buveurs d'alcool, mais les 6e [1] derrière le Luxembourg, la Hongrie, l'Irlande, la République tchèque et l'Allemagne. Alors, pourquoi gardons-nous cette première place de victimes des cancers ? C'est que les cancers mettent longtemps à se développer, et ceux qui sont détectés aujourd'hui sont le résultat de la consommation d'alcool d'il y a trente ans. Et, à cette époque, nous étions largement premiers buveurs : en 1970 nous consommions 16,2 litres d'alcool pur par an par habitant (soit 3 litres de vin par semaine pour chaque Français, enfants compris !), et nous étions sur le podium avec les deux autres pays du vin : l'Italie avec 13,7 litres par an et l'Espagne avec 11,6 litres. Les buveurs de bière (Allemagne, Autriche, Suisse) buvaient 10,2 à 10,8 litres par an. Autrement dit, nous buvions 1,5 fois plus que nos voisins et 2,5 fois plus que les Nord-Américains.

---

1. World Drink Trends 2004, Productschap Voor Gedistilleerde Dranken, en association avec NTC Publications.

Comment arrivent les cancers ?

Nous entendons souvent chuchoter : « Il a un cancer »... Or, tout le monde a non pas un mais plusieurs cancers... tout en étant en bonne santé. Mais ces tumeurs-là sont si petites qu'elles sont indétectables donc ignorées, même si elles contiennent quelques centaines ou quelques milliers de cellules cancéreuses. Nos corps sont tout à fait capables de les éliminer, et c'est bien ce qu'ils font la plupart du temps. Pour qu'un cancer soit détectable, il doit mesurer au moins 1 centimètre cube, c'est-à-dire compter déjà un milliard de cellules ! Quand vos cancers sont encore petits, donc invisibles, vous leur offrez, par votre comportement, un environnement hostile qui les empêche de se développer ou un environnement favorable qui leur permet de grossir. Même dans ce cas, ils mettront encore dix à trente ans à se développer suffisamment pour devenir détectables. Vous pouvez donc décider de mettre en place un environnement anti-tumeurs cancéreuses pour les détruire dès leur apparition... par exemple par une alimentation adaptée, un mode de vie néfaste pour ces cellules ennemies...

Nous pouvons choisir d'offrir à notre corps un environnement hostile au développement des cancers.

Cette notion qu'il est possible d'agir sur le développement des cellules cancéreuses de manière à les prévenir, Véronique l'a assimilée, et elle a changé sa vie ! Jusqu'à 40 ans, tout semble aller très bien pour cette femme à qui tout réussit. Un mariage harmonieux, trois enfants en bonne santé qui font de bonnes études (le premier est en école d'ingénieurs), un métier passionnant de costumière dans le spectacle qu'elle a arrêté puis repris à temps très partiel une fois ses enfants plus grands. Pourtant, à cet âge, Véronique commence une dépression vraiment grave qui l'a conduite par deux fois à l'hôpital. La raison de cette dépression en était la peur du cancer. Dans sa famille, un grand nombre de proches étaient décédés d'un cancer avant 50 ans. La date des 40 ans lui a donc fait penser que, peut-être, il ne lui restait pas plus de dix ans à vivre !

Voici l'histoire résumée des cancers dans sa famille :

Son père est décédé à 46 ans d'un cancer de l'estomac, le premier frère de son père d'un cancer du poumon à 50 ans pile, le deuxième est mort d'un accident vasculaire cérébral à 40 ans, sa sœur a eu un cancer du sein à 44 ans, puis est décédée à 60 ans d'un cancer du poumon sans avoir jamais fumé. Un seul frère reste vivant, il a 80 ans et il est diabétique. Du côté de la mère de Véronique, c'est un peu moins noir, car les personnes qui sont décédées ont tout de même vécu plus âgées. Mais les cancers sont là aussi au premier plan.

Sa mère de 68 ans a été opérée de polypes cancéreux de l'utérus (de plus, elle a des séquelles d'un accident vasculaire cérébral). Deux oncles fumeurs sont décédés de cancers du poumon à 60 et 58 ans, et une tante fumeuse elle aussi d'un cancer de la vessie. Il reste encore une sœur en bonne santé.

Véronique est angoissée et déprimée ! Heureusement que son mari, et des amis vont la persuader qu'il est possible d'agir pour éviter d'avoir un cancer ! Quand elle lit des articles sérieux sur la prévention, elle reprend courage, et décide de se prendre en main. Elle qui n'était pas sportive se met à courir très régulièrement, elle améliore progressivement son alimentation, décide de se mettre à la relaxation... Elle vient même de faire un bilan pour déterminer de quels compléments vitaminiques elle a besoin (il s'agit d'un bilan de stress oxydatif), et son médecin a pris le parti de lui conseiller et de lui prescrire des statines. Il l'a décidé vu le nombre de cas familiaux de cancers et de maladies cardiovasculaires (nous ne les avons pas tous cités !).

Depuis, tout va de mieux en mieux dans la tête et le moral de Véronique ! Sa famille bénéficie de cette amélioration, tant sur le plan de l'ambiance générale que pour la santé... Si cette amélioration psychique est en grande partie due à un meilleur niveau d'information concernant la prévention des cancers, elle vient aussi de l'effet positif de l'action. En effet, il est normal de déprimer quand on se trouve dans une situation sans issue, à laquelle on ne peut rien. Dès que l'on s'aperçoit que l'on peut agir pour faire changer les choses, la dépression et l'anxiété diminuent. L'action positive amoindrit les émotions négatives !

L'alcool, un cancérigène de premier plan

L'une des grandes causes de cancer est la consommation d'alcool (voir chapitre spécifique pour vous aider à déterminer votre idéal de consommation en fonction de votre profil). L'idée très répandue que 2 à 3 verres de vin chaque jour seraient bons pour la santé est fausse ! Si vous souhaitez prévenir les cancers, le meilleur choix, c'est 0 verre d'alcool par jour ! Heureusement, entre 1 et 6 verres par semaine, le risque de cancer augmente très peu. Mais, au-delà, il monte rapidement. Autrement dit, si vous voulez éviter à tout prix les cancers, il ne faut jamais boire d'alcool. Si vous trouvez cela difficile, vous limiterez les risques en restant au-dessous de 6 verres par semaine, l'idéal étant alors de boire une à deux fois par semaine 1 à 3 verres d'alcool.

Pourquoi l'alcool augmente-t-il les cancers ? Il agit comme un produit toxique, directement au niveau du tube digestif et des voies aériennes supérieures. Il interfère aussi de manière plus indirecte en entraînant des carences vitaminiques qui rendent votre corps moins apte à se défendre contre les cellules cancéreuses.

Le tabac, l'autre cancérigène important

Et le tabac ? N'est-il pas la première cause de cancer connue ? C'est exact, mais il n'explique pas la première place de la France. En effet, nous sommes loin d'être les plus gros fumeurs d'Europe. Chez ces plus de 45 ans, quand on compare la consommation de tabac par rapport aux autres pays européens, les hommes français sont seulement 9e sur 15 [1] ou même 14e sur 15 pour les 55-64 ans. On s'intéresse aux plus de 45 ans car ils constituent l'essentiel des décès par cancer. La mortalité est multipliée par 4 entre 45-54 ans par rapport à la tranche des 25-34 ans, puis elle augmente avec les années de manière exponentielle.

Dans cette tranche d'âge des plus de 45 ans, un seul pays fume moins que nous : la Suède. Les autres fument plus (Belgique, Allemagne, Autriche, Grèce, Espagne, Portugal, Italie, Finlande) ou comme nous (Danemark, Irlande, Grande-Bretagne, Hollande, Luxembourg).

Nous sommes donc les premiers en mortalité par cancer chez les hommes parce que les Français sont les premiers en consommation alcoolique et que par ailleurs ils sont dans la moyenne pour la consommation de tabac.

Le tabac et l'alcool augmentent tous les cancers et sont directement responsables des cancers de la bouche, du pharynx, du larynx, de l'œsophage, de l'estomac, du côlon-rectum et du poumon : ils expliquent tous les cinq la surmortalité masculine. Chez la femme, l'alcool augmente également le cancer du sein [2].

---

1. Eurobaromètre 52.1, Commission européenne, « Prévalence des fumeurs par groupe d'âge et par sexe », 1999.
2. Expertise collective Inserm, « Alcool. Effet sur la santé », 2002.

Quand on analyse l'effet du tabac sur les cancers, il ressort qu'il est responsable de 90 % des cancers du poumon, de 53 % des cancers de la vessie, de 54 % des cancers de l'œsophage, de 35 % des cancers de l'estomac et de 33 % des cancers du pancréas [1].

Les scientifiques estiment habituellement que le tabac explique 22 % des cancers et l'alcool 12 % [2]. Il semble pourtant que l'effet de l'alcool soit sous-évalué, notamment quand le cancer est dû à l'association des deux causes tabac et alcool. L'analyse précédente indique que l'alcool a une place plus importante qu'on ne le croit. L'alcool et le tabac associés expliquent tous les deux la surmortalité masculine, l'alcool nous permettant d'obtenir notre première place européenne.

Le tabagisme passif est très dangereux

Le tabagisme passif est très dangereux. Deux chiffres [3] :
— il augmente de 30 % le risque de faire un cancer du poumon chez les non-fumeurs ;
— il multiplie par plus de 3 le risque de faire un cancer du poumon chez ceux qui ont été exposés au tabac pendant leur enfance.

Lucie, 13 ans :

« J'ai très peur des cancers parce que je trouve que j'en vois pas mal autour de moi ! Mon grand-père a un cancer du poumon. Il s'est fait opérer, et depuis, il est très gêné, très fatigué. Bien sûr, il a fumé, il a eu des parents qui fumaient, mais ça fait au moins trente ans qu'il avait totalement arrêté. Pour moi, c'est clair, je n'ai pas la moindre envie de m'accoutumer au tabac. Et j'ai poussé mon père à arrêter car je n'ai pas du tout envie de me faire polluer ou même tuer par lui, même si ça prend quelques années !
Ma meilleure amie Marie-Ophélie est venue passer une semaine entière chez moi cette année. Sa mère se faisait opérer d'un cancer du sein. Elle aussi fumait. J'ai vu combien ma copine était à la fois

1. Siemiatycki J., Krewski D., Franco E. *et al.*, « Associations between cigarette smoking and each of 21 types of cancer : a multi-site case-control study », *Int. J. Epidemiol.*, 24(3), juin 1995, p. 504-514.
2. FNORS : www.fnors.org
3. Vineis P., Airoldi L., Veglia F. *et al.*, « Environmental tobacco smoke and risk of respiratory cancer and chronic obstructive pulmonary disease in former smokers and never smokers in the EPIC prospective study », BMJ.com, 25 avril 2005.

triste et anxieuse. C'est vraiment très dur. Bien sûr, sa mère va bien maintenant, mais si c'est vraiment quelque chose de très difficile à vivre pour la personne atteinte, ça l'est aussi pour toute la famille. Autour de moi, il y a aussi un garçon de 15 ans qui a une tumeur au cerveau. C'est horrible. Encore, quelqu'un de 40 ans, on comprend, mais à 15 ans !

Ma mère en a un peu marre, car je lui demande sans arrêt : " Est-ce que cet aliment donne des cancers ? " Souvent, elle n'en sait rien ! Je ne mange plus rien de brûlé, comme des grillades, car je sais que c'est cancérigène. J'évite les jambons ou la charcuterie sous vide. Je ne mange presque pas de viande, par goût, mais aussi parce que je sais que ce n'est pas le meilleur aliment. Je ne veux plus de cochonneries comme les chips ou les gâteaux apéritifs bourrés de mauvaises graisses. Je mange beaucoup de fruits et légumes, même ceux que je n'apprécie que modérément. J'arrive à apprécier le fait qu'ils soient bons pour la santé. En plus, par chance, ma mère fait surtout des courses bio, donc les produits chimiques sont limités chez nous.

Je trouve que devant les cancers, on se trouve impuissant. C'est une maladie imprévisible. Au moins, un infarctus, tu meurs directement... ou pas. Un cancer, c'est long et l'on peut souffrir beaucoup, moralement et physiquement. Je pense à l'une de mes tantes décédée cette année d'un cancer. Elle souffrait tellement qu'elle a fini par refuser les traitements pour dire qu'elle préférait mourir plus vite mais ne pas avoir à supporter ces traitements si agressifs. Heureusement les médecins ont respecté son choix !

Finalement, contrairement à ce que pensent les adultes, même à notre âge, on pense à la santé, à la nôtre et à celle de nos proches, parents ou amis. Je trouve que tout le monde devrait apprendre comment prévenir le plus possible les cancers. Mais nous sommes dans un monde où ce qui compte, c'est l'argent, alors, on préfère souvent en gagner en faisant du mal (comme avec le tabac), plutôt que d'en perdre en sauvant des vies. C'est lamentable ! »

☞ **L'alcool est cancérigène, même en cas de faible consommation. En prévention des cancers, la dose idéale d'alcool est de zéro verre par semaine ! Mais en allant jusqu'à 6 verres par semaine, votre risque augmente peu.**

Comment multiplier par 12 le risque de mourir d'un cancer chez vos enfants?

Il suffit de choisir d'habiter à moins de 500 mètres d'une gare routière [1]. C'est ce que vient de publier la très sérieuse revue médicale britannique *Journal of Epidemiology and Community Health*. En effet, deux gaz d'échappement provenant des moteurs diesel sont particulièrement nuisibles. Pour s'apercevoir de cet impact dramatique, il a suffi de recueillir l'adresse de plus de 12 000 enfants décédés des suites de leucémies ou de cancers. En comparant les lieux de résidence, les chercheurs ont constaté que ceux qui vivaient à moins d'un kilomètre (et moins de 500 mètres, c'est encore pire !) d'une source importante de pollution avaient un risque très augmenté de cancer. Quels sont les lieux de pollution? Les gares routières, les stations-service, les centres où transitent des poids lourds...

Le rôle du surpoids

Le surpoids et ce qui l'accompagne, la surconsommation de viandes transformées, de graisses saturées, et la sous-consommation de fruits et légumes, sont maintenant connus comme des grandes causes de cancers.

Ce surpoids a un impact particulièrement important sur trois types de cancers : les cancers liés aux hormones sexuelles (sein, ovaire, col, utérus), et ceux liés au système rénal et au tube digestif (œsophage et côlon). Un surpoids [2] serait à l'origine de 9 % des cancers du sein, 39 % des cancers de l'endomètre (utérus) [3], 25 % des cancers du rein et de la vessie, 11 % des cancers colorectaux et 37 % des adénocarcinomes de l'œsophage. (Une personne est considérée comme étant en surpoids si son Indice de masse corporelle ou IMC est supérieur à 25.)

En ce qui concerne les cancers, les facteurs alimentaires de surpoids restent néanmoins au second plan par rapport à l'alcool et au tabac. En effet, en France, leader mondial des cancers masculins, les Français sont globalement les habitants les moins obèses

---

1. Knox E. G., « Oil Combustion and childhood cancers », *J. Epidemiol. Community Health*, 59(9), septembre 2005, p. 755-760.

2. Session anuelle de l'ASCO, American Society of Clinical Oncology, 2004.

3. Berström A. *et al.*, « Overweight as an avoidable cause of cancer in Europe », *Int. J. Cancer*, 91(3), 2001, p. 421-430.

d'Europe, avec les Italiens, les Néerlandais et les Irlandais. (20 % des Français sont en surpoids, contre 29 % des Espagnols et des Luxembourgeois, 27 % des Anglais, etc. Les Français arrivent en 12e place du surpoids en Europe.)

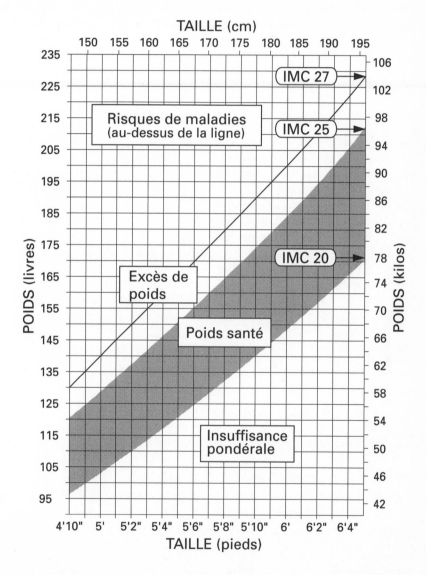

Manifestement, le rôle du surpoids dans la genèse des cancers est moins important que celui de l'alcool ou du tabac. D'ailleurs, le peuple comptant le plus d'obèses au monde, le peuple américain, subit bien moins de décès par cancers chez les hommes que les Français [1], soit 253 décès par 100 000 habitants et par an aux États-Unis contre 297 en France.

☞ **L'excès de poids est cancérigène. Il augmente le risque de cancers de sein, des ovaires, du col de et du corps de l'utérus, et les cancers du tube digestif. Rester mince est donc un acte de prévention des cancers.**

L'Indice de masse corporelle ou IMC

Il sert à calculer si vous êtes ou non en surpoids. Plus votre IMC est élevé, plus vous avez des kilos en trop. On calcule l'IMC en divisant le poids en kilos par la taille en mètre au carré. Exemple : pour quelqu'un qui mesure 1,70 mètre et pèse 60 kilos : $60/1,7 \times 1,7 = 20,76$. On est obèse au-dessus de 30. Cet indice est plus fiable que le seul poids car il tient compte de la taille. Et 20,2 % des Français sont en surpoids (IMC au-dessus de 27) contre 14 % des Françaises [2].

L'explication est en partie liée aux calories apportées par l'alcool, soit 100 calories par verre... L'alcool peut ainsi représenter 5 à 20 % des apports énergétiques quotidiens !

Le surpoids est aussi, comme l'alcool et le tabac, en défaveur des hommes par rapport aux femmes. Leur indice de masse corporelle ou IMC est plus élevé.

Une prévention spécifique des hommes ?

Une grande étude française (SU.VI.MAX) montre l'existence d'un traitement préventif des cancers chez les hommes (mais sans effet chez les femmes). Quand, en plus de leur alimentation, ils prennent des vitamines et des sels minéraux antioxydants, cela

---

1. OMS, *Annuaire des statistiques sanitaires mondiales de 1993*.
2. Eurobaromètre 44.3, Commission européenne, « Indice de masse corporelle (IMC) par sexe (répartition en pourcentage de la population de 15 ans et plus », 1996.

De plus en plus de nouveaux cas

Le nombre de nouveaux cas par an (ou incidence) de cancers augmente. Si on étudie les taux d'incidence par an pour 100 000 personnes, voici les chiffres obtenus [1] :

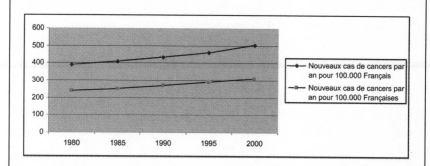

La survenue de nouveaux cancers augmente considérablement depuis vingt-cinq ans, tant pour les hommes que pour les femmes. Plusieurs explications sont possibles :
— l'augmentation de la durée de vie ;
— des moyens de diagnostic en plus grand nombre ;
— l'augmentation du tour de taille ;
— l'augmentation de l'exposition aux toxiques (tabac, alcool, pollution).
L'augmentation de la durée de vie et des moyens de diagnostic expliquent en grande partie la forte croissance des tumeurs liées aux hormones (sein, col, utérus, ovaire, prostate).
La consommation d'alcool étant en forte baisse sur la période, le tabac et la pollution constituent les deux grandes variables toxiques à prendre en compte.

diminue de 31 % leur mortalité par cancer [2]. Ces apports supplémentaires en vitamines et sels minéraux ne diminuent pas seulement la mortalité due aux cancers, mais aussi la mortalité

---

1. Institut de veille sanitaire, « Évolution de l'incidence et de la mortalité par cancer en France de 1978 à 2000 ».
2. Notons que cette baisse de 31 % des cancers appliquée à l'ensemble des hommes en France correspondrait à l'évitement de 40 000 cancers par an.

générale! Cette mortalité globale, toutes causes confondues, baisse alors de 37 %[1]! Ces chiffres sont impressionnants!

En quoi consiste ce traitement? Il s'agit de prendre chaque jour des vitamines et des sels minéraux dans la proportion suivante :

— vitamine C : 120 milligrammes,
— vitamine E : 30 milligrammes,
— bêta-carotène : 6 milligrammes,
— sélénium : 100 microgrammes,
— zinc : 20 milligrammes.

À partir de ces données, les auteurs de l'enquête ont conclu que les hommes mangent sans doute moins de fruits et légumes que les femmes, ce qui expliquerait leur carence en vitamines et l'effet positif de la supplémentation. De ce fait ils préconisent de conseiller à tous de manger 5 fruits et légumes par jour.

Cette conclusion nous semble extrêmement contestable! Car l'étude SU.VI.MAX n'a jamais étudié l'effet d'un changement alimentaire en faveur des fruits et légumes. Et puis, pour obtenir les doses d'antioxydants préconisées il faudrait manger bien plus que 5 fruits et légumes par jour! Ce serait imaginable pour la vitamine C et le bêta-carotène, mais pour arriver à 30 milligrammes de vitamine E, il faudrait consommer plus de 3 kilos de fruits et légumes par jour! Ne parlons pas des 20 milligrammes de zinc ou des 100 microgrammes de sélénium qui nécessiteraient l'ingestion de plus 14 kilos de fruits et légumes par jour[2].

De plus, sait-on vraiment si les hommes mangent moins de fruits et légumes que les femmes? Au début de l'étude, grâce à une prise de sang, on a dosé les concentrations dans le sang de vitamines et d'antioxydants. On ne trouve aucune différence entre les hommes et les femmes, ni pour la vitamine C, la vitamine E, le sélénium et le zinc. La seule différence concerne le bêta-carotène.

Selon nous, les auteurs n'ont pas suffisamment creusé la question de la différence homme-femme pour expliquer leurs résultats. Ils n'ont notamment pas pris en compte les différences de consommation alcoolique dans leur publication ni dans leurs conclusions.

---

1. Hercberg C. *et al.*, « A randomized, Placebo-Controlled Trial of the Health Effects of Antioxidants Vitamins and Minerals », *Arch. Intern. Med.*, 164, 2004, p. 2335-2342.
2. www.thierrysoucar.com.

Pourtant, on constate que les hommes inclus dans l'étude SU.VI.MAX buvaient 2,3 fois plus que les femmes en moyenne, soit 353,1 millilitres de boisson alcoolisée par jour [1]. Or l'alcool diminue la capacité d'absorption des vitamines. La seule prise de toxique relevée dans l'étude SU.VI.MAX est celle du tabac, les hommes étant davantage fumeurs ou anciens fumeurs que les femmes (66 % contre 45 %).

Pourtant, nous venons de le voir, les différences homme-femme sont très importantes en matière de cancer. Outre le tabac, la surconsommation d'alcool joue un très grand rôle. C'est la raison pour laquelle nous proposons une autre interprétation des résultats de SU.VI.MAX qui tient en deux points :

— L'étude SU.VI.MAX a montré qu'une prise en vitamines et minéraux antioxydants diminuait de 31 % la survenue des cancers chez les hommes. C'est un fait brut.

— Cette supplémentation est bénéfique chez les hommes car elle contrebalance l'effet toxique de l'alcool et du tabac. D'une manière plus générale, elle devrait donc être bénéfique à toute personne consommant trop d'alcool ou fumant des cigarettes.

Sans remettre en cause l'intérêt de manger plus de fruits et légumes, notre conclusion est donc qu'il est très utile pour ceux qui consomment trop d'alcool (plus de 2 verres par jour) ou qui fument, de prendre des vitamines et des sels minéraux à des doses supra nutritionnelles.

☞ **Si vous êtes un homme ou si vous êtes une femme et que vous fumiez, ou si vous buvez plus de 6 verres d'alcool par semaine, prenez un supplément en vitamines et antioxydants (à la dose de l'étude SU.VI.MAX) pour prévenir les cancers.**

Un homme que l'un d'entre nous a suivi comme patient a participé à cette étude SU.VI.MAX. Il est maintenant retraité, et très fier d'avoir aidé la science.

---

1. Si l'on prend les chiffres disponibles ultérieurement sur SU.VI.MAX dans le cadre du rapport du synthèse publié en mars 2005 sur l'alimentation des Français par l'USEN (Unité de surveillance et d'épidémiologie nutritionnelle : étude « Situation et évolution des apports alimentaires de la population en France, 1997-2003 », mars 2005). Ces chiffres sont en phase avec ceux du ministère de la Santé (ministère de la Santé et de la Protection sociale, dossier « Alcool : votre corps se souvient de tout ») : les hommes buvant 2 fois plus d'alcool que les femmes (2 fois par jour pour les hommes qui prennent à chaque fois une moyenne de 3,4 verres, contre 1,6 fois par jour pour les femmes pour une moyenne de 2 verres à chaque fois).

« Et, ajoute-t-il, depuis que l'étude est finie, je continue à prendre les mêmes vitamines. Car nous avons très bien été informés dès le début de l'étude, ainsi qu'au fur et à mesure, des résultats obtenus. C'est pourquoi j'y crois vraiment à fond. En plus, toutes les personnes qui ont participé comme moi sont d'accord pour dire qu'on sentait vraiment une motivation de la part des médecins pour faire œuvre utile et bénéfique pour tous. Ce n'est pas toujours l'impression que donne la médecine ! Mais là, franchement, ce fut pour moi une expérience très positive pendant plusieurs années ! »

Les règles générales de prévention des cancers

De ce premier tour d'horizon, nous avons déjà acquis quelques connaissances pratiques en matière de prévention des cancers :
— ne pas fumer (*cf.* chapitre tabac) ;
— ne pas trop boire d'alcool, voire pas du tout (*cf.* chapitre alcool) ;
— éviter de prendre trop de poids ;
— prendre des vitamines et des minéraux antioxydants si l'on fume ou si l'on boit trop ou si l'on mange insuffisamment de fruits et légumes.

Une alimentation saine prévient-elle les cancers ?

Il existe de très nombreuses études sur les effets de l'alimentation et des compléments alimentaires sur la prévention des cancers. La synthèse la plus complète peut être obtenue sur le site du NCI (National Cancer Institute) avec un excellent dossier sur la prévention [1] des cancers, dossier très régulièrement mis à jour avec les toutes dernières études.

Ce qui est a priori très surprenant, c'est qu'on se retrouve devant deux constatations totalement contradictoires :
— Dans la plupart des études, dites études d'observation, ceux qui mangent plus de fruits et légumes ont moins de cancers hormonaux ou digestifs (utérus, prostate, œsophage, côlon).
— D'un autre côté, d'autres études, appelées études d'invervention, on ne constate aucun effet positif sur le nombre de cancers

---

1. NCI : http://cancer.gov/cancerinfo/pdq/prevention.

chez les personnes qui ont un régime riche en fruits et légumes, en fibres alimentaires, un régime maigre et sans viande !

Résultat, en fonction de vos convictions, vous pouvez soutenir que bien manger ne sert à rien pour prévenir les cancers ou bien qu'au contraire, bien manger diminue énormément le risque de cancers ! Vous trouverez toujours des arguments ! Alors comment se faire une idée réaliste des liens entre l'alimentation et le cancer ?

Voici la différence entre les études d'observation et les études d'intervention : dans l'observation, on observe, *après coup*, quelles étaient les habitudes alimentaires de ceux qui ont fait le moins de cancers. Dans l'intervention, on donne aux gens des recommandations et l'on regarde si cela permet de réduire la survenue de nouveaux cancers.

Autrement dit, ceux qui ont naturellement, par choix personnel, une alimentation saine (beaucoup de fruits et légumes, de fibres, peu de graisses saturées) ont moins de cancers que les autres. Mais quand on intervient en demandant aux gens de modifier leurs habitudes alimentaires cela ne diminue pas le nombre de cancers... C'est difficile à comprendre et cela explique la perplexité des scientifiques en la matière.

On peut faire le même constat avec les compléments alimentaires, vitamines et sels minéraux. En observation, donc, quand quelqu'un prend spontanément, par choix personnel, des vitamines (bêta-carotène, lycopène, C, E, folates) et des minéraux antioxydants (sélénium, zinc), c'est efficace pour prévenir de nombreux cancers (seins, col, prostate, estomac, côlon). Par contre, si l'on demande à des personnes de se mettre à ce même traitement, beaucoup d'études montrent que les mêmes compléments sont sans effet.

Comment interpréter ces données apparemment contradictoires ?

L'alimentation est un tout. Les personnes qui, par choix, mangent bien, font des choix bénéfiques sur tous les plans ! Bien entendu elles mangent plus de fruits, mais elles vont aussi ingérer plus de vitamines, manger moins de viandes transformées, choisir des huiles de meilleure qualité... Or les chercheurs n'observent généralement qu'un seul facteur.

Au contraire, si vous prenez une personne qui mange plutôt mal, et lui demandez d'ajouter des fruits et légumes, elle va faire un effort uniquement sur ce plan-là. Sa stratégie générale alimentaire ne change pas vraiment.

Si vous voulez vraiment faire baisser votre risque de cancer, il vous faut une stratégie générale. Tous les choix positifs que vous ferez se potentialisent les uns les autres.

Deux études récentes l'illustrent très bien.

La première [1] sur le cancer du côlon dont il ressort que :

— les grands mangeurs de viandes rouges et de viandes transformées (jambon, bacon, etc.) présentent 35 % de cancers du côlon supplémentaire par rapport aux petits mangeurs de viandes ;

— les grands mangeurs de poisson ont **31 % de cancers du côlon en moins** que les petits mangeurs de poissons ;

— la consommation de volaille est sans effet sur ce cancer ;

— les légumes, le pain complet, et toutes les fibres alimentaires ont un effet bénéfique pour prévenir le cancer du côlon.

Il ne suffit pourtant pas de ne plus manger de viandes rouges pour se mettre à l'abri de ces cancers ! Et un grand amateur de viande rouge ne fera pas forcément un cancer !

Pourquoi ? Parce que **tout est lié.** Ce qui compte le plus est de manger beaucoup de fruits, de légumes et de poisson :

— ceux qui mangent beaucoup de viande, mais aussi beaucoup de poisson ne sont pas exposés aux cancers ;

— ceux qui mangent beaucoup de viande (surtout transformée) et peu de poisson sont très exposés (+ 63 %) ;

— ceux qui mangent très peu de viande et très peu de poissons sont aussi très exposés (+ 46 % de risque) ;

— ceux qui mangent beaucoup de viande et beaucoup de fibres ne sont pas exposés ;

— ceux qui mangent beaucoup de viande et peu de fibres sont très exposés (+ 50 %) ;

— ceux qui mangent peu de viande et peu de fibres sont aussi très exposés (+ 30 %).

Vous l'avez compris :

— la consommation de poissons et de fibres protège contre les cancers digestifs ;

---

1. Norat T., Bingham S., Ferrari P. *et al.*, « Meat, fish, and colorectal cancer risk : the european prospective investigation into cancer and nutrition (EPIC) », *J. Natl Cancer Inst.*, 97, 2005, p. 906-916. Cette grande étude « EPIC » a suivi, entre 1992 et 1998, 478 040 hommes et femmes dans dix pays européens. L'étude de l'influence de l'alimentation a été très approfondie notamment sur le cancer du côlon.

— la consommation de viandes (en encore plus les viandes transformées) est dangereuse si elle se fait sans consommation régulière de poissons et de fibres ;

— le risque minimal est obtenu en consommant peu de viandes rouges ou transformées et beaucoup de poissons et de fibres ;

— et, si vous adorez la viande, il faut absolument que vous compensiez en mangeant aussi beaucoup de poisson et de fruits et légumes ! Mais il faut reconnaître qu'en général, quand on mange plus de poissons, on supprime des rations de viande !

Si les études qui proposaient de supprimer la viande rouge n'ont pas donné de résultats, c'est qu'elles ne préconisaient pas, simultanément, de consommer beaucoup de poissons et de fibres. L'alimentation est forcément globale.

Des aliments sont à éviter à cause de leur pouvoir cancérigène : les marinades, les aliments fumés, les grillades et les charcuteries. Toutes les charcuteries contiennent des nitrites comme conservateurs, composants qui forment avec les protéines de la viande des nitrosamines. Or, les nitrosamines stimulent les cancers : si vous voulez fabriquer un cancer chez un animal, vous lui injectez une bonne quantité de nitrosamines. Quinze jours après, il a un cancer !

Pourquoi le poisson a-t-il un effet positif ?

Le poisson présente l'avantage de contenir beaucoup de graisses de type oméga-3 que l'on retrouve aussi par exemple dans les graines de lin ou l'huile de Colza. Normalement, il doit exister un équilibre entre les graisses oméga-3 et les oméga-6 qui, elles, viennent de l'huile de tournesol, ou autres huiles alimentaires. Or, nous avalons actuellement trente fois plus d'oméga-6 que d'oméga-3. Ce déséquilibre a des effets inflammatoires et cancérigènes. C'est pour cela que les bonnes graisses de poisson, contribuant à rétablir cet équilibre, sont à la fois bénéfiques pour la prévention des cancers, des maladies cardiovasculaires, et de l'Alzheimer.

☞ **Pour éviter les cancers digestifs : mangez beaucoup de poisson, de fruits, de légumes et d'aliments complets (pain, riz, pâtes...), mangez le moins de viande rouge possible, surtout transformée.**

La même logique s'applique à l'usage des compléments alimentaires, l'étude la plus performante est celle qui propose non pas de prendre une seule vitamine, mais un cocktail plus complet (bêta-carotènes, vitamines C et E, du sélénium et du zinc), l'étude SU.VI.MAX dont nous avons déjà parlé, avec une réduction de 31 % des cancers chez les hommes.

Attention : Prendre des pilules fortement dosées en bêta-carotène (un précurseur de la vitamine A) est dangereux, car cela augmente les cancers, notamment chez les fumeurs. C'est ce que montrent deux études dans lesquelles des fumeurs prenaient des doses élevées de bêta-carotène (20 à 30 milligrammes par jour) et de vitamine A (25 000 UI par jour soit 8 milligrammes)[1][2].

Dans ces deux études, les populations étudiées étaient des fumeurs à haut risque de faire un cancer du poumon, car ils avaient plus de 50 ans (de 50 à 69 ans) et dans l'une d'entre elles, plus de vingt années de tabagisme. Dans les deux cas, la supplémentation en ces deux vitamines à fortes doses a augmenté le nombre des cancers du poumon et la mortalité générale.

☞ **Ne consommez jamais de bêta-carotène ou de vitamine A (le bêta-carotène est un précurseur de la vitamine A) à dose élevée. Cela augmente le risque de cancers particulièrement chez les fumeurs.**

En pratique, que pouvons-nous en retenir ?

a. Ceux qui, de leur propre chef, mangent sainement (moins de graisses, de viandes (surtout transformées), plus de fruits et légumes, de fibres et de poissons) ou qui prennent des vitamines ou des minéraux antioxydants ont moins de cancers que les autres.

b. Ceux qui fument ou boivent de l'alcool ont vraiment intérêt à augmenter leur consommation de fruits et légumes et à prendre des compléments alimentaires antioxydants (vitamines C, E, sélénium, zinc, le bêta-carotène ne devant pas dépasser les doses de SU.VI.MAX, soit 6 milligrammes par jour).

---

1. Albanes D., Heinonen O. P., Taylor P. R., *et al.*, « Alpha-Tocopherol and beta-carotene supplements and lung cancer incidence in the alpha-tocopherol, beta-carotene cancer prevention study : effects of base-line characteristics and study compliance », *J. Natl Cancer Inst.*, 88 (21), 1996, p. 1560-1570.
2. Omenn G. S., Goodman G. E., Thornquist M. D., *et al.*, « Effects of a combination of beta carotene and vitamin A on lung cancer and cardiovascular disease », *N. Engl. J. Med.*, 334 (18), 1996, p. 1150-1155.

c. Il ne faut pas prendre des doses élevées de vitamine A et de bêta-carotène.

d. Les politiques publiques pour une meilleure hygiène globale alimentaire sont bien fondées.

Les aliments anti-cancer. Thé vert, poivre noir et myrtilles !

Un chercheur canadien, Richard Béliveau, travaille sur le lien entre alimentation et cancer. D'après lui, notre meilleur allié contre le cancer n'est pas la pharmacie, mais le marché ! Il travaille surtout sur les fruits et légumes, pour étudier tous les composants qui ont un effet anticancéreux. Et il en existe beaucoup ! Ce médecin pense que l'on pourrait empêcher la formation des cancers, ralentir leur croissance, les fragiliser pour les rendre plus sensibles aux traitements de chimio ou radiothérapie grâce à une alimentation adaptée.

Le rêve de ce médecin : réussir à étudier les composants de tous les aliments pour prescrire à une personne atteinte de cancer un régime alimentaire comprenant les substances les plus actives contre son type de tumeur !

Et ça marche ! Le docteur Béliveau cite un exemple : « Je connais un homme qui avait quatre semaines d'espérance de vie à cause d'un cancer du pancréas. Il a vécu trois ans et demi en suivant un régime alimentaire anticancéreux ! » Bien sûr, ça n'est pas aussi extra-ordinaire que de l'avoir guéri. On pourrait douter d'un tel résultat, mais nous avons davantage tendance à croire ce chercheur, qui est qualifié et qui ne se vante pas de miracles, mais de résultats positifs qui ont encore à être améliorés. D'autre part, Béliveau continue à travailler pour étudier en profondeur les aliments pressentis comme positifs. Il avance pas à pas, ce qui semble logique dans le cancer qui n'est pas une seule maladie, mais de nombreuses maladies relativement différentes entre elles.

Quels sont les aliments conseillés ?

— **Le thé vert**, à condition qu'il soit riche en polyphénols. Préférez le thé vert japonais en feuilles. Il faut le faire infuser au moins dix minutes, sinon les polyphénols anticancéreux ne se dissoudront pas dans votre breuvage ! Attention, n'achetez jamais des extraits de thé en poudre, ou des boissons au thé vert : cela n'a aucun effet sinon de rapporter de l'argent à ceux qui les vendent ! Car les polyphénols ont une durée de vie de trente minutes seulement ! Rien ne vaut le thé vert qui vient d'infuser ! Et 1 à 3 tasses par jour suffisent à vous apporter un effet important !

— **Le thé noir** est aussi très efficace à condition d'en prendre au moins une tasse par jour. Une étude a montré qu'une simple tasse de thé noir par jour diminuait de 24 % le risque de faire un cancer des ovaires [1].

— **Le chocolat noir** sans lait, au moins 70 % de chocolat. Si vous mettez du chocolat noir dans du lait, son effet est annulé.

— **Le soja** : riche en isoflavone, son principe actif anticancéreux. Le meilleur aliment, c'est la fève entière (en magasin bio), mais il est plus facile de trouver du lait de soja, bien qu'il soit moins riche en isoflavones. Dans ce cas, choisissez un lait à base de fève de soja entière. On peut aussi consommer de la soupe de miso, elle aussi à base de soja, ou du tofu.

— **Les choux** et tous les aliments de la famille des choux : ils bloquent la formation des œstrogènes associés au cancer du sein. Vous avez le choix entre les brocolis, choux de Bruxelles, choux romanesco, choux rouges, choux blancs...

— **Les tomates** grâce à leurs lycopènes.

— **Les épices :** le curcuma, le poivre noir (pas le blanc ni le gris) multiplient le pouvoir anticancéreux des aliments auxquels ils sont ajoutés. Pour éviter de saler les aliments, pensez plutôt à poivrer ou épicer. Le poivre noir contient une substance anticancéreuse, la pipérine, qui augmente de 400 fois l'absorption d'autres molécules anticancéreuses. C'est pourquoi il faut en ajouter dans les légumes, soupes, jus de légumes...

— **Les fruits rouges** : framboises, mûres, myrtilles, bleuets, raisins...

— **Les graines de lin** : une cuillère à soupe par jour, moulue ou bien mastiquée.

— **Légumes à ajouter pour donner du goût** : oignons, échalotes, ail, poireaux, navets.

— **Les légumes en feuilles** : épinards, cressons.

— **Les agrumes** : oranges, pamplemousses, citrons, mandarines.

— **Les légumineuses :** haricots blancs, haricots rouges, pois chiches, soja, lentilles, pois cassés. Elles freinent certaines hormones et agissent donc contre les cancers sous influence hormonale comme les cancers du sein.

— **Les noix, noisettes, amandes...**

— **Et tous les autres fruits ou légumes** qui n'ont pas encore été étudiés !

Notes :

— Les aliments amers sont souvent plus anticancéreux ! Le thé vert plus amer est plus efficace, le chocolat amer aussi, tout

---

1. Larsson S. C., Wolk A., « Tea Consumption and Ovarian Cancer Risk in a Population-Based Cohort », *Arch. Intern. Med.*, 2005 ; 165 : 265 : p. 2683-2686.

comme les légumes amers ont souvent un meilleur potentiel anti-cancéreux.

— L'idéal est de mélanger le plus possible ces aliments : leurs effets respectifs ne s'additionnent pas, ils se potentialisent, se multiplient. Il vaut mieux manger un mélange de légumes saupoudré de poivre noir et de curcuma, et relevé d'oignon et d'ail qu'un seul légume différent chaque jour [1].

L'exercice physique est une excellente prévention

L'exercice physique se révèle très efficace en prévention des cancers. Cela a été démontré dans de nombreuses études dont une revue a été faite [2]. Les résultats sont instructifs :

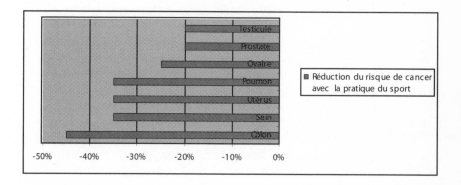

Les auteurs observent même que plus la pratique de sport est importante (longue, régulière et intense), plus on réduit le risque de cancer.

Pourquoi l'exercice physique est-il bénéfique ?

Si la diminution de la masse graisseuse contribue à diminuer l'apparition de cancers, l'exercice physique agit aussi d'autres manières :

— au niveau de l'intestin, il accélère le transit intestinal et de ce fait il diminue le temps d'exposition aux substances cancérigènes ;

1. Beliveau R., Gingras D., *Les Aliments contre le cancer*, Trécarré, Canada, 2005 ; France, Solar, 2006.

2. Friedenreich C. M., « Overview of the association between physical activity, obesity and cancer », *Eurocancer*, 2005 ; John Libbey Eurotex, Paris, 2005, p. 207-208.

— il fait baisser les taux des hormones œstrogène et testostérone, ce qui diminue les cancers du sein, de l'utérus et de la prostate. En effet, les estrogènes et la testostérone stimulent la croissance de ces cancers ;

— il retarde l'âge des premières règles et allonge les cycles menstruels en diminuant ainsi le nombre total de cycles dans la vie d'une femme ;

— il stimule les défenses immunitaires ;

— il a encore sans doute d'autres effets positifs inexpliqués dus par exemple à l'augmentation de la circulation du sang dans tous les vaisseaux, à l'oxygénation des tissus...

Fin mai 2005, nous avons envoyé un mail en urgence à deux personnes : l'un à une amie qui venait de terminer sa chimiothérapie d'un cancer du sein depuis deux mois et à une autre amie qui nous avait récemment parlé de trois connaissances à elle victimes d'un cancer du sein il y a quelques années. Car, en mai 2005, est paru dans le *JAMA* [1] un article sur le cancer du sein et l'exercice physique. Chez les 3 000 infirmières atteintes d'un cancer du sein et suivies pendant près de dix ans, le fait de **marcher de trois à cinq heures par semaine à un rythme moyennement soutenu réduisait d'environ 50 % leur risque de décéder** de la maladie comparativement à un groupe de femmes sédentaires. Ces résultats nous ont totalement émerveillés ! Nous avons, dans la minute où nous les avons appris, envoyé une copie de cette étude par mail. Quand on a connaissance d'une telle nouvelle, on n'a qu'une envie, la partager avec celles qui peuvent en bénéficier ! C'est ce que nous vous invitons à faire vous aussi, si vous en avez l'occasion ! Il ne s'agit plus vraiment de prévention, mais si se bouger un peu (marcher trois à cinq heures par semaine, ce n'est pas énorme !) diminue les récidives de cancer, il est possible que cela les empêche aussi de survenir. De toute manière, comme le dit le docteur Michelle Holmes qui a dirigé cette étude : « Les femmes atteintes d'un cancer du sein n'ont rien à perdre et beaucoup à gagner en faisant de l'exercice. » Nous ajouterons qu'il en est sans doute de même pour les femmes qui n'ont pas de cancer du sein !

---

1. Holmes *et al.*, « Physical activity and survival after breast cancer diagnosis », *JAMA*, 293(20), 25 mai 2005, p. 2479-2486.

Pour connaître la quantité de sport à pratiquer, référez-vous au chapitre spécial sport de ce livre où les informations sont plus détaillées...

Pratiquer des activités physiques est donc excellent pour la prévention des maladies du cœur, du cerveau et pour les cancers !

☞ **L'exercice physique fait diminuer jusqu'à 50 % les risques de cancers !**

Le rôle du stress dans la survenue des cancers

Si la dépression, le stress, l'anxiété et les maladies psychiques augmentent la mortalité, il est moins facile de se prononcer en ce qui concerne précisément le cancer. Nombreuses sont les personnes qui constatent un cancer dans les mois suivant un deuil, un choc psychologique. Mais scientifiquement, cela n'est pas si clair.

Certains arguments appuient cette hypothèse : le travail de nuit, source de stress très important, augmente de 50 % le risque de cancer du sein [1]. Mais la survenue du cancer est-elle bien liée à ce stress ou à un autre facteur occasionné par le travail nocturne ?

En revanche, soigner son mental et ses émotions est efficace pour le traitement des cancers : les méthodes psychologiques ont un impact sur la mortalité par cancer. Cela a été démontré pour la première fois par le professeur Spiegel dans un article qui a fait date dans le *Lancet* en 1989 [2]. Cinquante femmes victimes d'un cancer métastasique du sein avaient participé à des groupes de soutien hebdomadaire et ont été formées à l'autohypnose pour le vécu de la douleur. Dans le même temps 36 autres femmes, atteintes des mêmes formes de cancer, ne bénéficiaient d'aucune prise en charge psychologique. Résultat, le taux de survie a été le double dans le groupe suivi (soit 3 ans) par rapport au groupe contrôle (soit 1 an et demi). Maintenant, ces méthodes se sont généralisées et la prise en charge des personnes atteintes de cancers s'est beaucoup améliorée. Mais il reste encore du chemin à parcourir !

---

1. Hansen J., « Increased breast cancer risk among women who work predominantly at night », *Epidemiology*, sept. 2001 ; 12(5), p. 588-589.
2. Spiegel D., Bloom J. R., Kraemer H. C., *et al.*, « Effect of psychosocial treatment on survival of patients with metastatic breast cancer », *Lancet*, 2(8673), 18 novembre 1989, p. 1209-1210.

Comment expliquer une telle efficacité des méthodes psychologiques dans une maladie comme le cancer ? Les traitements anticancéreux tuent les cellules cancéreuses ; on comprend donc leur efficacité. Or le stress rend ces traitements nettement moins efficaces. C'est ce qu'indique une étude sur des souris en 1998[1]. Peut-on transposer cela chez l'humain ? Ce n'est pas certain à 100 %, mais pratiquer une méthode anti-stress est toujours bénéfique et n'a absolument aucun effet secondaire néfaste, contrairement aux diverses chimiothérapies ! Alors, il serait vraiment dommage de ne pas en bénéficier !

Au total, les problèmes psychiques pourraient être impliqués dans l'aggravation des cancers. Quant à la prévention des cancers, les résultats des études sont moins évidents. S'il est difficile de se prononcer, c'est peut-être qu'il n'est pas simple de quantifier les difficultés psychiques.

Cependant on peut penser qu'un bon psychisme a aussi un effet préventif anticancéreux. En effet, le travail psychique sur le stress, l'anxiété et la dépression a tendance à prévenir les récidives et les aggravations des cancers diagnostiqués. Or, avant d'avoir un cancer évident, nous hébergeons tous des cellules cancéreuses en nombre plus limité. Il est probable qu'un terrain psychiquement positif contribue à ralentir, voire à stopper le développement de cellules cancéreuses susceptibles d'évoluer en maladie cancéreuse. Et même si cela n'avait pas d'effet notable évident, cela ne peut en rien être préjudiciable. (Contrairement à certains traitements toxiques.)

Certains prétendent que les médecins se fichent éperdument de l'effet des tensions psychiques sur la santé de leurs patients. C'est faux, le nombre d'études sur le sujet l'atteste !

Ce que l'on peut conseiller à tous est donc de bien s'occuper de son propre mental. En effet, éviter ou soigner les dépressions,

---

1. Zorzet S., Perissin L., Rapozzi V. *et al.*, « Restraint stress reduces the antitumor efficacy of cyclosphamide in tumor-bearing mice », *Brain, Behavior, and Immunity*, 12, 23-33, 1998, article n° BI970504. Quatre groupes de souris étaient suivis pour le même cancer (Carcinome pulmonaire de Lewis) et bénéficiaient ou non de la même chimiothérapie (cyclophosphamide). Dans deux des groupes, les souris subissaient chaque jour une heure de stress en étant attachées par les pattes à des planches de plastique, pendant les six jours suivant l'injection du médicament. Les résultats montrent que, malgré leur chimiothérapie, les souris stressées mouraient presque aussi rapidement que les souris sans chimiothérapie. Le stress annule pratiquement l'effet bénéfique du traitement anticancéreux. La chimiothérapie n'est vraiment très efficace que chez les souris non stressées. Elles vivent alors nettement plus longtemps que les souris sans chimiothérapie.

comme toutes les maladies psychiques, diminue la mortalité globale et aussi, d'après certains écrits, le développement et les récidives de cancers.

☞ **Occupez-vous de votre santé psychique, soignez votre dépression et votre stress.**

Pour connaître les moyens d'action avec précision, référez-vous au chapitre traitant du mental.

Le rôle de l'inflammation

Les personnes qui prennent régulièrement de l'aspirine ou d'autres anti-inflammatoires comme de l'ibuprofène (Advil®, Nurofen®) pour des maux de tête, des douleurs musculaires ou articulaires ou pour d'autres raisons ont tendance à faire moins de cancers digestifs ou du sein que les autres. Ce phénomène n'est pas observé chez ceux qui prennent des anti-douleurs sans effet anti-inflammatoire comme le paracétamol.

Cette réduction du risque est proportionnelle à la durée de la prise et à son dosage. Pour illustrer ce point avec l'aspirine, voici deux études prospectives effectuées chez les femmes, la Nurses' Health

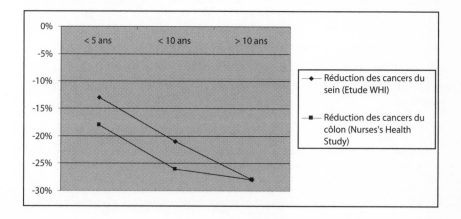

Study [1] qui a suivi les cancers du côlon et la Women's Health Initiative [2] (WHI) qui a suivi les cancers du sein.

Avec l'ibuprofène des résultats similaires sont obtenus avec une réduction du cancer du sein de 21 % en 5-9 ans, et 49 % en plus de dix ans.

Une autre étude portant sur 635 031 adultes a montré une baisse de l'ordre de 40 % des survenues des cancers digestifs (œsophage, estomac, côlon, rectum) [3]. Ce résultat a été confirmé en 2003 dans une méta-analyse regroupant neuf études sur l'effet préventif de l'aspirine et des AINS sur le cancer de l'œsophage. La réduction moyenne observée était de 43 % et l'effet dose est retrouvé, ainsi que la fréquence des prises : la réduction était de 18 % en cas de prises intermittentes contre 46 % en cas de prises fréquentes [4].

Ces chiffres nous apportent quelques informations précieuses :

— cela vaut la peine de se traiter par aspirine (325 milligrammes par jour ou plus) ou anti-inflammatoire si nécessaire, en cas de maux de tête, de grippe, de maladies rhumatismales ou de troubles musculo-squelettiques (encore appelés TMS) ;

— et il faut vraiment faire un effort pour prendre régulièrement son aspirine en traitement préventif des maladies cardiovasculaires si votre médecin vous en prescrit. Les doses utilisées (80 à 160 milligrammes / jour) permettent d'obtenir des réductions de cancer de l'ordre de 20 % !

Ces recommandations valent seulement pour ceux qui supportent bien l'aspirine ou les autres anti-inflammatoires. Car ces médicaments comportent des effets secondaires, notamment hémorragiques, et ils ne peuvent être prescrits systématiquement à tout le monde.

☞ **Si l'on vous prescrit un traitement anti-inflammatoire au long cours pensez que vous diminuez sérieusement votre risque de cancer !**

---

1. Chan A. T., Giovannucci E. L., Schemhammer E. S. *et al.*, « A prospective study of aspirin use and the risk for colorectal adenoma », *Ann. Intern. Med.*, 140, 2004, p. 157-166.

2. Harris R. E., Chlebowski R. T., Jackson R. D. *et al.*, « Breast cancer and nonsteroidal anti-inflammatory drugs : prospectives results frome the women's health initiative », *Cancer Research*, 63, 6101, 15 septembre 2003.

3. Thun M. J., Namboodiri M. M., Calle E. E., *et al.*, « Aspirin use and risk of fatal cancer », *Cancer Res.*, 53(6), 15 mars 1993, p. 1322-1327.

4. Corley D. A. Kerlikowskek K., Verma R. *et al.*, « Protective association of aspirin/ NSAIDS and esophageal cancer : a systematic review and meta-analysis », *Gastroenterology*, 124(1), janvier 2003, p. 47-56.

Le plus souvent, ce traitement est prescrit contre une maladie rhumatismale ou en prévention des maladies cardiovasculaires.

Les statines, encore elles !

Un autre traitement aux effets légèrement anti-inflammatoires a montré, en 2004 et 2005, des résultats très précieux en prévention des cancers. Il s'agit des statines, médicaments anti-cholestérol [1] dont nous avons déjà parlé dans la prévention tant de la maladie d'Alzheimer que de l'infarctus du myocarde ou des attaques cérébrales.

Au départ, les médecins ont étudié le nombre de cancers chez les personnes qui prennent des statines parce qu'ils craignaient que ces médicaments n'augmentent le risque de cancers ! En effet, prescrire un médicament bénéfique d'un côté (il diminue le cholestérol et les maladies cardiovasculaires) mais qui fait des dégâts d'un autre côté (augmenter les cancers) aurait été très grave. C'est pourquoi le risque de cancer est toujours étudié pour les médicaments qui sont prescrits des années, comme c'est le cas des statines pour faire baisser le taux de cholestérol.

Les résultats des études suivantes illustrant la diminution du risque de cancer sous statine parlent d'eux-mêmes (cancer du côlon [2], cancer du poumon [3], cancer du sein [4, 5], cancer de la prostate [6, 7], cancer de l'œsophage [8], cancer du pancréas [9]) :

---

1. Vasten®, Elisor®, Tahor®, Zocor®, Lodales®, Lescol®, Fractal®, Crestor®.

2. Poynter J. N., « HMG CoA reductase inhibitors and the risk of colorectal cancer », *ASCO 2004 annual meeting*, Oncolink, 7 juin 2004.

3. Khurana V., Kochhar R., Bejjanki H. R. *et al.*, « Statins reduce the incidence of lung cancer : a study of half a million US veterans », *ASCO Annual Meeting 2005*, abstract n° 1006.

4. Kochhar R., Khurana V., Bejjanki H. *et al.*, « Statins reduce breast cancer risk : a case control study in US female veterans », *ASCO Annual Meeting 2005*, abstract n° 514.

5. Cauley J. A., Zmuda J. M., Lui L. Y. *et al.*, « Lipid-lowering drug use and breast cancer in older women : prospective study », *J Womens Heath* (Larchmt), 12(8), octobre 2003, p. 749-756.

6. Platz E., American Association for Cancer Research, « Observational study suggest use of statins lowers risk of advanced prostate cancer », 18 avril 2005.

7. Singal R., Khurana V., Caldito G., Fort C., « Statins and prostate cancer risk : a large case control study in veterans », *ASCO Annual Meeting*, abstract n° 1004.

8. Digestive Disease Week, Chicago 2005. Etude Veteran's Integrated Service Network.

9. *Ibid.*

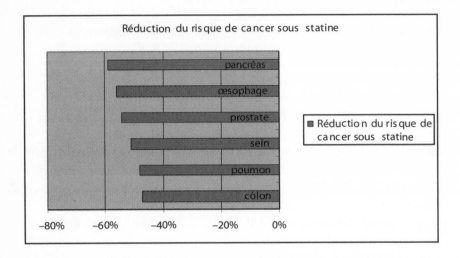

Dans l'un des documents sur le cancer de la prostate, on observe également que le risque de faire un cancer avec métastases est divisé par trois[1]! (Cette dernière étude a suivi 34 428 hommes pendant plus de dix ans). Dans l'autre étude, portant sur 443 805 patients[2], le risque diminue d'autant plus fortement que le traitement a été prolongé :
— moins 27 % de cancers pour un à deux ans ;
— moins 58 % pour deux à trois ans ;
— moins 70 % pour trois à quatre ans ;
— moins 89 % pour plus de quatre ans !
Ces chiffres demandent encore à être confirmés, mais il est déjà permis de conclure que ceux qui doivent prendre des statines en prévention de risques cardiovasculaires peuvent se dire que cela est très probablement utile en prévention de leur risque de cancer. Il s'agit d'une excellente raison pour se motiver à bien prendre son traitement.

☞ **Si votre médecin vous prescrit des statines à prendre tous les jours, sachez qu'en plus de prévenir les maladies cardio-vasculaires, vous prévenez aussi les cancers !**

1. Platz E., art. cit.
2. Singal R., Khurana V., Caldito G., Fort C., art. cit.

La Nurses' Health Study

La Nurses' Health Study est une étude qui suit 79 995 femmes depuis 1990 [1]. Elle a permis d'observer la relation entre la prise de statine et la survenue d'un cancer du sein pendant six à douze ans. Elle a montré que le risque de cancer du sein était diminué de 9 % sous statines, mais ce résultat n'est pas significatif. Les femmes sous statines étaient globalement en moins bonne santé que les autres, ce qui peut fausser un peu les comparaisons (on parle de biais de l'étude). Il est surtout important de noter qu'aucune étude à ce jour ne montre d'augmentation des cancers sous statines. Soit elles montrent une diminution significative, soit elles montrent une diminution non significative.

Et les oméga-3 en prévention des cancers ?

Il n'existe pas actuellement d'étude sur la prévention des cancers par la prise d'oméga-3. On sait néanmoins que la consommation de poisson protège des cancers (étude EPIC). Les personnes qui prennent des oméga-3 en prévention des infarctus ou de la maladie d'Alzheimer peuvent donc en espérer un bénéfice en prévention des cancers.

La vitamine D, une piste intéressante

Plus notre taux sanguin de vitamine D est élevé, mieux nous sommes protégés contre les cancers. C'est ce qui ressort d'une analyse de 63 études [2].

Cette découverte toute récente pose la question de la déficience en vitamine D chez les populations peu ensoleillées. La vitamine D est en effet synthétisée par la peau sous l'influence des rayons solaires.

Les auteurs de l'étude suggèrent d'examiner la possibilité d'une supplémentation de 1000 UI par jour (UI = unité internationale). Pour l'instant, on peut simplement dire aux femmes qui prennent

---

1. Eliassen A. H., Colditz G. A., Rosner B. *et al.*, « Serum Lipids, Lipid-Lowering Drugs, and the Risk of Breast Cancer », *Arch. Intern. Med.*, 165, 2005, p. 2264-2271.
2. Garland C. F., Garland F. C., Gorham E. D. *et al.*, « The Role of Vitamin D in Cancer Prevention », *Am. J. Public Health*, 96 (2), 2006, 9-18. (30 études portent sur le cancer du côlon, 13 sur le cancer du sein, 26 sur le cancer de la prostate et 7 sur celui de l'ovaire.)

Témoignage d'un cancérologue

La prévention en cancérologie, j'y crois, mais hélas « prévenir n'est pas garantir à 100 % ». Je suis régulièrement des personnes victimes d'un cancer qui ont un mode de vie très sain, font du sport, suivent une alimentation équilibrée, ne fument jamais et ne boivent pas ou peu. Il y a une partie de hasard, il faut le reconnaître ! Je crois aussi qu'une partie importante de la prévention se fait avant 20-30 ans. Car avant cet âge, l'organisme est en pleine formation, les cellules se reproduisent plus souvent et l'exposition à des agents cancérigènes comme le tabac, voire l'alcool est encore plus à redouter. Et puis c'est avant cet âge que les bonnes habitudes se prennent. Je crois aussi que la prise de vitamines ne remplacera jamais la consommation de fruits ou de légumes. Et puis même quand on mène une vie très saine il faut absolument pratiquer le dépistage. Augmenter ses chances de ne pas faire de cancer, c'est bien, mais rester vigilant en pratiquant le dépistage est complémentaire et reste indispensable. Enfin, je fais partie des personnes qui pensent qu'il ne faut peut-être pas inciter tout le monde à éliminer tous les plaisirs de la vie ! Chacun doit assumer ses choix en connaissance de cause.

Note : Les cancérologues sont souvent pessimistes ! Leur métier est difficile. S'ils sauvent de nombreuses vies, ils voient moins de personnes en bonne santé que de malades ! Quand une personne est en rémission, ils la reçoivent en consultation tous les six mois, alors qu'une autre qui va mal vient souvent à l'hôpital. Résultat, ils ont tendance à voir surtout le versant douloureux de la maladie cancéreuse et à moins percevoir les progrès énormes qui ont été faits grâce à eux !

de la vitamine D en traitement d'une ostéoporose qu'elles ont une raison supplémentaire de l'ingérer. Elles préviennent ainsi probablement certains cancers...

Voici maintenant les mesures préventives spécifiques de chacun des cancers suivants :

— les cancers digestifs ;
— les cancers hormonaux féminins ;
— les cancers de la prostate ;
— les cancers des voies aériennes ;
— les cancers de la peau.

Cancers digestifs

Les régimes peu gras, riches en fruits et légumes, en fibres et pauvres en viandes préviennent ces cancers qui sont très sensibles à l'alcool, au tabac, au surpoids et à la qualité de l'alimentation. L'activité physique ou la prise de vitamines et de minéraux anti-oxydants sont aussi bénéfiques, en particulier chez les fumeurs et chez ceux qui boivent plus de deux verres d'alcool par jour. Les anti-inflammatoires, aspirines, autres AINS et statines ont un potentiel protecteur. C'est ce qui a déjà été démontré.

Il reste à étudier les facteurs plus spécifiques à la prévention des cancers digestifs.

Cancer de l'œsophage

Pour le cancer de l'œsophage, les remontées acides de l'estomac (reflux gastro-œsophagiens) sont très néfastes. Ils multiplient par 7,7 le risque de faire un cancer [1]. C'est bien l'acidité de ces reflux et leur agression sur la muqueuse de l'œsophage qui est toxique. Il est donc très important de bien se faire suivre pour ce problème.

Un autre facteur contribue à acidifier et donc agresser l'œsophage : les boissons gazeuses. Le risque de cancers de l'œsophage augmente avec la consommation de boissons gazeuses. En pratique, la consommation de boisson gazeuse devient toxique à partir de 40 litres par an, soit 10 centilitres par jour. À partir de 75 litres, le risque est multiplié par 1,8 [2]. Il faut donc réserver ce type de boisson aux occasions exceptionnelles. (Cela comprend toutes les eaux gazeuses, les sodas, tous les alcools à bulle, comme le cidre ou le champagne...) Les cancers de l'œsophage sont également augmentés par les boissons très chaudes (café ou thé brûlant par exemple).

☞ **Pour prévenir le cancer de l'œsophage, évitez les boissons gazeuses, et si vous souffrez de remontées acides de l'estomac vers la bouche, faites-vous soigner. Évitez aussi de boire quotidiennement des boissons très chaudes.**

---

1. Lagergren J., Bergstrom R., Lindgren A. *et al.*, « Symptomatic gastroesophageal reflux as a risk factor for esophageal adenocarcinoma », *N. Engl. J. Med.*, 340(11), 18 mars 1999, p. 825-831.
2. Mallath, *105th Annual Meeting of the American Gastroenterological Association*, New Orleans, LA, USA, mai 2004.

Cancer de l'estomac

À l'inverse du cancer de l'œsophage, l'incidence du cancer gastrique baisse constamment depuis des décennies en France. Cela s'explique par l'amélioration de l'hygiène alimentaire. En effet, le principal responsable du cancer de l'estomac est une bactérie, *Hélicobacter pylori*, qui provoque des ulcères d'estomac et à la longue des cancers. Si vous avez souvent mal à l'estomac, notamment avant un repas ou en prenant des anti-inflammatoires, n'hésitez pas à consulter pour vérifier que vous n'êtes pas victime de cette bactérie (qui habite 20 à 30 % des estomacs en France !). Un simple traitement d'une semaine par des antibiotiques vous mettra à l'abri des ulcères et du cancer.

Outre les facteurs de risque communs aux autres cancers, la surconsommation de sel a été retrouvée comme un facteur favorisant les tumeurs gastriques [1].

☞ **Pour prévenir les cancers de l'estomac, évitez de sur-saler les aliments et demandez à rechercher la bactérie *Helicobacter pylori* en cas de douleurs fréquentes de l'estomac.**

Cancer du côlon

La principale mesure de prévention du cancer du côlon passe par un dépistage. Il faut faire, à partir de 50 ans, une recherche du sang dans les selles tous les deux ans (test Hémoccult®). Si cette recherche est positive, on pratiquera une coloscopie à la recherche de polypes ou de cancer. La grande majorité des cas de cancers du côlon sont dus en effet à des polypes intestinaux qui dégénèrent. (Les stratégies de dépistages chez les personnes à risque seront détaillées dans le chapitre « Je me surveille »).

La meilleure des préventions consiste ainsi à retirer les polypes chirurgicalement sous fibroscope. La National Polyp Study [2] a ainsi montré une réduction de 75 % de la survenue des cancers colorec-

---

1. Stomach. In : World Cancer Research Fund, American Institute for Cancer Research : *Food, Nutrition and the Prevention of Cancer : A Global Perspective*, Washington, DC : The Institute, 1997, p. 148-175.
2. Mandel J. S., Church T. R., Bond J. H., *et al.*, « The effect of faecal occult-blood screening on the incidence of colorectal cancer », *N. Engl. J. Med.*, 343(22), 2000, p. 1603-1607.

taux chez ceux dont les polypes avaient été enlevés. Il s'agit de la mesure de prévention la plus efficace.

Chez les personnes qui ont été opérées pour un adénome du côlon, ou pour des polypes ou qui ont une polypose familiale du côlon, les traitements préventifs par anti-inflammatoires (AINS) ou aspirine sont efficaces car ils préviennent la formation de cancers ou entraînent une régression des polypes [1].

La supplémentation en vitamine E est particulièrement efficace dans les cancers du côlon, l'effet protecteur étant proportionnel à la dose [2].

Jérémie a 27 ans. Son père est mort d'un cancer du côlon dépisté à l'âge de 35 ans. Soigné une première fois, cet homme a été suivi régulièrement tous les ans au début, puis, rassuré, il a espacé le suivi. Son cancer a récidivé et il est décédé à 46 ans.

Un test génétique avait montré que ce cancer du côlon était génétiquement transmissible, à partir d'une polypose familiale, ce qui correspond à des polypes en grand nombre, polypes qui peuvent dégénérer pour se transformer en cancer.

« La mère et le grand frère de papa sont aussi décédés du même cancer, apparu à peu près aux mêmes âges. On se doutait bien qu'il y avait un problème familial. »

Les médecins ont donc proposé à Jérémie de réaliser un test génétique pour savoir s'il était exposé au même risque.

« J'ai accepté rapidement. En effet, même sans test génétique, je devais effectuer un dépistage du cancer du côlon tous les ans. Car cette prédisposition a une chance sur 2 de se transmettre. Ce dépistage annuel, une coloscopie, est loin d'être un plaisir ! Il faut se purger, vider les intestins pour pouvoir faire l'examen. On boit une substance spéciale la veille pour ça. Le lendemain, je vais à jeun à l'hôpital, je subis une anesthésie légère et je rentre chez moi le soir. Je ne supporte pas très bien l'anesthésie qui me fait vomir atrocement. Mais bon, c'est seulement une fois par an !

Finalement, j'ai accepté le dépistage génétique : j'étais porteur du gène. Donc j'ai avec certitude un grand risque d'avoir le même cancer du côlon que mon père. Mon frère, lui, ne veut pas, pour l'instant, faire ce test. Une de mes cousines, qui est aussi à risque, non plus. Cela l'angoisse trop. Je comprends, c'est bien pour cela qu'avant de le réaliser, on doit voir un psychologue pour parler des conséquences. Pour moi, ç'a été très simple, car j'étais très décidé. L'incertitude est

1. NCI : http://cancer.gov/cancerinfo/pdq/prevention
2. Bostick R. M., Potter J. D., McKenzie D. R., *et al.*, « Reduced risk of colon cancer with high intake of vitamin E : the Iowa Women's Health Study », *Cancer Res.*, 53(18), 15 septembre 1993, p. 4230-4237.

pire que tout. Mais ce n'est pas pour le moment l'avis de mon frère ! Je ne le pousse d'ailleurs pas à changer d'opinion et à faire ce test, car je pense que c'est une décision très personnelle.

Je vis en couple et mon amie connaît ma prédisposition pour ce cancer. Elle m'encourage à tout faire pour que je reste en bonne santé. Il ne s'agit que d'une prédisposition génétique, et même si mon risque de cancer est élevé, il n'est pas de 100 %.

Ce test génétique m'a incité à arrêter de fumer, et j'avais également pris une assurance décès au profit de mon amie. Je m'informe toujours sur la prévention des cancers, car je veux tout faire pour rester dans le camp des bien-portants. J'envisage d'avoir un enfant et ça donne des responsabilités. Le pire pour moi, dans cette maladie, ce n'est pas l'angoisse, ni de faire tous les ans un examen désagréable sous anesthésie générale, ce n'est pas de faire attention à mon alimentation, ni même d'avoir dû arrêter de fumer, c'est que mon papa est mort alors que j'aurais tant voulu qu'il reste parmi nous. Si j'ai un enfant, je lui dois de tout faire pour l'élever le plus longtemps possible. »

Le calcium montre dans certaines études (pas toutes) un effet protecteur. Les doses quotidiennes requises sont comprises entre 1,250 et 3 grammes, ce qui correspond à des doses élevées, comme celles du traitement de l'ostéoporose. Mais les effets sont modestes [1]. Boire plus de lait n'aura donc pas spécialement d'effets bénéfiques. En revanche, une femme à qui il aura été prescrit du calcium après la ménopause a un intérêt supplémentaire à le prendre...

À propos de ménopause, un autre facteur préventif est intéressant à connaître. L'étude WHI nous a permis d'observer que les femmes sous traitement hormonal substitutif (THS) font 44 % de cancers du côlon de moins que celles qui ne suivent pas de traitement substitutif. Un avantage appréciable pour celles qui auront choisi de prendre de tels traitements !

☞ **Pour prévenir le cancer du côlon : à partir de 50 ans, faites un test Hémoccult® tous les deux ans.**

---

1. Baron J. A., Beach M., Mandel J. S., *et al.*, « Calcium supplements for the prevention of colorectal adenomas. Calcium Polyp Prevention Study Group », *N. Engl. J. Med.*, 340(2), 1999, p. 101-107.

Cancer du foie

Le cancer du foie, qui est l'un des plus fréquents dans le monde, a deux principales origines : l'alcool et les virus des hépatites B et C. Dans les deux cas, l'agression du foie soit par l'alcool, soit par le virus, entraîne une sclérose du foie, la cirrhose pour l'alcool, l'hépatite chronique pour les virus. Après dix à vingt années d'évolution, ces deux atteintes chroniques mènent au cancer du foie ou hépatocarcinome.

Concernant l'alcool, la prévention consiste à boire modérément. Pour les virus, quelques informations sont importantes à connaître :

— Le virus de l'hépatite B est sexuellement transmissible : les préservatifs doivent être utilisés pour éviter d'être contaminé.

— Les virus de l'hépatite B et C se transmettent par le sang. L'usage des drogues intraveineuses, et le partage des seringues qui lui est souvent associé, sont particulièrement dangereux. Le piercing est lui aussi une pratique à risque, si les conditions de manipulation ne sont pas d'une rigoureuse asepsie. Il est aussi recommandé de ne pas partager les brosses à dents, les coupe-ongles et les rasoirs. Chez le coiffeur, il faut préférer le rasoir mécanique au coupe-chou pour les finitions (ce rasoir sert à tous les clients la plupart du temps...).

— Il existe un vaccin contre le virus de l'hépatite B. Vacciner les bébés est particulièrement pertinent, car à cet âge l'immunisation est très forte et les enfants seront protégés lors de leurs débuts dans la sexualité. Autre avantage : à cet âge, les neurones ne disposent pas encore de gaine de myéline, cette gaine qui est atteinte lors des scléroses en plaques (SEP). Le risque de SEP, qui a été évoqué dans une étude (et contredit dans les autres), n'est alors pas possible.

— Il existe un traitement contre le virus de l'hépatite C qui peut éliminer définitivement le virus. Cela vaut donc la peine de faire un dépistage notamment en cas de fatigue durable inexpliquée ou de passé de drogues intraveineuse.

Cancers hormonaux féminins

Les cancers hormonaux féminins sont très sensibles au surpoids, mais aussi à l'alcool et au tabac, surtout s'ils sont associés. Les supplémentations vitaminiques en études prospectives ne démontrent pas d'effet pour l'instant. Il n'existe cependant aucune

105

aggravation sous vitamines. L'activité physique est elle extrême-ment bénéfique, particulièrement dans les cancers du sein et de l'utérus.

On reconnaît un potentiel protecteur des médicaments anti-inflammatoires, de l'aspirine, et des statines sur le cancer du sein.

Chaque type de cancer peut aussi être étudié plus spécifique-ment :

Cancer du col de l'utérus

Le cancer du col est dû à l'action directe d'un virus, le papil-loma virus (ou HPV), qui se transmet par voie sexuelle et peut donner des condylomes encore appelés végétations vénériennes ou crêtes de coq, tant sur le gland que sur la vulve et à l'intérieur du vagin, jusque sur le col de l'utérus. Il s'agit donc d'un cancer sexuellement transmissible [1] et sa survenue est proportionnelle au nombre des partenaires sexuels. En pratique, la meilleure mesure de prévention est donc l'utilisation de préservatif. Il est aussi important de traiter ces lésions vénériennes quand elles existent.

Cependant, le virus peut rester très longtemps présent sans aucun symptôme et sa découverte ne signifie pas nécessairement que votre partenaire a été volage ! C'est la raison pour laquelle il faut faire régulièrement des frottis du col, dès le début de la vie sexuelle. En pratique, toutes les femmes doivent faire un frottis l'année de leur premier rapport sexuel, puis un autre l'année sui-vante, puis en refaire tous les deux ou trois ans (voir le chapitre « Je me surveille »).

Dernier point à connaître pour la prévention du cancer du col : évitez le tabac ! Celles qui fument voient leur risque multiplié par 2,6 et celles qui subissent un tabagisme passif voient quant à elles leur risque multiplié par 2,1 [2].

☞ **Contre le cancer du col, limitez le nombre de vos partenaires sexuels ou utilisez systématiquement des préservatifs en dehors d'une relation stable, faites des frottis régulièrement, tous les deux ans, et ne fumez pas.**

---

1. À savoir : le vaccin contre le *Papilloma virus* sera bientôt disponible. Ce sera la meilleure arme contre le cancer du col.

2. Trimble C. L. *et al.*, « Active and passive cigarette smoking and the risk of cervical neoplasia », *Obstet. Gynecol.*, 105(1), janvier 2005, p. 174-181.

Cancer du corps de l'utérus

Allaiter ses enfants contribue à prévenir les cancers de l'utérus, et la réduction du risque va jusqu'à 72 %. Ce bénéfice est proportionnel à la durée de l'allaitement et au nombre d'enfants allaités [1]. On peut donc encourager toutes les femmes à allaiter leur enfant et aussi longtemps qu'elles le peuvent. Voici les recommandations de l'OMS : six mois d'allaitement complet (sans autre nourriture). L'Unicef ajoute que l'idéal est de deux ans ou plus d'allaitement, et l'Académie américaine de pédiatrie affirme que l'allaitement doit être poursuivi aussi longtemps que le désirent la mère et l'enfant.

Ces recommandations ont d'abord été étudiées en ce qui concerne la santé de l'enfant, mais l'on observe que, vis-à-vis du cancer de l'utérus (mais aussi du sein), elles bénéficieraient aussi énormément à la mère. Malheureusement, la France est l'un des pays au monde où les femmes allaitent le moins !

La prise d'une pilule contraceptive a également un effet protecteur important. Cet effet est proportionnel à la durée de la contraception (56 % de réduction de risque après quatre années de contraception, 67 % après huit années et 72 % après douze années) [2].

En cas de traitement hormonal substitutif de la ménopause, il est très important d'associer 2 hormones : un œstrogène et un progestatif. Cela permet de protéger la muqueuse de l'utérus et de l'empêcher de se développer de manière anarchique, ce qui pourrait [3] être un facteur de cancer.

☞ **Allaiter ses enfants le plus longtemps possible, et prendre la pilule diminue les cancers de l'utérus.**

---

1. Salazar-Martinez E., Lazcano-Ponce E. C., Gonzalez Lira-Lira G., *et al.*, « Reproductive factors of ovarian and endometrial cancer risk in a high fertility population in Mexico », *Cancer Res.*, 59(15), 1er août 1999, p. 3658-3662.

2. Schlesselman J. J., « Risk of endometrial cancer in relation to use of combined oral contraceptives. A practitioner's guide to meta-analysis », *Hum. Reprod.*, 12(9), septembre 1997, p. 1851-1863.

3. Persson I., Weiderpass E., Bergkvist L., *et al.*, « Risks of breast and endometrial cancer after estrogen and estrogen-progestin replacement », *Cancer Causes Control.*, 10(4), août 1999, p. 253-260.

Cancer de l'ovaire

Le risque de cancer de l'ovaire diminue de 40 à 50 %[1] lorsqu'une femme est sous contraception orale. La « ligature des trompes » ou stérilisation tubaire est aussi préventive entraînant une diminution du risque de 33 %[2].

Le cancer de l'ovaire est parfois génétique. Dans ces cas-là, il est favorisé par certains gènes portés par la femme, et ce sont les mêmes gènes que ceux qui augmentent le risque de cancer du sein. On les appelle les gènes BRCA1 ou BRCA2. Si ce risque génétique existe dans la famille, ce cancer doit donc être dépisté par échographie pelvienne (voir le chapitre « Je me surveille »). Car le risque est extrêmement élevé, de l'ordre de 39 % en cas de présence du gène BRCA1 ou de 11 % pour le gène BRCA2. C'est pourquoi les médecins proposent une opération pour enlever les ovaires de manière préventive. Le risque de cancer est alors réduit de 90 %[3] après neuf années de recul.

Comme le cancer du sein, celui de l'ovaire est favorisé par les traitements hormonaux substitutifs de la ménopause. Néanmoins, la grande étude WHI, qui a fait le même constat d'augmentation, affirme que celle-ci n'est pas significative[4] (l'augmentation était quand même de 58 %).

Les traitements pour infertilité sont soupçonnés d'avoir un effet négatif, surtout chez les femmes traitées n'ayant pas réussi à obtenir de grossesse[5]. Plusieurs études n'ont pas retrouvé cette rela-

1. Hankinson S. E., Colditz G. A., Hunter D. J., *et al.*, « A quantitative assessment of oral contraceptive use and risk of ovarian cancer », *Obstet. Gynecol.*, 80(4), octobre 1992, p. 708-714.
2. Hankinson S. E., Hunter D. J., Colditz G. A., *et al.*, « Tubal ligation, hysterectomy, and risk of ovarian cancer. A prospective study », *JAMA*, 270(23), 15 décembre 1993, p. 2813-2818.
3. Rebbeck T. R., Lynch H. T., Neuhausen S. L., *et al.*, « Prophylactic oophorectomy in carriers of BRCA1 or BRCA2 mutations », *N. Engl. J. Med.*, 346(21), 23 mai 2002, p. 1616-1622.
4. Anderson G. L., Judd H. L., Kaunitz A. M., *et al.*, « Effects of estrogen plus progestin on gynecologic cancers and associated diagnostic procedures : the Women's Health Initiative randomized trial », *JAMA*, 290(13), 1er octobre 2003, p. 1739-1748.
5. Whittemore A. S., Harris R., Itnyre J. : « Characteristics relating to ovarian cancer risk : collaborative analysis of 12 US case-control studies. II. Invasive epithelial ovarian cancers in white women. Collaborative Ovarian Cancer Group », *Am. J. Epidemiol.*, 136 (10), 15 novembre 1992, p. 1184-1203.

tion [1, 2, 3, 4, 5]. Un autre document met néanmoins en cause l'utilisation prolongée de clomiphène [6], médicament qui stimule les ovulations. Son usage pourrait en effet augmenter les cancers de l'ovaire.

Rappelons le rôle protecteur du thé noir (ou vert aussi probablement) sur le cancer de l'ovaire. Une tasse par jour diminue le risque de 24 % et deux tasses par jour de 46 % [7] !

Témoignage de Léah :

Je suis moi-même médecin et j'ai suivi des traitements pour stérilité. J'ai conçu mes 3 enfants par fécondation in vitro. J'ai par la suite eu très peur quand j'ai lu des articles sur les cancers de l'ovaire consécutifs à ces traitements, car j'ai dû en subir pas mal pour arriver à trois grossesses complètes ! Je suis donc particulièrement suivie par mon gynécologue et reste très vigilante. Je n'ai pas envie d'être mère de 3 enfants pour mourir d'un cancer de l'ovaire ! En tant que médecin, cela m'a fait beaucoup réfléchir sur les femmes qui consultent pour stérilité. J'en arrive à un constat : actuellement, une femme qui veut un enfant n'accepte pas de ne pas être enceinte dans les trois mois qui suivent. De ce fait, les gynécologues, sous la pression de la demande des couples, ont tendance à prescrire très facilement du Clomiphène, médicament qui stimule les ovulations ! C'est une aberration ! Car la nature n'est pas à nos ordres et il faut parfois un an et demi à deux ans pour mettre en route une grossesse, même si tout est normal dans le couple. Comme il est possible que ces traitements augmentent le risque de cancers, je trouve abominable d'exposer une jeune femme qui n'en aurait pas eu besoin à ce risque. En outre, il y a aussi un risque important de grossesse multiple, de jumeaux ou de triplés. Il faudrait peut-être mieux informer les femmes pour

---

1. Parazzini F., Negri E., La Vecchia C., *et al.*, « Treatment for infertility and risk of invasive epithelial ovarian cancer », *Hum. Reprod.*, 12(10), octobre 1997, p. 2159-2161.

2. Mosgaard B. J., Lidegaard O., Kjaer S. K., *et al.*, « Ovarian stimulation and borderline ovarian tumors : a case-control study », *Fertil. Steril.*, 70(6), décembre 1998, p. 1049-1055.

3. Dor. J., Lerner-Geva L., Rabinovici J., *et al.*, « Cancer incidence in a cohort of infertile women who underwent in vitro fertilization », *Fertil. Steril.*, 77(2), février 2002, p. 324-327.

4. Doyle P., Maconochie N., Beral V., *et al.*, « Cancer incidence following treatment for infertility at a clinic in the UK », *Hum. Reprod.*, 17(8), août 2002, p. 2209-2213.

5. Venn A., Watson L., Bruinsma F., *et al.*, « Risk of cancer after use of fertility drugs with in-vitro fertilisation », *Lancet*, 354(9190), 6 novembre 1999, p. 1586-1590.

6. Rossing M. A., Daling J. R., Weiss N. S., *et al.*, « Ovarian tumors in a cohort of infertile women », *N. Engl. J. Med.*, 331(12), 22 septembre 1994, p. 771-776.

7. Larsson S. C., Wolk A., « Tea consumption and ovarian cancer risk in a population-based cohort », *Arch. Intern. Med.*, 165, 265, 2005, p. 2683-2686.

qu'elles comprennent que la patience, c'est l'attitude la plus logique quand on veut un enfant, en tout cas pendant au moins un an et demi ! Sinon, elles risquent d'abîmer leur corps... »

☞ **La pratique de l'allaitement diminue le risque de cancer de l'ovaire tout comme la pilule contraceptive. Les traitements hormonaux de la ménopause l'augmentent sans doute.**

Cancer du sein

L'allaitement est l'une des meilleures mesures préventives qui soit contre le cancer du sein, à une condition rarement respectée en France : au moins six mois d'allaitement complet et deux ans ou plus d'allaitement mixte ! Un allaitement moins long est peu protecteur. D'autres facteurs sont négatifs, comme la précocité des règles ou les grossesses tardives.

Le dépistage du cancer du sein est fondamental et il faut que toutes les femmes apprennent l'autopalpation des seins avec leur médecin traitant ou leur gynécologue. Puis, à partir de 50 ans, elles doivent passer une mammographie tous les deux ans. Cette règle est valable pour celles qui n'ont pas de risques familiaux particuliers. Pour les autres, la surveillance doit commencer plus tôt : cinq ans avant l'âge de début des cancers dans la famille (voir chapitre « Je me surveille »).

Chez les femmes qui ont pris la pilule jeune et longtemps, de 15 à 25 ans par exemple, et encore plus chez celles qui ont fumé ou bu excessivement à cet âge, il peut être conseillé de pratiquer une échographie mammaire tous les ans, à partir de 30 ans. Un tiers des cancers du sein surviennent en effet avant 50 ans, âge à partir duquel le dépistage par mammographie est préconisé. L'avantage de l'échographie est qu'elle n'irradie pas, car elle fonctionne à partir d'ultrasons et non de rayons X.

S'il existe plusieurs cancers du sein dans la famille, il est possible d'effectuer un dépistage génétique à la recherche des gènes favorisant le cancer, les gènes appelés BRCA1 ou BRCA2. Si ces gènes sont présents chez une femme, le risque de faire un cancer du sein est évalué à 56 % [1]. Ce risque est tellement élevé, que la recherche de traitement préventif prend tout son sens. Dans ces

---

1. Struewing J. P., Hartge P., Wacholder S., *et al.*, « The risk of cancer associated with specific mutations of BRCA1 and BRCA2 among Ashkenazi Jews », *N. Engl. J. Med.*, 336(20), 15 mai 1996, p. 1401-1408.

cas, l'ablation bilatérale des seins peut être envisagée. Elle réduit le risque de cancer du sein de 90 % [1]. L'opération généralement proposée permet une bonne reconstruction esthétique des seins. Une étude vient de montrer que poser une prothèse mammaire après ablation d'un sein pour cancer n'avait pas d'impact sur la mortalité après un suivi de 12,4 années [2].

Un médicament peut diminuer de moitié le risque de survenue d'un cancer du sein [3]. Il s'agit du Tamoxifène, au départ utilisé pour soigner les cancers avec d'excellents résultats. Il est prescrit préventivement chez les femmes à risque très élevé de cancer du sein et à elles seules. Car il a aussi des effets secondaires très négatifs : il augmente le risque de cancer de l'utérus ainsi que les phlébites et les embolies pulmonaires !

Un autre médicament de la même famille semble très prometteur, car il n'a pas d'effet négatif sur l'utérus. Il s'agit du Raloxifène (Evista®). Il diminue de 72 % l'incidence du cancer du sein, après quatre années de traitement préventif, tout en ayant un effet préventif important contre l'ostéoporose [4]. Si l'on prolonge de 4 ans la prise de Raloxifène, la réduction est encore de 59 % [5]. Quand une femme présente un risque important de fracture par ostéoporose, et qu'elle n'a pas de risque de phlébite ou d'embolie pulmonaire, elle a donc un avantage évident à se soigner préventivement par du Raloxifène : elle bénéficie d'un important effet préventif contre le cancer du sein. Mais nous ne disposons à ce jour d'aucune étude démontrant une baisse de mortalité sous Tamoxifène ou sous Raloxifène.

---

1. Hartmann L. C., Schaid D. J., Woods J. E., *et al.*, « Efficacy of bilateral prophylactic mastectomy in women with a family history of breast cancer », *N. Engl. J. Med.*, 340 (2), 1999, p. 77-84.
2. Le G. M., O'Mallay C. D., Glaser S. L. *et al.*, « Breast implants following mastectomy in women with early-stage breast cancer : prevalence and impact on survival », *Breast Breast Cancer Res.*, 7(2), 2005, p. 183-193.
3. Fisher B., Costantino J. P., Wickerham D. L., *et al.*, « Tamoxifen for prevention of breast cancer : report of the National Surgical Adjuvant Breast and Bowel Project P-1 Study », *J. Natl. Cancer. Inst.*, 90(18), 16 septembre 1998, p. 1371-1388.
4. Étude MORE : Cauley J. A., Norton L., Lippman M. E., *et al.*, « Continued breast cancer risk reduction in postmenopausal women treated with raloxifene : 4-year results from the MORE trial. Multiple outcomes of raloxifene evaluation », *Breast. Cancer. Res. Treat.*, 65(2), janvier 2001, p. 125-134.
5. Étude CORE : Martino S., Cauley J. A., Barret-Connor E. *et al.*, « Continuing outcomes relevant to Evista : breast cancer incidence in postmenopausal osteoporotic women in a randmised trial of raloxifene », *J. Natl. Cancer. Inst.*, 96(23), 1er décembre 2004, p. 1751-1761.

Le risque de cancer du sein chez les femmes sous traitement hormonal substitutif (THS) a fait beaucoup de bruit lors de la publication d'une étude américaine [1] qui a montré une augmentation de 24 % du risque [2]. Les médias en ont tellement parlé que de nombreuses femmes ont arrêté leur traitement substitutif. Pourtant, cette étude portait sur un seul des traitements de la ménopause, le Prempro®, traitement quasiment jamais prescrit en France [3]. Dans notre pays, les traitements de la ménopause sont très différents et une étude publiée en 2002 montrait qu'ils n'avaient aucune incidence sur le cancer du sein [4].

Ce qui, dans le traitement américain, augmente le risque de cancer du sein c'est la progestérone de synthèse, alors que la progestérone naturelle ne présente pas ce même risque. C'est ce que démontre une étude de l'INSERM [5]. C'est donc pour ce traitement choisi par les médecins français qu'il faut opter en cas de troubles liés à la ménopause !

Dans l'étude américaine, les femmes avaient commencé leur traitement substitutif après 65 ans. Cette approche est aujourd'hui très contestée. Il est plutôt conseillé de débuter un traitement substitutif, s'il est envisagé, au moment de la ménopause. Après un délai important, il semblerait que les hormones soient plus dangereuses.

Et la contraception orale ? A-t-elle un effet cancérigène ? Elle a un effet protecteur pour le cancer de l'ovaire et pour celui de l'utérus. En revanche, elle augmenterait légèrement le risque de cancer du sein pour les utilisatrices ou pour les femmes qui l'ont arrêtée

---

1. Chlebowski R. T., Hendrix S. L., Langer R. D., *et al.*, « Influence of estrogen plus progestin on breast cancer and mammography in healthy postmenopausal women : the Women's Health Initiative Randomized Trial », *JAMA*, 289(24), 25 juin 2003, p. 3243-3253.

2. Étude WHI (Women's Health Initiative) Chlebowski R. T., Hendrix S. L., Langer R. D., *et al.*, « Influence of estrogen plus progestin on breast cancer and mammography in healthy postmenopausal women : the Women's Health Initiative Randomized Trial », *JAMA*, 289(24), 2003, p. 3243-3253.

3. Il associe un œstrogène par voie orale à un progestatif de synthèse, le MPA (Acétate de medroxy-progesterone).

4. Corley D. A. Kerlikowskek K., Verma R. *et al.*, « Protective association of aspirin/ NSAIDS and esophageal cancer : a systematic review and meta-analysis », *Gastroenterology*, 124(1), janvier 2003, p. 47-56.

5. Fournier A., Berrino F., Riboli E. *et al.*, « Breast cancer risk in relation to different types of hormones replacement therapy in the E3N-EPIC cohort », *Int. J. Cancer.*, 114 (3), 10 avril 2005, p. 448-454. Audition publique du 27 avril 2004. Faculté de médecine Xavier Bichat sous l'égide de l'ANAES et de l'AFSSAPS.

depuis peu [1]. Dix ans après la fin de l'utilisation, le risque semble être redevenu semblable à celui des femmes qui ne l'ont jamais prise. Les femmes qui ont un risque familial élevé de cancer du sein, à cause d'un gène BRCA1 présentent sous pilule un risque encore plus élevé de cancer du sein : de l'ordre de 20 % [2]. Mais ce gène est impliqué dans seulement 5 % des cancers du sein.

Cette notion est très nouvelle et il est difficile d'en tirer des conclusions pratiques (quand prendre la pilule ? etc.). De plus, le rapport du Centre international de recherche sur le cancer (CIRC) qui a fait de la pilule un produit cancérigène est très contesté par les experts car seules des études très critiquables ont été exploitées.

Il semble en revanche important de bien se faire suivre dès lors que l'on a pris la pilule longtemps, surtout si on a fumé tôt ou bu trop d'alcool jeune : à partir de 30 ans, il est conseillé dans ce cas de faire une échographie des seins chaque année. Pourquoi une telle précaution ? Parce que les organismes jeunes sont les plus sensibles aux agents cancérigènes. C'est ainsi qu'après les bombardements d'Hiroshima et de Nagasaki, il a été montré que les personnes de moins de 20 ans présentaient plus de cancers consécutifs aux radiations que les plus de 20 ans [3].

☞ **Pour prévenir le cancer du sein, allaitez vos enfants longtemps... Si vous avez pris la pilule pendant plusieurs années, surtout si vous avez fumé ou bu pas mal d'alcool avant l'âge de 20 ans, voyez chaque année votre médecin pour un dépistage du cancer du sein à partir de l'âge de 30 ans. Si vous prenez un traitement hormonal substitutif, vérifiez qu'il comprend bien de la progestérone naturelle et non de la progestérone de synthèse.**

---

1. Communiqué de presse n° 167 du 29 juillet 2005 du Centre international de recherche sur le cancer (CIRC), centre dépendant de l'Organisation mondiale de la Santé (OMS), en août 2005. La conclusion officielle est que les traitements comme la contraception orale et les traitements hormonaux substitutifs de la ménopause doivent être classés dans le groupe 1 des produits cancérigènes, le plus élevé dans l'échelle en vigueur. Cette conclusion a été formulée par un groupe de 21 experts de huit nationalités différentes. Ils ont procédé à un examen complet de la littérature scientifique et médicale internationale publiée à l'analyse d'une soixantaine d'études portant au total sur environ 60 000 femmes.

2. Narod S. A., Dube M. P., Klijn J. *et al.*, « Oral contraceptives and the risk of breast cancer in BRCA1 and BRCA2 mutation carriers », *J. Natl. Cancer. Inst.*, 94(23), 4 décembre 2002, p. 1773-1779.

3. Land C. E., Tokunaga M., Koyama K. *et al.*, « Incidence of female breast cancer among atomic bomb survivors, Hiroshima and Nagasaki, 1950-1990 », *Radiat. Res.*, 160 (6), décembre 2003, p. 707-717.

Cancers des voies aériennes

La principale mesure de prévention des cancers du poumon et ORL est l'arrêt du tabac le plus tôt possible et l'usage modéré de l'alcool, au maximum six verres par semaine. Reste que si pratiquement tout le monde le sait, un grand nombre de fumeurs n'arrive pas à arrêter de fumer malgré de nombreuses tentatives. Nous approfondirons ce point dans le chapitre sur les moyens de lutter contre le tabagisme.

Même si, à court terme, on ne se sent pas capable d'arrêter, on peut se donner les moyens de réduire sa consommation grâce aux substituts nicotiniques. Outre que le risque diminue, cette attitude favorise le sevrage ultérieur du tabac.

L'effet toxique du tabac augmente terriblement en fonction de la consommation de cigarettes. Les risques de cancers bronchopulmonaires sont multipliés par :
— 6,82 chez les anciens fumeurs,
— 15,1 chez ceux qui fument 1 à 5 cigarettes par jour ;
— 22,5 pour 6 à 10 cigarettes par jour ;
— 24,7 pour 11-15 cigarettes par jour ;
— 29,2 pour 16-20 cigarettes par jour ;
— 53,5 pour plus de 20 cigarettes par jour [1].

Même quand on a réussi à arrêter de fumer, il faut continuer à se faire surveiller. Pour la gorge, cela signifie foncer chez son ORL au moindre changement de voix suspect. Il s'agit d'une course contre la montre. Pour les poumons, il n'y avait pas grand-chose à faire jusqu'ici. La radiographie pulmonaire permettait seulement de dépister les cancers tardivement, ne laissant espérer que des taux de survie de l'ordre de 15 % à cinq ans.

Au mois de décembre 2004, une importante étude (International Early Lung Cancer Action Project) montre qu'un suivi annuel par un scanner pulmonaire permet de diagnostiquer des tumeurs ayant la taille d'un grain de riz. Le taux de survie après chirurgie passe alors à 76-78 % [2] ! Cette étude avait sélectionné 27 000 fumeurs à haut risque, des fumeurs de plus de 50 ans ou de moins de 50 ans ayant fumé trois paquets par jour pendant vingt ans.

---

1. Étude INRS dans les usines SOLLAC Dunkerque et GTS Industries, novembre 2003.
2. Henschke C. I., « Lung Cancer Study CT screening may cut death », American College of Radiology, www.acr.org.

Si vous voulez bénéficier de ce type de dépistage, il faut en parler avec votre médecin traitant pour déterminer la fréquence la mieux adaptée à votre cas. Il faudra aussi qu'il précise sur la prescription de faire un scanner à basse dose de radiations. En effet, les scanners sont des radiographies qui utilisent les rayons X. Le danger des scanners trop fréquents est qu'ils peuvent induire des cancers et il faut donc bien peser le pour et le contre !

Du côté de la prévention par supplémentation, deux informations récentes sont importantes :

— La prise de fortes doses de bêta-carotène (20 à 30 mg par jour) augmente la survenue de cancer du poumon de 16 à 28 % et la mortalité globale de 17 %, essentiellement par cancer du poumon chez les gros fumeurs de plus d'un paquet par jour [1, 2].

— L'étude SU.VI.MAX montre que la prise quotidienne de 30 milligrammes de vitamine E, 120 milligrammes de vitamine C, 6 milligrammes de bêta-carotène, 100 microgrammes de sélénium et 20 milligrammes de zinc, diminue de 37 % la mortalité générale chez les hommes (contre 66 % chez les fumeurs ou les anciens fumeurs). Dans cette étude, la mortalité par cancer des voies respiratoires baisse de 58 % [3] !

En conclusion, si vous fumez, **faites tout pour vous arrêter de fumer ou réduire rapidement votre consommation. Évaluez avec votre médecin la possibilité d'un scanner pulmonaire régulier. Prenez des vitamines et des antioxydants que vous soyez fumeur ou ancien fumeur, sans dépasser la dose de 6 milligrammes de bêta-carotène par jour.**

1. ATBC : Albanes D., Heinonen O. P., Taylor P. R., *et al.*, « Alpha-Tocopherol and beta-carotene supplements and lung cancer incidence in the alpha-tocopherol, beta-carotene cancer prevention study : effects of base-line characteristics and study compliance », *J. Natl. Cancer. Inst.*, 88(21), 1996, p. 1560-1570.

2. CARET : Omenn G. S., Goodman G. E., Thornquist M. D., *et al.*, « Effects of a combination of beta carotene and vitamin A on lung cancer and cardiovascular disease », *N. Engl. J. Med.*, 334(18), 1996, p. 1150-1155.

3. Hercberg C. *et al.*, « A randomized, placebo-controlled trial of the health effects of antioxidants vitamins and minerals », *Arch. Intern. Med.*, 164, 2004, p. 2335-2342.

Le cancer de la vessie chez les fumeurs

Le tabac est responsable d'une grande partie des cancers de la vessie qui surviennent généralement à partir de 50 ans, l'âge de fréquence maximale étant compris entre 60 et 70 ans. Comme tous les cancers, plus il est diagnostiqué tôt, plus son pronostic est bon. Le dépistage se fait grâce à un frottis urinaire qui peut être réalisé régulièrement, tous les ans ou tous les deux ans. Voir chapitre « Dépistage ».

Cancer de la prostate

L'un des traitements de l'adénome de la prostate, le finastéride (5 milligrammes par jour), est efficace pour prévenir les cancers [1]. Cette diminution est de 25 % après dix années de suivi. Cela fait une raison de plus de se soigner en cas d'adénome de la prostate qui devient gênant.

La prostate est peut-être, comme le sein, en meilleur état quand elle fonctionne davantage ! Le risque de cancer du sein est très diminué par l'allaitement qui fait travailler les glandes mammaires. Il en est de même avec la prostate : les hommes qui éjaculent plus de 21 fois par mois à partir de 20 ans ont 1/3 de risque de moins de faire un cancer de la prostate que ceux qui ont moins de 7 éjaculations par mois [2]. Il s'agit donc d'un acte préventif simple sans effet secondaire... et même agréable !

Un bon dépistage devient indispensable à partir de 50 ans. Il consiste, chaque année, en une consultation médicale comprenant un toucher rectal pour palper la prostate et une prise de sang pour doser les PSA (Antigènes Spécifiques de la Prostate), qui sont augmentés lors d'une anomalie prostatique. Cependant, l'idée même qu'un médecin vous enfonce un doigt dans l'anus peut vous révulser ! En effet, un homme sur cinq ferait tout pour éviter le toucher rectal si on lui proposait un tel dépistage [3] ! Si vous êtes carrément allergique à ce geste, vous avez le droit de le refuser. Le

---

1. Prostate Cancer Prevention Trial (PCPT) : http://www.nci.nih.gov/newscenter/-pressreleases/PCPTQandA.

2. Leitzmann M. F., Platz E. A., Stampfer M. J. *et al.*, « Ejaculation frequency and subsequent risk of prostate cancer », *JAMA*, 291(13), 7 avril 2004, p. 1578-1586.

3. Nagler H. M., Gerber E. W., Homel P. *et al.*, « Digital rectal examination is barrier to population-based prostate cancer screening », *Urology*, 65(6), juin 2005, p. 1137-1140.

dosage de PSA reste utile. Même si les médecins souhaiteraient faire bénéficier 100 % des hommes du dépistage du cancer de la prostate, il est préférable de proposer au moins la prise de sang, qui donne déjà de très bons résultats. Si les organismes de prévention essaient d'imposer un toucher rectal, un grand nombre d'hommes fuira le dépistage, qui sera alors nettement moins efficace !

L'alimentation et le mode de vie ont aussi un énorme impact sur ces cancers :

— Une importante étude [1] a montré qu'une supplémentation en vitamine E (d'au moins 100 UI par jour, soit 66 mg) réduit le risque de cancer de la prostate chez les fumeurs et les anciens fumeurs [2].

— Une autre étude indique que, chez les hommes fumeurs dont les taux sanguins de vitamine E sont les plus bas, le risque de cancer de la prostate est plus élevé [3].

— Enfin une troisième étude [4] a montré une baisse de 32 % de la survenue d'un cancer de la prostate et une baisse de 41 % de la mortalité en cas de prise de 50 mg par jour de vitamine E.

Le sélénium pourrait également réduire de 1/3 le risque de cancer de la prostate. C'est pourquoi le National Cancer Institute américain a sponsorisé le lancement d'une étude à très grande échelle en 2001 [5]. Les résultats sont attendus pour 2013. Plus de 32 000 hommes ont été recrutés et les doses prescrites sont de 400 UI (soit 226 mg) par jour pour la vitamine E et de 200 microgrammes pour le sélénium.

C'est dans le cancer de la prostate que les études de supplémentation en antioxydants sont les plus convaincantes.

---

1. Physicians' Health Study : Giovannucci E., Ascherio A., Rimm E. B., *et al.*, « Intake of carotenoids and retinol in relation to risk of prostate cancer », *J. Natl. Cancer. Inst.*, 87(23), 6 décembre 1995, p. 1767-1776.

2. Chan J. M., Stampfer M. J., Ma J., *et al.*, « Supplemental vitamin E intake and prostate cancer risk in a large cohort of men in the United States », *Cancer Epidemiol. Biomarkers Prev.*, 8(10), octobre 1999, p. 893-899.

3. Eichholzer M., Stähelin H. B., Gey K. F., *et al.*, « Prediction of male cancer mortality by plasma levels of interacting vitamins : 17-year follow-up of the prospective Basel study », *Int. J. Cancer.*, 66(2), 10 avril 1996, p. 145-150.

4. ATBC (Alpha-Tocopherol, Beta-Carotene Study) : Heinonen O.P., Albanes D., Huttunen J.K., *et al.*, « Prostate cancer and supplementation with alpha-tocopherol and beta-carotene : incidence and mortality in a controlled trial », *J. Natl. Cancer. Inst.*, 90(6), 18 mars 1998, p. 440-446.

5. Klein E. A., Thompson I. M., Lippman S. M., *et al.*, « SELECT : the selenium and vitamin E cancer prevention trial », *Urol. Oncol.*, 21(1), janvier-février 2003, p. 59-65. http://www.cancer.gov/cancertopics/factsheet/Prevention/SELECT

☞ **Contre le cancer de la prostate, dès 50 ans, consultez tous les ans votre médecin pour faire doser vos PSA et pratiquer un toucher rectal. Prenez de la vitamine E et du sélénium. Et si vous êtes traité pour adénome, prenez bien votre traitement, il est préventif des cancers.**

L'étude passionnante du docteur Dean Ornish

Un chercheur, Dean Ornish, vient de publier un résultat passionnant [1]. Son étude porte sur des hommes atteints d'un cancer de la prostate à un stade précoce. Tous ces hommes ont refusé, pour des raisons personnelles, de se faire traiter de la manière habituelle.

Deux groupes ont été formés :

— le premier groupe ne changeait rien à ses habitudes de vie,

— le deuxième groupe devait changer de comportement : adopter un régime végétarien pauvre en graisses comprenant principalement des fruits, des légumes, des céréales et des légumineuses complètes avec du soja, des vitamines et des minéraux. De plus, ils devaient pratiquer des exercices physiques aérobies modérés, du yoga et de la méditation, et participer à un groupe d'entraide une fois par semaine.

Au bout d'un an, le marqueur de cancer (PSA) avait diminué de 4 % dans le groupe actif, tandis qu'il avait augmenté de 6 % dans le groupe témoin. Plus les changements de mode de vie avaient été adoptés scrupuleusement, et plus la baisse des PSA était importante. C'est la première fois qu'un tel résultat est obtenu en cancérologie ! Bien sûr, il ne s'agit pas ici de prévention d'une tumeur, mais d'en ralentir l'évolution. Cependant, quand on sait que nous sommes tous porteurs de tumeurs, toutes petites, on peut penser qu'il faut continuer à chercher dans cette voie y compris pour la prévention.

D'autre part, une journaliste qui commente ces résultats estime que « un petit régime n'a jamais fait de mal »... C'est vrai, mais ici, il ne s'agit absolument pas d'un petit régime, mais d'un changement profond de style de vie ! Et il n'est pas si facile à mettre en œuvre. L'un de nous est bien placé pour le savoir. Il a tenté d'imposer à une patiente un régime végétarien qui, d'après une étude très scientifique, aurait énormément amélioré son sort. Même en montrant des preuves scientifiques à cette dame âgée, il a été impossible de lui faire changer d'alimentation ! Et dans le régime Ornish, l'exercice physique, le yoga et la méditation prennent aussi leur place !

---

1. Ornish D., Weidner G., Fair W. *et al.*, « Intensive lifestyle changes may affect the progression of prostate cancer », *J. Urol.*, 174(3), septembre 2005, p. 1065-1069 ; discussion, p. 1069-1070.

Il nous semble qu'un aspect de ce traitement mérite une attention importante : la participation à un groupe d'entraide une fois parsemaine. En effet, quand on change de mode de vie, il est plus facile d'y arriver ensemble, en famille, avec des proches, ou encore avec des personnes motivées par les mêmes raisons que vous. C'est peut-être une des clefs importantes qui a permis à Ornish de réussir à mettre en pratique des suppositions théoriques. Il faudrait peut-être instituer des groupes pour tous nous entraider mutuellement au sport, à la méditation, au yoga, à l'alimentation équilibrée...

Cancer de la peau

La relation entre les cancers de la peau et l'exposition aux ultraviolets (UV) du soleil est bien étayée [1]. Le risque de cancer de la peau est prévenu si on limite l'exposition au soleil, notamment en organisant en conséquence les activités extérieures, l'habillement avec des manches longues, des pantalons, des casquettes et en utilisant des crèmes anti-UV [2].

Les personnes à la peau et aux yeux clairs sont particulièrement exposées et doivent donc être extrêmement vigilantes.

S'exposer aux UV artificiels des solariums est fortement cancérigène [3]. Le risque de mélanome cutané, le cancer de la peau le plus grave, souvent mortel, est multiplié par 1,25 à 1,50. Ce risque augmente encore si l'on s'expose jeune, souvent ou longtemps. Mais cette dernière hausse du risque est potentiellement beaucoup plus importante. L'usage des bancs solaires étant en pleine expansion, le mélanome malin, un des cancers les plus graves qui soit, deviendra la première cause de mortalité chez les moins de 45 ans dans les années 2030-2040.

Note : En tant que médecins, nous sommes souvent sidérés d'observer que les cancers de la peau sont considérés comme « pas

---

1. Koh H. K. « Cutaneous melanoma », *N. Engl. J. Med.*, 325(3), 1991, p. 171-182. Preston D. S., Stern R. S. : « Nonmelanoma cancers of the skin », *N. Engl. J. Med.*, 327 (23), 1992, p. 1649-1662. English D. R., Armstrong B. K., Kricker A., *et al.*, « Case-control study of sun exposure and squamous cell carcinoma of the skin », *Int. J. Cancer*, 77(3), 29 juin 1998, p. 347-353.

2. American Cancer Society, *Cancer Facts and Figures 2004*, Atlanta, Ga, American Cancer Society, 2004.

3. Étude de l'Agence française de sécurité sanitaire environnementale (AFSSE), de l'Institut national de veille sanitaire (InVS) et de l'Agence française de sécurité sanitaire des produits de santé (Afssaps), « Ultraviolets : état des connaissances sur l'exposition et les risques sanitaires », 9 août 2005.

très graves ». Or, il n'en est rien, le mélanome malin, cancer de type grain de beauté peut être mortel, et c'est malheureusement fréquent. On peut même dire que l'angoisse des médecins est de ne pas voir un mélanome et de mettre un patient en danger !

☞ **Contre les cancers de la peau, évitez le soleil. Ne vous exposez jamais aux rayons artificiels d'une cabine de bronzage, et montrez à un dermatologue le moindre grain de beauté qui a l'air de changer d'aspect.**

Synthèse

D'une manière générale, pour se prémunir des cancers, sept règles sont à retenir :

1. Évitez les toxiques : refusez le tabac (même passif) et réservez la consommation modérée d'alcool aux moments agréables (moins de 6 verres par semaine).

2. Organisez votre dépistage et celui de votre entourage.

3. Faites de l'exercice physique.

4. Mangez le plus possible de fruits et légumes, de fibres et de poisson, et le moins possible de viandes rouges, surtout transformées.

5. Prenez des polyvitamines (*cf.* doses SU.VI.MAX) si vous êtes un homme, ou si vous fumez ou buvez trop d'alcool, ou encore si vous n'arrivez pas à manger suffisamment de fruits et légumes.

6. Soignez toutes vos petites maladies inflammatoires (mal de tête, grippe et autres maladies infectieuses hivernales, douleurs articulaires, etc.) avec de l'aspirine ou des anti-inflammatoires.

7. Suivez scrupuleusement votre traitement qui a un effet anti-cancéreux si l'on vous a prescrit :

— de l'aspirine ou une statine pour le cœur ;

— du Raloxifène en prévention de l'ostéoporose ;

— du Finastéride et du doxazosin pour un adénome de la prostate ;

— de l'aspirine ou un anti-inflammatoire pour des polypes intestinaux.

Dans certains cas, vous pouvez, pour des raisons qui vous sont personnelles, vouloir prendre davantage de précautions. Certaines personnes appartiennent par exemple à des familles très exposées, sans que l'on sache vraiment pourquoi.

Si vous redoutez un cancer quel qu'il soit, notamment pour cause d'antécédents familiaux importants, vous pouvez envisager de prendre des statines à partir de 40-50 ans pour une protection anti-inflammatoire permanente.

Cette indication n'est pas prise en charge par la Sécurité sociale et est du ressort du libre arbitre de chacun, avec les conseils éclairés de son médecin traitant.

Enfin, si vous souhaitez mettre encore davantage les chances de votre côté, effectuez un bilan de stress oxydatif pour déterminer vos besoins personnels précis en vitamines et antioxydants. Cela vous permettra d'optimiser votre prévention. Il n'est pas encore très facile de trouver un médecin qui prescrive ce type de bilans, car il s'agit d'une médecine qui commence seulement à émerger. (Voir chapitre « Vieillissement et stress oxydatif ».)

Infarctus, attaques cérébrales, c'est non !

Nous n'avons pas tous les mêmes chances devant un infarctus ou une attaque cérébrale. Pourquoi ? À cause de notre hérédité ou de notre mode de vie ? Certes, mais le principal facteur d'inégalité pour la prévention d'infarctus ou d'attaques cérébrales, c'est que tout le monde n'a pas la chance d'être bien soigné. C'est ce que dénonçait déjà en 2003 la Société européenne de cardiologie. Elle constatait que, dans la majorité des cas, les gens ne bénéficient pas de la prise en charge préventive dont ils devraient normalement bénéficier [1]. L'American Heart Association arrivait aux mêmes conclusions en 2001 [2]. Les bonnes pratiques cliniques mettent du temps à être appliquées par le corps médical.

Si vous faites un infarctus vous serez probablement très bien soigné dans l'urgence : on débouchera vos artères coronaires obstruées, vous bénéficierez d'une fibrinolyse, on vous posera des stents (sortes d'écarteurs que l'on place par chirurgie à l'intérieur de l'artère pour la garder ouverte), etc. Bref, vous profiterez du meilleur de la technique. Mais pour le traitement préventif évitant une rechute, vous avez beaucoup moins de chances de bénéficier d'un traitement haut de gamme !

Alors, **si vous voulez prévenir le risque d'infarctus, vous avez tout intérêt à vous mettre au courant et à vous prendre en charge**

---

1. « European guidelines on cardiovascular disease prevention in clinical practice. Executive summary ». European Heart Journal 24, (2003), p. 1601-1610.
2. AHA/ACC Scientific Statement, « AHA/ACC guidelines for preventing heart attack and death in patients with atherosclerotic cardiovascular disease » : mise à jour, *Circulation* 104, 2001, 104, p. 1577-1579.

vous-même. Sinon, il est fort possible que personne ne le fasse pour vous !

Un médecin croise un voisin de 55 ans qu'il n'avait pas vu depuis neuf mois.

« J'ai eu un infarctus grave, explique-t-il. J'ai eu de la chance de m'en tirer. En fait, j'avais un cholestérol très très élevé, et je ne le savais pas. »

Depuis, il est traité, et le médecin lui pose une question toute bête :

« Est-ce que vous avez parlé de ce cholestérol à vos frères et sœurs ? Parce qu'un cholestérol si élevé, il est possible que ce soit familial.

— Non pourquoi ? »

Personne, ni à l'hôpital, ni en consultation de ville ne lui avait indiqué que ses proches, frères, sœurs et enfants, devraient faire un dosage de cholestérol. C'est donc son voisin médecin qui lui a expliqué que c'était très important d'inciter son entourage à se faire suivre et qu'il pourrait peut-être ainsi éviter un infarctus à des personnes qu'il aimait. En effet, le cholestérol trop élevé est le facteur de risque le plus important pour la survenue d'un infarctus. Même les choses les plus élémentaires peuvent être oubliées d'être communiquées à un malade grave !

D'autres chiffres vont dans le même sens. Un cholestérol élevé et une hypertension artérielle entraînent des risques majeurs de rechute après un infarctus. Pourtant après un infarctus, 50 % des personnes suivies continuent à souffrir d'hypertension et 58 % ont trop de cholestérol [1]. Seules 63 % reçoivent un antihypertenseur et 61 % un médicament contre le cholestérol. Plus d'un tiers ne bénéficient pas du traitement dont elles auraient besoin !

Et encore, les personnes qui sortent de l'hôpital sont privilégiées, car suivies de près par rapport aux autres ! Sur une population plus large de 360 000 personnes âgées de plus de 66 ans qui avaient des antécédents de maladie cardiovasculaire ou de diabète, seules 19 % avaient reçu des statines, médicaments anti-cholesté-

---

1. EUROASPIRE II Study Group, « Lifestyle and risk factor management and use of drug therapies in coronary patients from 15 countries ; principal results from EUROASPIRE II Euro Heart Survey Programme », *Eur Heart J.*, 22(7), avril 2001, p. 554-572.

rol de base dans ces pathologies (étude canadienne [1] publiée en 2004).

Le problème ne vient pas seulement des médecins évidemment ! Il est parfois difficile de faire prendre conscience à quelqu'un qu'il a besoin d'un traitement, surtout quand il ne se sent pas – ou plus – malade. Hier, l'un de nous parlait avec un homme qui lui dit :

« D'après ce que m'a dit mon médecin, j'ai un cholestérol très haut.
— Vous devez donc prendre un traitement ?
— Non, ce médecin m'a dit de faire un petit régime et de revenir six mois plus tard. Cela fait plus d'un an, et je n'ai pas fait de régime, et je ne suis jamais retourné le voir ! (Sourire !)
— Vous devriez pourtant vous soigner, le cholestérol très élevé, ça abîme les artères et ça donne un risque d'infarctus important... Même si vous n'arrivez pas à faire de régime, on peut vous prescrire un traitement très efficace.
— Bof, moi, j'ai horreur des médecins...
— Pourtant, il suffit de prendre un comprimé par jour, ce n'est pas bien compliqué..
— Oui, je sais, mais ça ne me dit rien... »

Devant ce genre de comportement, un médecin se sent horrifié car il s'agit d'un homme de moins de 40 ans, père de jeunes enfants, et l'on ne sait pas trop quoi dire pour le faire prendre conscience de l'importance de se faire soigner ! Donc, même avec toute la bonne volonté du monde, on ne peut pas forcer quelqu'un de bien-portant à se prendre en charge, même si, discrètement, pendant ce temps-là, ses artères se bouchent inexorablement !

Pourtant, grâce à la recherche, on sait très bien prévenir les infarctus. Les protocoles thérapeutiques sont clairs et des recommandations officielles sont publiées par les sociétés savantes comme la Société européenne de cardiologie (ESC : European Society of Cardiology).

Les problèmes essentiels sont donc le dépistage des personnes à risque (encore faut-il savoir qu'on est à risque pour se soigner !) et leur prise en charge (il faut avoir envie de se soigner !) selon des procédures maintenant bien établies, fondées sur une bonne hygiène de vie et sur un traitement bien codifié.

Si une partie de la prévention est bien connue des médecins et à un moindre degré évidemment des non-médecins, il reste des pans

---

1. Ko D. T. *et al.*, « Lipid-lowering therapy with statin in high-risk elderly patients : the treatment-risk paradox », *JAMA*, 291, 2004, p. 1864-1870.

entiers de la prévention complètement ignorés. Et pourtant, ces éléments ont fait leurs preuves quant à l'efficacité qu'ils apportent à la prévention. Voici quelques aperçus de ces bienfaiteurs méconnus !

Prévenir l'infarctus du myocarde

Les oméga-3 et le poisson

On parle beaucoup de ces bonnes graisses insaturées depuis le livre de David Servan-Schreiber (*Guérir* aux Éditions Robert Laffont). Et l'on en parle surtout pour traiter la dépression et l'anxiété. C'est pourtant dans la prévention cardiovasculaire que leur apport est le plus éblouissant !

Pour les personnes qui ont déjà eu un infarctus, manger du poisson gras plus de deux fois par semaine diminue le risque de décès par maladie cardiovasculaire de 32 % [1].

Chez les personnes n'ayant jamais eu de problème cardiaque, lorsque l'on dose dans le sang les acides gras dérivés du poisson [2], on s'aperçoit qu'une concentration élevée abaisse de 44 % le risque d'accident coronarien, c'est-à-dire d'infarctus plus ou moins grave.

Ainsi, manger 2 à 3 fois par semaine du poisson s'avère extrêmement bénéfique pour les artères.

Cet effet est très lié aux bonnes graisses, oméga-3 qui ont aussi été testées sous forme de capsules.

Les oméga-3 ont un effet important : ils réduisent la mortalité de 23 %. Les oméga-3 seraient même le traitement préventif le plus efficace d'après une super étude [3] sortie en avril 2005 et qui a comparé tous les essais sur les médicaments anti-cholestérol. Le cholestérol est bien le facteur de risque numéro 1 de l'infarctus du myocarde.

---

1. Burr M. L., Fehily A. M., Gilbert J. F., *et al.*, « Effects of changes in fat, fish and fibre intake on death and myocardial reinfaction : diet and reinfarction trial », *Lancet*, 2(8666), 30 septembre 1989, p. 757-761

2. Nyyssönen, PhD, « Fish-Oil dérived fatty acids, Docosahexanoic acid and docosapentaenoic acid and the rish of acute coronary event ». Rissanen, MSc, RD ; Voutilainen, PhD, RD ; *Circulation* 102 ; 2000, *et al.*, p. 2677-2679.

3. Studer M., Briel M., Leimenstoll B. *et al.*, « Effect of different antilipidemic agents and diets on mortality », *Arch. Intern. Med.*, vol 165, 11 avril 2005, p. 725-730. À noter : cette étude propose un lien internet vers un site qui présente l'ensemble des études analysées dans plusieurs tableaux.

Autrement dit, les oméga-3 sont quasiment deux fois plus efficaces que les statines, médicaments pourtant considérés jusqu'à présent comme les plus efficaces. Leur performance s'explique par trois de leurs propriétés : ils contribuent à régulariser le rythme cardiaque, à réduire l'inflammation dans les vaisseaux sanguins et à diminuer la viscosité du sang. On peut donc se demander pourquoi ils ne sont pas plus prescrits.

Il existe probablement trois raisons. La première, c'est que les oméga-3 ne sont pas considérés comme des « vrais » médicaments, mais comme de simples huiles de poisson... La deuxième, c'est qu'il n'existe pas d'étude au sujet des oméga-3 pour la prévention chez des personnes n'ayant jamais été malades, mais seulement des études sur la prévention d'un deuxième infarctus. La troisième est surtout qu'ils ne sont pas vendus par de grands laboratoires sous forme d'une marque internationale comme c'est le cas des statines (trois grandes marques et trois grands laboratoires : MSD, Pfizer et BMS). Ils ne sont donc pas susceptibles de rapporter autant à l'industrie pharmaceutique, ce qui explique les moindres investissements de recherche.

Au total, quand on veut prévenir les infarctus ou les attaques cérébrales, avoir une alimentation riche en oméga-3 est plus que nécessaire : indispensable ! Une étude vient même de montrer que l'association statine + oméga-3 était plus efficace que la statine seule : elle réduit le nombre d'accidents cardiovasculaires majeurs de 19 % de plus que la seule statine qui est déjà très efficace [1].

☞ **Pour prévenir les infarctus, mangez du poisson 2 à 3 fois par semaine, sinon, prenez les « médicaments » les plus efficaces, les oméga-3 à la dose de 1 à 2 grammes par jour.**

---

1. Lasfargue G., « Intérêt de l'association statine – huiles de poisson : les données de l'étude JELIS » ; congrès de l'AHA (American Heart Association), Dallas, 15 novembre 2005.

127

Les vaccinations

Le vaccin contre la grippe est extrêmement efficace en prévention des maladies cardiovasculaires ! À ce jour, 25 études [1] ont montré que la vaccination contre la grippe diminuait la mortalité des maladies cardiovasculaires et des maladies respiratoires... et aussi et heureusement, la mortalité due à la grippe ! Dans la plus récente de ces études, la diminution des décès par infarctus et attaques cérébrales était de 13 % chez les personnes vaccinées. Elle était de 20 % pour les maladies respiratoires et de 11 % pour les décès directement dus à la grippe [2].

Cette étude nous indique deux données essentielles :
— la grippe tue beaucoup plus indirectement que directement ;
— la vaccination contre la grippe est très efficace.

Malgré cela, la vaccination contre la grippe ne fait partie d'aucune recommandation officielle des sociétés savantes de cardiologie, tant européenne qu'américaine. Pourtant, elle permettrait d'éviter de très nombreux décès par infarctus et accidents vasculaires cérébraux. Cette vaccination devrait être systématique chaque année chez tous les patients à risque.

Comment la grippe peut-elle interférer avec des infarctus ou des accidents vasculaires cérébraux ?

C'est que l'inflammation qui accompagne une grippe agresse l'organisme. Les plaques d'athérome situées dans les artères souffrent, elles aussi, de l'inflammation. Elles ont alors tendance à devenir instables, à se fissurer et parfois provoquent la formation

---

1. Flemming D. M., Watson J. M., Nicholas S. *et al.* « Study of the effectiveness of influenza vaccination in the elderly in the epidemic of 1989-90 using a general practice database. » *Epidemiol Infect.*, 115(3), décembre 1995, p. 581-589 ; Gross P. A., Hermogenes A. W., Sacks H. S. *et al.* « The efficacy of influenza vaccine in elderly persons : a meta-analysis and review of the literature », *Ann. Intern. Med.* 123(7), 1er octobre 1995, p. 518-527 ; Nichol K. L., Nordin J., Mullooly J. *et al.*, « Influenza vacination and reduction in hospitalizations for cardiac disease and stroke among the elderly », *N. Engl. J. Med.*, 348(14), 3 avril 2003, p. 1322-1332 ; Voordouw B.C., van der Linden P.D., Simonian S. *et al.* « Influenza vaccination in community-dwelling elderly : impact on mortality and influenza-associated morbidity. » *Arch. Intern. Med.* 163(9), 12 mai 2003, p. 1089-1094 ; Christenson B., Lundbergh P., « Comparison between cohorts vaccinated and unvaccinated against influenza and pneumococcal infection », *Epidemiol. Infect.*, 129(3) décembre 2002, p. 515-524.

2. Armstrong B. G., Mangtani P., Fletcher A. *et al.* « Effect of influenza vaccination on excess deaths occurring during periods of high circulation of influenza : cohort study in elderly people », *BMJ*, 329 ; 660 ; 2004 ; publication en ligne 15 août 2004.

d'un caillot à l'origine d'un infarctus ou d'un accident vasculaire cérébral.

Une étude très intéressante vient élargir encore cette constatation. Elle observe que les infarctus et les accidents vasculaires cérébraux sont fortement augmentés dans les trois premiers jours qui suivent une infection aiguë [1]. Les infarctus sont multipliés par 4,95 et les accidents vasculaires cérébraux par 3,19 ! Et cela se produit avec la grippe, mais aussi les pneumonies, les bronchites et même les infections urinaires aiguës. Alors, tout ce qui peut prévenir ces maladies a de grandes chances de prévenir aussi les infarctus.

En plus de la grippe, une bactérie particulière a été incriminée : le *Chlamydiae pneumonaniae* responsable d'infections respiratoires aiguës assez courantes. Cette bactérie a été en effet retrouvée dans des plaques d'athéromes amenant à imaginer qu'elle pouvait être directement responsable des infarctus. Mais les essais de traitement à long terme par antibiotique (azythromycine notamment) ont été des échecs [2]. Cela semble indiquer qu'aucune bactérie ou virus précis ne serait directement responsable de la formation des plaques d'athéromes, mais plutôt l'inflammation immédiate qui résulte de toutes les infections aiguës.

En pratique, retenons plusieurs conclusions fortes :

— La vaccination annuelle contre la grippe est particulièrement efficace et il faut y avoir recours. L'idée qu'une grippe n'est pas bien grave est fausse : cette maladie est dangereuse pour les vaisseaux du cœur et du cerveau.

— Le remède classique consistant à prendre de l'aspirine (ou un autre anti-inflammatoire) et de la vitamine C en cas d'infections respiratoires aiguës est possiblement efficace en prévention des infarctus et accidents vasculaires cérébraux. L'aspirine est anti-inflammatoire et la vitamine C antioxydante, ce qui combat tous les radicaux libres produits pendant l'infection aiguë. D'une manière générale, tout traitement de l'inflammation lors d'une affection aiguë est potentiellement bénéfique.

---

1. Smeeth L., Thomas S. L., Hall A. J. *et al.*, « Risk of myocardial infarction and stroke after acute infection or vaccination, *N. Engl. J. Med.*, 351(25) www.nejm.org, 16 décembre 2004.

2. Grayston J. T., Kronmal R. A., Jackson L. A. *et al.*, « Azithromycin for the secondary prevention of coronary events », *N. Engl. J. Med.*, 352(16), 21 avril 2005, p. 1637-1645.

— Il semblerait logique que la Sécurité sociale rembourse la vaccination contre la grippe pour tout le monde et pas seulement chez les plus de 65 ans : les dégâts de cette affection sont beaucoup plus importants que la mortalité directe qu'elle provoque (déjà très lourde), surtout sur le plan cardiovasculaire, et cela sans compter le coût des arrêts de travail qu'elle entraîne.

☞ **Pour prévenir les infarctus ou accidents vasculaires cérébraux, vaccinez-vous contre la grippe. Soignez toute maladie infectieuse aiguë par de la vitamine C et de l'aspirine.**

La plaque d'athérome

Les artères subissent des dépôts de cholestérol qui forment les plaques d'athérome. Ces plaques diminuent le diamètre des artères et, au fil des années, le sang passe de moins en moins bien. Jusqu'au jour où... elles se bouchent complètement. C'est l'infarctus. En fait, le phénomène est beaucoup plus complexe. Si les artères se bouchaient progressivement, il y aurait toujours des signes prémonitoires de l'infarctus ou d'accident vasculaire cérébral. Et ce n'est pas le cas. Une personne peut avoir un cœur et un cerveau parfaitement oxygénés, et, tout à coup, une artère se bouche, alors qu'elle était relativement large. Pourquoi ?

En réalité, ce n'est pas la grosseur de la plaque d'athérome qui importe, mais sa stabilité. Si une plaque déposée sur la paroi d'une artère est instable, elle peut se fissurer. Et le corps organise alors des réactions en chaîne qui aboutissent à fabriquer un caillot pour colmater la fissure. Et c'est ce caillot qui bouche l'artère.

Ces connaissances expliquent par exemple l'efficacité de l'aspirine en prévention des infarctus et accidents vasculaires cérébraux. En effet, l'aspirine est un anti-agrégant plaquettaire. Il empêche les plaquettes sanguines de s'agglutiner pour boucher la fissure d'un vaisseau. Or c'est le premier stade avant la formation d'un caillot...

Cela explique aussi sans doute l'importance de l'effet « anti-inflammatoire » en prévention. Car si une fissure entraîne des conséquences, c'est qu'elle représente une zone d'irritation, d'inflammation qui pousse le corps à réagir.

D'autre part, on sait maintenant que le volume d'une plaque à l'intérieur d'une artère n'est pas le seul critère de gravité. Une grosse plaque très stable peut se révéler moins dangereuse qu'une petite plaque très instable !

L'importance de l'hygiène buccodentaire

Une atteinte chronique des gencives multiplie par 2 le risque d'infarctus et d'accidents vasculaires cérébraux, par 2 à 4 fois celui de diabète, par 2 à 5 celui de maladies respiratoires chroniques, et par 4 à 7 les complications en cas de grossesse[1].

Une étude a même montré une relation directe entre les infections chroniques des gencives et la formation de plaque d'athérome au niveau des artères carotides[2].

Selon l'Organisation mondiale de la santé (OMS), 10 à 15 % de la population mondiale souffre d'une forme sévère d'atteinte des gencives[3]. Et les fumeurs sont 4 fois plus exposés au risque de gingivite chronique que les autres[4].

Que faire contre cette agression? Simplement se laver les dents au moins deux fois par jour, et surtout utiliser un fil dentaire ou un jet interdentaire tous les jours. Il est aussi important de rendre visite à son dentiste 1 à 3 fois par an.

Pourquoi cet effet incroyable de l'hygiène dentaire? C'est qu'en cas de mauvaise hygiène buccodentaire et une atteinte des gencives, des microbes pénètrent dans l'organisme et font de nombreux dégâts inflammatoires ou infectieux.

Les recommandations officielles ne font malheureusement pas état de l'importance de l'hygiène bucco-dentaire.

☞ **Pour diminuer votre risque d'infarctus, d'accident vasculaire cérébral, de diabète..., brossez-vous les dents 2 à 3 fois par jour et utilisez un fil dentaire une fois par jour.**

---

1. *Ann. Perio.*, « Proceedings of the Periodontal-Systemic Connection : A State-of-the-Science Symposium », 2001.
2. Desvarieux M., Demmer R. T., Rundek T., « Periodontal microbiota and carotid intima-media thickness : the oral infections and vascular disease epidemiology study (INVEST) », *Circulation*, 111(5), 8 février 2005, p. 576-82.
3. Organisation mondiale de la santé. Global Orl Health Data Bank (Banque de données sur l'hygiène bucco-dentaire à l'échelle internationale), Genève, OMS, 2002.
4. Tomar S. L., Asma S., « Smoking-attributable periodontitis in the US : Finding from NHANES III », *J. Periodontol.*, 71, 2000, p. 743-751.

Évitez les graisses animales, les graisses trans et mangez mieux

L'effet négatif des graisses animales sur les artères est démontré par de multiples études [1]. Conclusion, il ne faut plus manger de beurre, de crème (et donc de pâtisseries), de viandes grasses et de charcuteries, ou au moins les limiter le plus possible. Les viandes de volaille (sans la peau) sont meilleures.

Les graisses trans hydrogénées sont des graisses végétales solidifiées (graisses hydrogénées), souvent utilisées pour remplacer le beurre. Elles sont en fait plus toxiques que lui. Pour une augmentation de 5 % des graisses saturées (graisses solides naturellement comme le beurre ou le saindoux), le risque cardiovasculaire s'élève de 17 % quand une augmentation de 5 % des graisses trans l'élève de 93 % [2]. Ces graisses trans sont surtout utilisées par l'industrie alimentaire dans toutes les fritures et les margarines, les pâtisseries ou gâteaux industriels. Sur la composition est généralement indiqué « graisse végétale hydrogénée ».

Pourquoi en mettre dans les fritures ? C'est que si vous achetez des frites surgelées, les graisses trans qui les enrobent sont plus facilement solides, de manière à ne pas couler immédiatement quand vous les cuisez. De même pour la margarine formulée à partir de graisse végétale, pour la solidifier, les fabricants emploient souvent ces graisses trans. Alors, apprenez à lire attentivement les étiquettes de composition !

Le beurre, la crème et les graisses trans sont à éliminer et à remplacer par de l'huile de colza ou de noix qui contiennent des oméga-3. Elles sont nettement préférables à l'huile de tournesol qui contient des oméga-6. L'huile de colza ou de noix est bénéfique pour les artères.

En pratique, éliminez le beurre à table (tartines) et cuisinez à l'huile de colza. Elle est idéale pour la cuisson car elle résiste très bien à la chaleur et elle peut être mélangée à l'huile d'olive ou à l'huile de noix pour les assaisonnements. Si vous souhaitez utiliser

---

1. Keys A., *Seven Countries : A Multivariate Analysis of Death and Coronary Disease.* Cambridge, M. A., Havard University Press, 1980. http://www.cdc.gov/mmwr/preview/mmwrhtml/mm4830a1.htm

2. Oh K., Hu F. B., Manson J. E. *et al.* « Dietary Fat Intake and Risk of Coronary Heart Disease in Women : 20 Years of Follow-up of the Nurses' Health Study », *Am. J. Epidemiol.*, 161(7), 1er avril 2005, p. 672-679.

une graisse à tartiner, sélectionnez une margarine de colza. Attention, la plupart des margarines sont à base de tournesol.

Le fromage contenant pourtant des graisses animales ne semble pas avoir d'effet négatif sur les artères, la fermentation semble transformer les composants du lait pour le bonifier, peut-être parce que les acides gras saturés du fromage forment dans l'intestin des sels de calcium qui sont partiellement rejetés par l'organisme [1]. Ouf pour les amateurs de fromage!

Au fait, pourquoi se méfier des oméga-6? Parce qu'ils s'opposent à l'effet sur la fluidification sanguine des oméga-3 et qu'ils participent à l'élaboration de molécules pro-inflammatoires (les prostaglandines).

☞ **Éliminez le plus possible les graisses trans et les graisses animales de votre alimentation, à part le fromage. Choisissez l'huile de colza pour cuisiner et assaisonner (ou un mélange colza-olive pour le goût).**

Si certains éléments de notre alimentation sont dangereux pour le cœur, d'autres sont très bénéfiques. La question est donc de savoir comment bien manger pour protéger son cœur. Les recommandations nutritionnelles de base de la Société européenne de cardiologie sont les suivantes :

— L'alimentation doit être variée et la quantité doit permettre de maintenir un poids idéal, avec un indice de masse corporel compris entre 18,5 et 24,9 (pour rappel, l'IMC se calcule en divisant deux fois son poids en kilos par sa taille en mètre. Par exemple pour 60 kilos et 170 centimètres, l'IMC = 60/1,7/1,7 = 20,76. Au-dessus de 25 on parle de surpoids et d'obésité après 30).

— La consommation de fruits, légumes, céréales et pains complets, laitages écrémés ou demi-écrémés, poissons et volailles, doit être encouragée.

— Les huiles de poisson et les oméga-3 ont des propriétés bénéfiques.

— La part totale des graisses ne doit pas dépasser 30 % des apports, les graisses saturées (beurre, crème, graisses animales) ne devant pas dépasser 10 %. La prise de cholestérol ne doit pas dépasser 300 milligrammes par jour.

---

1. Renaud S., *Le Régime crétois*, Odile Jacob, 1995.

— Dans un régime, il est possible, à calories constantes, de substituer les graisses saturées par des sucres complexes (pain, riz, pâtes) et par des graisses végétales ou issues de poissons.

☞ **Vous pouvez améliorer nettement ce régime de la Société européenne de cardiologie** [1]**, et faire encore baisser votre mortalité cardiaque de 76 % !**
Que faire de mieux ?
— **Mangez plus de légumes secs, de légumes verts, de fruits, de poisson, de volaille, d'huile végétale, de fromage et de pain.**
— **Mangez moins de viande et de charcuteries, soit quasiment pas !**
— **Ne mangez pas du tout de beurre, ni de crème. Remplacez-les par une margarine de colza. Utilisez seulement les huiles de colza et d'olive. Interdisez-vous l'huile de tournesol.**

Luttez contre les huit facteurs de risques évitables

La grande majorité des attaques cardiaques survient brutalement chez des personnes qui se sentaient en forme. Comment prévenir l'infarctus dans ces cas-là ?

Tout d'abord, il faut absolument commencer par **réduire au maximum tous les facteurs de risques**. Car il est démontré que 90 % des infarctus chez les hommes et 94 % chez les femmes sont évitables et dépendent de huit facteurs de risques sur lesquels on peut être actif. Il s'agit de préserver les artères du cerveau et du cœur. Cela protégera aussi toutes les autres artères, aussi bien celles des organes sexuels que celles des jambes. Et c'est important car des artères abîmées dans les jambes entraînent une artérite des membres inférieurs, et dans le pénis, une impuissance. Et dans tous les organes des troubles importants. C'est pourquoi on parle plutôt de prévention des maladies cardiovasculaires que de prévention spécifique à l'infarctus ou à l'accident vasculaire cérébral.

Voici un témoignage lu dans un forum sur Internet qui montre à quel point ces facteurs de risques peuvent rendre la situation grave :

---

1. De Lorgeril M., Renaud S., Mamelle L. *et al.*, « Mediterranean alpha-linolenic acid-rich diet in secondary prevention of coronary heart disease », *Lancet*, 343(8911), 11 juin 1994, p. 1454-1459.

« J'ai fait un infarctus sur un terrain de football, il y a maintenant six mois de cela. J'ai 29 ans. Mon rêve est de pouvoir rejouer au football à mon niveau. Le cardiologue m'a affirmé que ce serait possible mais pas en compétition. Quelqu'un a-t-il un avis là-dessus ? Y a-t-il un précédent ?

Réponse d'un internaute :

« Je ne sais pas répondre à ta question, mais je suis étonnée que l'on puisse faire un infarctus si jeune. Sais-tu quelle en est la cause vu que tu es jeune et sportif ? J'espère pour toi que tu vas vite récupérer. Porte-toi bien. »

Réponse de l'homme de 29 ans :

« Merci. Pour les facteurs de risque : je fumais 30 cigarettes par jour (j'ai complètement arrêté depuis), je mangeais n'importe comment, du genre pizza et Mac Do tous les jours, et en plus j'avais l'hérédité : des grands-parents malades du cœur... »

Ainsi, avec trois facteurs de risque, on peut très bien, à 29 ans, faire l'expérience malheureuse d'un infarctus.... même en étant sportif. En effet, cet homme avait au moins trois facteurs de risques connus, peut-être plus...

Ces facteurs de risque sont maintenant très bien identifiés grâce à de nombreuses études. La plus récente d'entre elles, l'étude INTERHEART [1] a comparé 15 000 personnes hospitalisées pour infarctus du myocarde avec 15 000 autres indemnes de maladies cardiaques. Voici, *en ordre d'importance,* les huit facteurs de risques évitables qu'elle a mis en évidence :

1. cholestérol (dosé dans cette étude par le rapport ApoB/ApoA1) ;
2. tabagisme ;
3. stress ;
4. obésité abdominale ;
5. hypertension artérielle ;
6. apport quotidien insuffisant en fruits et légumes ;
7. manque d'exercice physique ;
8. diabète.

Il s'agit uniquement des facteurs de risques évitables, donc « soignables », par opposition à l'hérédité, le sexe ou l'âge qui sont aussi des facteurs de risques éventuels, mais sur lesquels on ne peut absolument pas agir ! Dans le cas cité ci-dessus, le sportif

---

1. Yusuf S. *et al.*, « Effect of potentially modifiable risk factors associated with myocardial infarction in 52 countries (the INTERHEART study) : case-control study. » www.thelancet.com, publication en ligne le 3 septembre 2004.

de 29 ans qui a fait un infarctus avait au moins comme facteurs de risques : le tabagisme, l'apport quotidien insuffisant en fruits et légumes et l'hérédité, sans compter peut-être d'autres, comme l'obésité abdominale, le stress ou le cholestérol...

L'ennemi numéro 1 des artères est le cholestérol car à lui seul il est en cause dans la moitié des infarctus ! Viennent ensuite le tabac qui explique 35 % des infarctus, le stress 32 %, l'obésité abdominale 20 %, l'hypertension artérielle 18 %. Le diabète n'arrive qu'à la 8e place car il est moins fréquent dans la population. Il s'agit pourtant d'un facteur de risque majeur pour les diabétiques eux-mêmes.

Cette étude démontre aussi que la prévention est extrêmement efficace et que notre style de vie influence fortement ces huit facteurs de risques évitables. Nous pouvons ainsi agir directement sur notre consommation de tabac, sur notre niveau de stress et sur notre poids (ou surpoids), grâce à la nutrition et à l'activité physique. En d'autres termes, une meilleure nutrition, moins de stress et plus d'activité physique constituent la meilleure des préventions contre l'hypercholestérolémie, l'hypertension artérielle ou le diabète.

Voici, un par un, ces facteurs de risques liés à notre mode de vie.

Votre cholestérol

Votre cholestérol est déterminé par une prise de sang. Il existe un taux à partir duquel vous devez vous traiter et il n'est pas le même pour chaque personne : il dépend de votre nombre de facteurs de risque.

Ce que l'on connaît du cholestérol et de son effet sur les artères est extrêmement simple. Plus le mauvais cholestérol est élevé, plus le risque vasculaire augmente. L'idéal est donc d'avoir le moins possible de mauvais cholestérol qui circule dans les artères ! « *The lowest is the best* », disent les Américains (« plus c'est bas, mieux c'est »).

À partir de quand débuter un traitement ? Quand le cholestérol est très élevé, les risques sont très importants et il faut évidemment traiter. Quand le cholestérol est juste un peu haut, c'est plus discutable. Après infarctus (risque très élevé de récidive), on peut sauver environ une personne sur trois dans l'année en donnant un médicament anti-cholestérol. C'est énorme. Mais quand le seul risque est un cholestérol légèrement élevé, ce n'est plus trois personnes qu'il faut traiter pour en sauver une mais peut-être 700 ou 1000, voire plus. Ainsi, plus on veut faire baisser le taux de cholestérol, plus on doit traiter de personnes pour en sauver une. Pourquoi ne pas le faire avec un entrain et une conviction totale? Simplement parce qu'un traitement, ça coûte cher, en argent, mais aussi en effets secondaires! Or l'argent peut parfois être mieux employé, et un médecin n'aime guère occasionner des effets indésirables avec un traitement pour un bénéfice très théorique.

C'est pourquoi les sociétés de cardiologie se sont beaucoup concertées pour donner des directives bien réfléchies. On doit traiter quand, pour une personne, les risques d'effets secondaires du traitement valent la peine d'être supportés par rapport au risque pour les artères du cœur ou du cerveau. Ainsi, la décision dépend du nombre total de facteurs de risques :

Si vous n'avez absolument aucun autre facteur de risque, un traitement anti-cholestérol doit être mis en place dès que votre LDL-cholestérol (« mauvais cholestérol ») dépasse 2,20 g/l. Si vous avez d'autres facteurs de risque, le taux de LDL-cholestérol à partir duquel vous devez vous traiter est différent :

Votre taux de LDL cholestérol (ou « mauvais cholestérol ») maximal acceptable [1] est donc de :

— 2,20 g/l en l'absence de facteur de risque,

— 1,90 g/l si vous avez un facteur de risque,

— 1,60 g/l si vous avez deux facteurs de risque ou plus,

— 1,30 g/l maximum si vous avez déjà fait un infarctus du myocarde ou un autre accident vasculaire.

Au-delà, il faut agir !

Le traitement comprend des mesures diététiques et un médicament de la famille des statines (*cf.* chapitre sur les statines). **Ces statines, dont nous avons déjà décrit les bénéfices en prévention des cancers et de la maladie d'Alzheimer, sont particulièrement efficaces en prévention des infarctus, que ce soit en prévention primaire (si vous n'avez jamais fait d'infarctus et que vous avez**

---

1. Agence française de sécurité sanitaire des produits de santé. (Afssaps), *Prise en charge thérapeutique des patients dyslipidémiques*, septembre 2000.

Cholestérol : le bon et le mauvais

Le bon cholestérol, c'est celui qui est en voie d'élimination par votre corps. Il est en route vers le foie où il sera détruit. Lorsque son taux est élevé, c'est bon signe, votre corps draine bien ses graisses ! Il s'agit du cholestérol HDL (Haute Densité Lipoprotéine). Un autre dosage peut donner une idée de votre niveau de bon cholestérol : celui de l'apolipoprotéine A1 qui est le véhicule de transport de ce HDL.

Le mauvais cholestérol, c'est celui qui, au contraire, est prêt à se déposer dans vos artères. C'est le LDL (Légère Densité Lipoprotéine). Lorsque son taux est élevé, c'est mauvais signe. Il y a dans votre corps des graisses prêtes à boucher vos artères... L'autre dosage qui peut donner une idée de votre niveau de mauvais cholestérol est l'apolipoprotéine B, véhicule de transport du LDL.

Le rapport entre bon et mauvais cholestérol : Votre médecin biologiste peut calculer le rapport entre vos deux sortes de cholestérol. Si vous avez beaucoup de LDL cholestérol (ou apo B) prêt à boucher vos artères, et très peu de HDL (ou apo A1) en train de les nettoyer, vous pouvez être à risque pour les maladies cardiovasculaires, même si votre cholestérol total n'est pas très élevé !

---

un cholestérol trop élevé, ou en prévention secondaire si vous avez déjà fait un infarctus et que vous voulez en éviter un autre). En prévention secondaire, les statines sont efficaces dans tous les cas, et quel que soit le niveau de cholestérol.

Comment savoir si vous avez zéro, un ou deux facteurs de risques ? Attention, il ne s'agit pas des huit facteurs de risques évitables que nous vous engageons à étudier ! En effet, l'Agence française de sécurité sanitaire des produits de santé (Afssaps) a basé cette décision sur plusieurs facteurs de risques dont certains ne sont pas du tout évitables, mais importants à prendre en compte :

— votre âge est supérieur à 45 ans pour un homme et 55 ans pour une femme ;

— vous fumez (même peu) ;

— vous êtes diabétique ;

— vous êtes hypertendu de manière permanente ;

— votre HDL-cholestérol (le bon) est inférieur à 0,35 g/l ;

— vous avez une hérédité pour les maladies cardiovasculaires : un parent proche (père, mère, frère, sœur ou enfant) a souffert de maladie cardiovasculaire (infarctus, accident vasculaire cérébral, artérite des membres inférieurs, etc.) avant 65 ans pour une femme ou 55 ans pour un homme.

Il existe aussi un facteur de risque positif : votre HDL-cholestérol (le bon) est supérieur à 0,60g/l, vous pouvez supporter un facteur de risque négatif supplémentaire ! Car ce bon cholestérol diminue vos risques. Si vous trouvez deux facteurs de risque dans la liste, mais que votre HDL-cholestérol soit élevé, vous pouvez tolérer 1,90 g de LDL-cholestérol au lieu de 1,60 g...

Comment calculer votre taux de cholestérol dans l'unité dont vous avez besoin ?

Lorsque vous connaissez votre taux de cholestérol, vous pouvez calculer votre risque cardiovasculaire. Il existe plusieurs méthodes de calcul qui demandent d'indiquer votre cholestérol dans des unités parfois très différentes ! C'est qu'il existe des unités internationales et d'autres usuelles aux États-Unis, qui ne sont pas les mêmes que celles utilisées en France. Pour vous faciliter la tâche, voici un tableau qui vous aidera à trouver des équivalences sans faire de calcul !

grammes/litre	mmol/litre	mg/dl	grammes/litre	mmol/litre	mg/dl
0,20	0,5	20	1,70	4,4	170
0,30	0,8	30	1,80	4,7	180
0,40	1	40	1,90	4,9	190
0,50	1,3	50	2,00	5,2	200
0,60	1,5	60	2,10	5,4	210
0,70	1,8	70	2,20	5,7	220
0,80	2	80	2,30	6	230
0,90	2,3	90	2,40	6,2	240
1,00	2,6	100	2,50	6,5	250
1,10	2,8	110	2,60	6,7	260
1,20	3,1	120	2,70	7	270
1,30	3,4	130	2,80	7,3	280
1,40	3,6	140	2,90	7,5	290
1,50	3,9	150	3,00	7,8	300
1,60	4,1	160			

Votre tabagisme

Votre tabagisme est facile à calculer en fonction de votre honnêteté à vous avouer ce que vous fumez ! Si vous vous mentez à vous-même, c'est que vous sentez vraiment que ça vous fait du mal. Raison de plus pour arrêter ! Une seule cigarette est déjà toxique donc, là, pas besoin de réfléchir. **En effet, le risque d'infarctus est déjà augmenté de 40 % si vous fumez 1 à 5 cigarettes par jour** [1] ! C'est énorme ! Le tabac est donc très vite extrêmement néfaste pour le cœur.

Et si vous n'arrivez pas à arrêter, sachez que chaque diminution du nombre de vos cigarettes fait du bien à vos artères... ou moins de mal ! Nombre de personnes pensent qu'il faut arrêter totalement de fumer, et qu'il ne sert à rien de seulement diminuer sa consommation. C'est faux et une étude (INTERHEART) le prouve :

Le danger du tabac est directement proportionnel au nombre de cigarettes fumées :

— le risque d'infarctus est augmenté de 40 % pour 1 à 5 cigarettes par jour ;

— il est multiplié par 2 pour 6 à 10 cigarettes par jour ;

— par 3 pour 11 à 15 cigarettes ;

— par 3,5 pour 16 à 20 ;

— par 4 au-dessus de 20 ;

— par 9 au-dessus de 40 !

Ainsi, rapporte un médecin,

> « depuis des années, quand un de mes patients me demandait : "Si je fume 2 ou 3 cigarettes par jour, est-ce nocif ?", je répondais toujours : "Non, quelques cigarettes, ce n'est pas comme fumer un paquet." C'est d'ailleurs le plus souvent ce qu'il avait envie d'entendre ! Même en étant médecin, je n'avais pas la notion de la dangerosité du tabac à de petites doses. Depuis que je sais que la première cigarette est déjà toxique, j'ai changé de réponse ! »

Une autre étude (EUROASPIRE II) montre qu'un an après un infarctus, 21 % des personnes sont encore fumeuses, ce qui revient à jouer sa vie à la roulette russe !

---

1. Yusuf S. *et al.*, art. cit.

Le tabagisme passif et la pollution

L'effet du tabagisme passif est fortement sous-estimé en général. Il nous semble gênant, voire un peu toxique. Pourtant, il est responsable d'une augmentation de 30 % de la mortalité cardiovasculaire selon 15 études [1]. Ce risque varie de + 21 % chez les hommes à + 50 % chez les femmes [2]. Il est donc extrêmement dangereux de se faire enfumer... et encore plus pour une femme !

Quant à la pollution atmosphérique chronique (petites particules), elle augmente globalement le risque de décès par maladie cardiovasculaire de 10 % [3].

Il faut donc soit arrêter de fumer, c'est l'idéal, soit fumer beaucoup moins, ce qui est parfois plus facilement envisageable dans un premier temps. Fumer moins entraîne une réduction de risque et cela pour deux raisons :

— Le risque d'infarctus est effectivement diminué, même si c'est moins notable que pour un arrêt pur et simple du tabac.

— Les personnes qui réduisent leur consommation sont beaucoup plus nombreuses, par la suite, à arrêter définitivement de fumer que les autres fumeurs [4]. La diminution de la quantité de tabac peut donc constituer un premier pas vers un arrêt total, à plus long terme.

En résumé, l'idéal est d'arrêter totalement de fumer. Sinon, il faut se donner les moyens de fumer moins pour réduire son risque (*cf.* chapitre sur le tabac). Ce qu'il ne faut surtout pas, c'est ne rien faire sous prétexte que c'est trop difficile !

Les substituts nicotiniques (patchs, gommes ou sprays) sont des outils très efficaces pour aider à arrêter de fumer. Ils sont totalement inoffensifs pour le cœur et sont utiles aussi bien pour stopper le tabac que pour en réduire la consommation [5].

---

1. Santé Canada. www.hc-sc.gc.ca : « Le tabagisme et le risque cardiovasculaire ».
2. Thomas D., « Tabagisme passif et maladies cardiovasculaires », *Bull. Acad. Natle Méd.*, 181, 1997, p. 19-29.
3. Pope C. A. 3rd, Burnett R. T., Thurston G. D. *et al.* « Cardiovascular mortality and long-term exposure to particulate air pollution : epidemiological evidence of general pathophysiological pathways of disease », *Circulation* 109(1), 6 janvier, p. 71-77. Epub, 15 décembre 2003.
4. Hughes J. R., *Communication au Symposium Society for Research on Nicotine and Tobacco*, 2004.
5. Afssaps, *Les Stratégies thérapeutiques médicamenteuses et non médicamenteuses de l'aide à l'arrêt du tabac*, mai 2003.

Certains médecins estiment même que l'on doit « patcher » systématiquement tous les fumeurs hospitalisés en urgence pour attaque cardiaque. Et c'est logique, la médecine préventive devant être active dès la phase aiguë des maladies. C'est d'autant plus essentiel que l'arrêt du tabac permet à lui seul une réduction de 36 % du risque de mortalité après un infarctus [1].

☞ **Pour prévenir les accidents vasculaires cardiaques ou cérébraux, cessez de vous faire enfumer, de fumer, ou diminuez au moins votre intoxication tabagique.**

Arrêter de fumer immédiatement peut vous sauver la vie !

À titre expérimental [2], le tabac a été interdit par décret dans la ville d'Helena du Montana, pendant six mois. Cette mesure concernait une population d'environ 65 000 habitants et a eu pour effet de contraindre les fumeurs à baisser leur consommation et de diminuer l'exposition au tabagisme passif.

Au cours de cette étude, la première du genre, le nombre d'admissions à l'hôpital pour infarctus du myocarde durant cette période a été comparé à celui des quatre années précédentes.

Pendant les six mois d'interdiction tabagique, les auteurs ont constaté une baisse de près de 60 % des attaques cardiaques, tandis que le nombre de victimes d'infarctus venant de l'extérieur de la ville n'a pas varié.

Certes, la taille de la population étudiée est faible et cette baisse de 60 % correspond à 4 infarctus en moins par mois (contre 7 durant les années précédentes).

Mais la diminution du tabac et du tabagisme passif a eu ici un effet immédiat, montrant que cette action ne protège pas seulement à long terme des problèmes cardiaques, mais prévient aussi très rapidement la survenue d'infarctus.

Cette réduction des attaques cardiaques est logiquement liée à l'élimination des effets rapides du tabagisme sur les plaquettes et les artères coronaires.

Donc, arrêter de fumer, ça vaut vraiment la peine. Dès les premiers six mois, le bénéfice pour la santé est immense ! Cela peut tout simplement vous éviter un infarctus ou un accident vasculaire cérébral.

---

1. Crichley J. *et al.*, « Smoking cessation for the secondary prevention of coronary heart disease », *Cochrane Database Sys Rev.*, 2004 (1), CD003041.
2. Étude présentée par le docteur Richard P. Sargent au congrès American College of Cardiology (AAC), Chicago, avril 2003.

Votre stress

Le **stress explique 32 % des infarctus** [1]. Il s'agit donc d'un facteur de risque cardiovasculaire très important. Pourtant, il est peu probable qu'un médecin vous donne des conseils à ce sujet. (cf. chapitre sur le mental pour plus de précisions).

Trois axes de danger du stress se dégagent :

— le stress professionnel ou familial a des conséquences cardiovasculaires très négatives ;

— l'isolement social est un facteur de stress très important ;

— les personnalités au caractère hostile sont beaucoup plus exposées au stress que les autres.

La colère, les émotions négatives comme la peur, l'irritabilité, ou la nervosité semblent souvent précéder un accident vasculaire cérébral : ces facteurs pourraient multiplier par 14 le risque d'accident vasculaire dans les deux heures [2] qui suivent !

Et les personnes dont les scores sont les plus élevés aux échelles d'hostilité ont un risque de mortalité augmenté de 42 % par rapport à ceux qui sont le moins hostiles [3].

Il semble donc logique de lutter contre toutes ces émotions négatives. D'autant plus que l'on sait que **les programmes d'éducation à la santé et de management du stress sont efficaces et permettent une réduction de 32 % de la mortalité cardiaque** [4]. Pourtant, ce type de programme est très peu proposé en France.

Alors, comment évaluer votre stress ? Dans une importante étude [5] qui prend en compte cet élément, l'évaluation de ce stress repose sur quatre questions concernant :

— le stress au travail ;

— le stress à la maison ;

— le stress lié à l'argent ;

— le stress lié à des événements de l'année qui vient de s'écouler.

---

1. Étude Interheart.
2. Koton S., Tanne D., Bornstein N. M. *et al.*, « Triggering risk factors for ischemic stroke : a case-crossover study », *Neurology*, 63(11), 14 décembre 2004, 2006-2010.
3. Shekelle R. B. *et al.*, « Hostility, risk of coronary heart disease, and mortality », *Psychosom Med*, 45(2), mai 1983, p. 109-114.
4. Dusseldorp E. *et al.* « A meta-analysis of psychoeduational programs for coronary heart disease patients », *Health Psychol.*, 18(5), septembre 1999, p. 506-519.
5. Yusuf S. *et al.* art. cit.

Il s'agit donc d'une autoévaluation. Si vous vous sentez stressé dans ces quatre domaines, vous avez un risque augmenté d'infarctus du myocarde.

☞ **Si vous pensez être stressé, agissez, pour réduire ce stress. Cela réduira fortement votre risque d'accident vasculaire cardiaque et cérébral.**

Votre tour de ventre (pour calculer une éventuelle obésité abdominale)

Pour savoir si votre tour de taille est néfaste pour votre santé vasculaire, il vous suffit d'un centimètre. Votre tour de ventre (là où il est le plus large, à peu près à la hauteur du nombril) ne doit pas dépasser 102 centimètres pour un homme et 88 pour une femme. Au-delà, il est bon d'envisager une stratégie qui le fera fondre !

Pourquoi parle-t-on de l'obésité abdominale et non du surpoids général ? C'est que la forme du corps est le reflet du métabolisme, de la chimie corporelle interne. Ainsi, il vaut mieux (en ce qui concerne la santé des artères) avoir un corps en forme de poire que de pomme. Il est préférable de stocker de la graisse en trop au niveau des hanches, des fesses et des cuisses que sur le ventre. On sait que les femmes qui prennent leurs kilos superflus au niveau abdominal ont un risque plus élevé de maladies cardiovasculaires que celles qui ont le ventre plat et les hanches dodues. Pour les hommes, c'est plus simple, ils prennent généralement leur excès de poids au niveau du ventre.

L'obésité abdominale dépend de votre mode de vie, en particulier de votre nutrition. Une bonne alimentation permet de contribuer à la réduction du surpoids si nécessaire, de faire baisser la tension artérielle, le cholestérol sanguin et le niveau de sucre.

☞ **Pour prévenir les maladies cardiovasculaires, veillez à ne pas grossir au-delà de 102 centimètres de tour de ventre pour un homme et 88 centimètres pour une femme.**

Votre tension artérielle

Le chiffre de votre tension artérielle vous est communiqué par votre médecin. Il doit rester inférieur ou égal à 13,5/8,5. Autrement dit, à partir de 14 de maximum ou de 9 de minimum, il faut vous faire suivre. Si vous êtes diabétique, les normes sont plus sévères et vous devez faire moins de 13/8. Actuellement, les médecins ont tendance à traiter la tension pour l'abaisser à un chiffre d'autant plus bas que vous avez plusieurs autres facteurs de risque.

Le plus grand succès
de la médecine moderne

Une femme de 50 ans, médecin du travail, raconte : « Quand j'étais étudiante en médecine une remarque de nos professeurs m'a beaucoup marquée. Il nous disait ceci : "Le plus grand progrès de la médecine, au cours des trente dernières années, c'est le traitement de l'hypertension artérielle. Autrefois, il y avait environ trois fois plus de gens qui mouraient d'accident vasculaire cérébral (attaque cérébrale) ou d'infarctus qu'aujourd'hui. Maintenant, grâce à la prévention, de nombreuses personnes sont sauvées. MAIS personne ne s'en rend compte, à part les statisticiens ! Personne ne pense 'je devrais être mort' ou 'je serais certainement hémiplégique si je ne prenais pas mon traitement'. On trouve ça normal d'être en bonne santé. Or le fait de ne pas s'en rendre compte ralentit la progression de la prévention et sa diffusion !" »

Votre tension artérielle doit être traitée par un anti-hypertenseur si elle dépasse 13,5/8,5, au repos et cela à plusieurs reprises. La meilleure preuve qu'une tension est trop élevée est un enregistrement continu sur une journée (un holter tensionnel), enregistrement nettement plus fiable qu'une tension prise plusieurs fois.

Votre apport quotidien en fruits et légumes

La consommation quotidienne et abondante de fruits et légumes est essentielle. Elle peut réduire jusqu'à 19 % le risque d'infarc-

145

tus [1]. L'apport quotidien de cinq portions de fruits ou légumes par jour diminue de 24 % le risque d'accident vasculaire céré-bral [2] (par rapport à des hommes qui mangent peu de fruits et légumes).

L'intérêt de cette consommation réside sans doute dans l'apport en vitamines et oligoéléments antioxydants (provitamine A ou bêta-carotène, vitamine A, C, E, zinc, sélénium), folates (vitamine B), mais aussi en polyphénols, en fibres, ainsi qu'en faible apport calorique [3]. De nombreuses études ont montré la relation entre des déficits en vitamines et la survenue de maladies cardio-vasculaires.

Et vous, mangez-vous suffisamment de fruits ou de légumes ?

Non ! Comment pouvons-nous le savoir ? Parce que nous avons moins d'une chance sur 10 de nous tromper ! En effet, quel que soit leur âge, une très faible proportion d'hommes mange la quan-tité de fruits et légumes recommandés : moins de 5 % jusqu'à 55 ans et 11 % par la suite ! Et les résultats sont à peu près équi-valents pour les femmes [4] !

C'est bien fâcheux. Car, à cause de notre alimentation trop pauvre en fruits et légumes, nous nous exposons aux infarctus et aux accidents vasculaires cérébraux.

La recommandation officielle française (INPES) est la suivante : il faut manger au moins 5 portions de fruits et légumes par jour. En pratique, comment calculer si vous en ingérez suffisam-ment ?

Cinq portions par jour, cela correspond à :

— 1 fruit au petit-déjeuner, au goûter ou en cas de petite faim,
— 1 légume et 1 fruit au déjeuner,
— 1 légume et 1 fruit au dîner.

---

1. Law M. R., Morris J. K. « By how much does fruit and vegetable consumption reduce the risk of ischaemic heart disease ? » *Eur. J. Clin. Nutr.*, 52(8), avril 1998, p. 549-556.

2. He F. J., Nowson C. A., Mac Gregor G. A., « Fruit and vegetable consumption and Stroke : meta analysis of cohort studies, *The Lancet*, vol. 367, 28 janvier 2006.

3. Institut national de prévention et d'éducation pour la santé ou INPES.

4. Ce sont les conclusions d'une étude datant de 2004 de l'Agence française de sécurité sanitaire des aliments (Afssa), et de l'Institut national de prévention et d'éduca-tion pour la santé (INPES). Comparaison de deux enquêtes nationales de consommation alimentaire auprès des adolescents et des adultes.

Notez que 1 fruit, c'est un fruit de la grosseur d'une pomme. Si vous mangez 5 cerises ou 5 petits pois dans la journée, vous n'avez pas 5 portions ! Il faut une tasse remplie de cerises ou de petits pois faire une portion complète.

Attention encore, nous vous conseillons de ne pas compter les jus de fruits en bouteille, sauf si vous faites vous-même votre jus à partir d'un fruit frais. Dans ce cas comptabilisez-le, mais à condition qu'il n'y en ait pas plus d'une portion. En effet, en jus, vous ne bénéficiez pas de tous les bienfaits des végétaux ! Idem pour les fruits secs : une portion par jour (1/2 tasse car déshydraté ça devient moins volumineux) c'est bien, mais 5 portions non. Le séchage des fruits leur fait perdre beaucoup de vitamines, même si vous gardez le bénéfice des fibres...

Une autre manière de calculer : on considère que chaque jour, vous devez manger au moins 400 grammes de fruits et légumes.

Donc, si vous mangez moins de 5 fruits et légumes ou moins de 400 grammes de fruits et légumes PAR JOUR, vous présentez un facteur de risque de maladies cardiovasculaires.

---

5 à 10 fruits et légumes par jour

Savez-vous que la portion préconisée devrait être encore plus élevée ? Jusqu'à 10 fruits et légumes par jour. Mais devant l'écart entre l'idéal nutritionnel et la réalité pratique de la vie, l'INPES vise bas. Au Canada aussi. On préconise seulement 5 à 10 fruits et légumes par jour !

---

*Pourrait-on remplacer les fruits et légumes
par des vitamines en comprimés ?*

Non. Pour l'instant, nous n'avons pas assez de connaissances pour affirmer que des vitamines en comprimé pourraient remplacer les légumes et les fruits. Et même si c'était possible, nous ne savons pas lesquelles à quel dosage !

Les études qui cherchent à répondre à cette question sont trop peu avancées : la prise isolée de vitamine E à raison de 400 à 800 UI par jour n'a pas démontré d'effet sur la mortalité cardiaque ni sur la mortalité globale [1, 2]. Il est vraiment dommage que nous ne disposons pas d'étude combinant vitamine E et vitamine C qui sont deux antioxydants complémentaires. Cela a été fait pour la maladie d'Alzheimer, et cette association y révèle un effet bénéfique. La seule étude qui testait cette association vitamine C et E, la Heart Protection Study, y associait également une substance dont l'effet s'est révélé négatif (bêta-carotène [3]). Il n'est donc pas possible de tirer de conclusion.

Mais les fruits et légumes ne contiennent pas seulement des vitamines. Ils apportent aussi beaucoup d'autres substances sans doute susceptibles d'être bénéfiques pour la santé. Alors, autant manger de bonnes quantités de végétaux !

À noter : Pour les fumeurs et les buveurs d'alcool (plus de 2 verres par jour, ce qui est rapidement atteint !), les compléments vitaminiques sont certainement efficaces en prévention des infarctus, simplement parce que ces personnes sont carencées en vitamines. Or les fumeurs représentent 1/3 de la population ! Si l'on y ajoute les personnes qui boivent plus de 2 verres de boisson alcoolisée par jour, cela constitue une part très importante de la population.

☞ **Mangez au moins 5 portions de fruits et légumes par jour, et même plus si vous voulez une prévention très efficace.**

Votre exercice physique

Toute activité physique est bonne ! En voici la preuve :

— les personnes qui ont déjà fait un accident cardiaque et qui pratiquent une activité physique ont une mortalité cardiaque qui chute de 31 % [4] par rapport à ceux qui n'ont aucune activité physique ;

---

1. Rimm E. B., Stampfer M. J., Ascherio A *et al.*, « Vitamin E consumption and the risk of coronary heart disease in men », *N. Engl. J. Med.*, 328(20) 20 mai 1993, p. 1450-1456.

2. Heart Protection Study Collaborative Group, « MCR/BHF Heart Protection Study of antioxidant vitamin supplementation in 20,536 high-risk individuals : a randomised placebo controlled trial », *Lancet*, 360, 2000, p. 23-33.

3. Rapola J. M., Virtamo J., Ripatti S. *et al.* « Randomised trial of alpha-tocopherol and beta carotene supplements on the incidence of major coronary events in men with previous myocardial infarction », *Lancet*, 349(9067), 14 juin 1997, p. 1715-1720.

4. Joliffe J. A. *et al.*, *Exercise-Based Rehabilitation for Coronary Heart Disease (Cochrane Review)*, The Cochrane Library, Issue 4, 2004.

— ceux qui changent leur mode de vie pour augmenter leur activité physique sont récompensés : la baisse de mortalité globale est comprise entre 23 [1] et 44 % [2] !

Non seulement l'activité physique est bénéfique pour tous, mais il n'est jamais trop tard pour s'y mettre !

Les recommandations de la société européenne de cardiologie sont également très précises en ce domaine :

— L'activité physique est profitable à tout âge.

— Elle l'est particulièrement chez ceux qui ont déjà fait un accident cardiaque. Il faudra seulement que leur capacité soit évaluée médicalement.

— Une activité physique au moins une demi-heure par jour pratiquement tous les jours de la semaine est une bonne base (y compris la marche à un bon rythme).

— Une activité plus modérée est néanmoins efficace. En faire peu, c'est toujours mieux que de ne rien faire. Votre cœur en retire déjà un bénéfice.

— Chez ceux dont la forme physique le permet, l'entraînement idéal consiste à pratiquer une activité sportive 4 à 5 fois par semaine pendant trente à quarante-cinq minutes à chaque fois. L'idéal est que, au cours de cet exercice, votre fréquence cardiaque atteigne 60 à 80 % de votre fréquence cardiaque maximale, ou plus selon votre forme physique.

Comment la calculer ?

Votre fréquence cardiaque maximale est de : (220 – votre âge). Par exemple, Arthur, 50 ans, a une fréquence cardiaque maximale de : (220 – 50), soit 170. Quand il pratique une activité, son cœur doit idéalement battre entre 102 (60 % de 170) et 136 (80 % de 170) battements de cœur par minute. Pour simplifier, pendant l'effort, il doit maintenir son cœur entre 100 et 140 battements par minute pendant toute la durée de l'exercice, de manière à en obtenir le maximum de bénéfices pour son cœur et ses artères (cf chapitre sur l'activité physique).

1. Paffenbarger R. S., Hyde R. T., Wing A. L. *et al.* « The association of changes in physical-activity level and other lifestyle characteristics with mortality among men », *N. Engl. J. Med.*, 328(8), 25 février 1995, p. 538-545.

2. Blair S. N., Khol H. W. 3rd, Barlow C. E. *et al.*, « Changes in physical fitness and all-cause mortality. A prospective study of healthy and unhealthy men », *JAMA*, 273(14), 12 avril 1995, p. 1093-1098.

☞ **Marchez au minimum trente minutes par jour, ou idéalement pratiquez une activité physique de trente à quarante-cinq minutes 4 à 5 fois par semaine.**

Votre diabète

Le diabète se dépiste par une prise de sang qui va permettre de mesurer, à jeun, le taux de sucre dans votre sang (glycémie à jeun) :

— au-dessous de 1,10 gramme par litre, votre résultat est bon ;

— entre 1,10 gramme et 1,26 gramme par litre, il faut refaire cette prise de sang de dépistage tous les ans, car vous êtes à risque pour le diabète. On appelait autrefois cette situation le « prédiabète » et on l'a rebaptisé « syndrome métabolique » ;

— au-dessus de 1,26 g/l, vous êtes sans doute diabétique... si votre prise de sang a bien été réalisée à jeun ! Il faut alors vous traiter.

À savoir : le diabète n'est plus maintenant considéré comme un simple facteur de risque et la tendance actuelle est de considérer que tous les diabétiques ont un risque très élevé de faire une complication cardiovasculaire. De ce fait, outre leur traite ment du diabète, il est encore plus essentiel que pour d'autres personnes de prévenir de toutes les manières possibles leurs risques.

☞ **Dépistez régulièrement un diabète par une prise de sang, et si vous êtes diabétique, soyez encore plus actif pour prévenir !**

Et votre consommation d'alcool ?

Dans l'étude Interheart, boire un peu d'alcool était considéré comme un bon point, ne pas en boire du tout, comme un facteur de risque. Or, malgré ces conclusions affichées, cette enquête avoue que le facteur alcool n'était pas significatif. Les résultats de l'effet de l'alcool sont donc très incertains, avec une très légère tendance à affirmer qu'un peu d'alcool serait bon, sans que cela soit prouvé.

Alors, faut-il se forcer à ingérer un peu d'alcool quand on préfère l'eau ? Pas sûr !

En effet, en ce qui concerne les vaisseaux, l'effet positif de l'alcool existe apparemment, mais il peut se révéler dangereux pour certaines personnes. Voici quelques explications :

— Pour les personnes porteuses d'un gène qui les expose à un risque de maladie d'Alzheimer, boire systématiquement ne serait-ce qu'un seul verre d'alcool par jour est déjà toxique car il accélère l'apparition de cette maladie. Or les porteurs du gène de l'apolipoprotéine E4 représentent entre 15 et 30 % de la population. Et ce serait aberrant d'augmenter le risque de souffrir d'une maladie d'Alzheimer pour protéger les artères de son cœur ou de son cerveau !

— Dès le premier verre d'alcool, le risque de cancer augmente. C'est un facteur à prendre en compte chez les personnes présentant un risque familial ou personnel.

— L'alcool est une drogue. Certaines personnes présentent des difficultés à limiter leur consommation et deviennent des buveurs excessifs. C'est le cas de 1 homme sur 3 en France et de 1 femme sur 10.

— L'excès d'alcool est responsable de 45 000 [1] décès par an en France. Il ne s'agit donc, en aucun cas, d'un médicament anodin, même en prévention des infarctus ou des accidents vasculaires cérébraux.

L'alcool est donc une arme à double tranchant, potentiellement dangereuse pour la moitié de la population.

---

1 verre d'alcool, c'est quoi ?

1 verre de vin = 1 digestif = 1 verre de bière = 1 verre de cidre = 1 porto = 1 whisky = 1 pastis = 1 verre de champagne. Sachez qu'1 verre correspond à la dose standard servie dans un café. Dans les lieux publics, les boissons contiennent en général la même dose d'alcool pur, soit 8 à 12 grammes par verre.

Pour connaître la dose d'alcool idéale pour votre santé, il faut tenir compte des risques pour votre santé générale, et pas seulement des risques cardiovasculaires. Le bon chiffre se trouve alors entre 1 et 6 verres d'alcool par semaine [2]. Pour la majorité des gens, l'idéal est donc d'en consommer une à deux fois par semaine en buvant seulement 1 à 3 verres à chaque occasion. Cela revient à réserver

---

1. Communiqué du ministère de la Santé du 4 novembre 2004.
2. Gronboek M., Johansen D., Becker U *et al.*, « Changes in alcohol intake and mortality. A longitudinal population-based study », *Epidémiology*, 15, 2004, p. 222-228.

l'alcool aux moments de détente entre amis et à l'éliminer des repas quotidiens.

Pour analyser votre cas plus finement ou si vous voulez plus de précisions, consultez notre chapitre consacré à l'alcool.

Si vous prenez en compte les huit facteurs de risques, vous aurez un mode de vie favorable à votre cœur et à vos artères. Cependant, un bon mode de vie ne suffit pas toujours. Car vous pouvez tout à coup voir votre tension artérielle s'élever, votre sucre dans le sang augmenter, votre cholestérol déraper...

D'où l'importance de dépister régulièrement ces facteurs de risque.

☞ **Le régime méditerranéen, l'exercice physique, la prise modérée d'alcool et l'arrêt du tabac entraînent une chute de 65 % de la mortalité globale à dix ans** [1]. **Autrement dit, les changements liés au mode de vie ont plus d'impact que celui des médicaments !**

Comment organiser votre dépistage des risques cardiovasculaires

Une visite régulière chez le médecin

Commencez par faire une prise de sang [2] à jeun pour faire un bilan qui comporte :

— une recherche de cholestérol (bilan lipidique avec détermination du cholestérol total, des triglycérides, du HDL-cholestérol et calcul du LDL-cholestérol) ;

— une recherche du sucre dans le sang pour dépister un diabète (glycémie à jeun) ;

— un dosage de la créatinine en cas d'hypertension artérielle, car l'hypertension abîme les reins. Ce dosage permet de savoir si vos reins souffrent et éventuellement de vous soigner en conséquence.

1. Knoops K. T., de Groot L. C., Kromhout D. *et al.*, « Mediterranean diet, lifestyle factors, and 10-year mortality in elderly European men and women : the Hale project », *JAMA*, 292(12), 22 septembre 2004, p. 1433-1439.

2. ANAES, *Modalités de dépistage et de diagnostic biologique des dyslipidémies en prévention primaire*, octobre 2000.

Faut-il renouveler souvent cette prise de sang ? Cela dépend de vos résultats et de vos autres facteurs de risque (voir le chapitre sur le dépistage).

Chaque fois que vous consultez un médecin, quelle qu'en soit la raison, veillez à ce qu'il prenne votre tension.

À savoir : si vous reprenez le sport après 45 ans, faites également faire un électrocardiogramme d'effort.

Calculez votre risque global de faire un accident cardiovasculaire.

Quel est votre risque de faire un accident cardiovasculaire dans les dix ans à venir ? Pour le savoir, situez-vous sur le tableau du SCORE MODEL mis au point par la société européenne de Cardiologie [1]. Pour cela, vous avez besoin de connaître :
— votre taux de cholestérol total (en mmoles/ l. ou en mg/ dl) ;
— votre tension artérielle ;
— votre statut de fumeur ou non-fumeur ;
— votre âge ;
— votre sexe.

L'idéal est, si votre âge vous le permet, de vous situer dans la zone où le risque d'accident cardio-vasculaire est inférieur à 5 % dans les dix ans (zone claire). Bien sûr, avancer en âge augmente les risques, mais sachez que les facteurs non modifiables (âge, hérédité, sexe...) interviennent seulement dans moins de 10 % des infarctus. Le reste dépend de facteurs modifiables, donc de vous-même, de vos décisions et de vos actions !

Vous pouvez encore calculer d'autres scores de risque cardio-vasculaire qui font appel à davantage d'informations (diabète, niveau de HDL-cholestérol – bon cholestérol) en allant sur les sites Internet suivants :
— http://www.hbroussais.fr/Scientific/fram.html (en français, calcule aussi bien le risque d'accident cardiaque que le risque d'accident vasculaire cérébral. Mais attention, il s'agit d'un site médical, donc la manière d'expliquer peut vous paraître un peu hermétique !) ;

---

1. *European Journal of Cardiovascular Prevention and Rehabilitation*, vol. 10 (suppl. 1), 2003.

Risque de subir un accident cardiovasculaire fatal à 10 ans

Femme — **Homme**

Pression artérielle systolique

Age 65

	Non-Fumeur	Fumeur	Non-Fumeur	Fumeur
180	4 5 6 6 7	9 9 11 12 14	8 9 10 12 14	15 17 20 23 26
160	3 3 4 4 5	6 6 7 8 10	5 6 7 8 10	10 12 14 16 19
140	2 2 2 3 3	4 4 5 6 7	4 4 5 6 7	7 8 9 11 13
120	1 1 2 2 2	3 3 3 4 4	2 3 3 4 5	5 5 6 8 9

Age 60

	Non-Fumeur	Fumeur	Non-Fumeur	Fumeur
180	3 3 3 4 4	5 5 6 7 8	5 6 7 8 9	10 11 13 15 18
160	2 2 2 2 3	3 4 4 5 5	3 4 5 5 6	7 8 9 11 13
140	1 1 1 2 2	2 2 3 3 4	2 3 3 4 4	5 5 6 7 9
120	1 1 1 1 1	1 2 2 2 3	2 2 2 3 3	3 4 4 5 6

Age 55

	Non-Fumeur	Fumeur	Non-Fumeur	Fumeur
180	1 1 2 2 2	3 3 3 4 4	3 4 4 5 6	6 7 8 10 12
160	1 1 1 1 1	2 2 2 3 3	2 2 3 3 4	4 5 6 7 8
140	1 1 1 1 1	1 1 1 2 2	1 2 2 2 3	3 3 4 5 6
120	0 0 1 1 1	1 1 1 1 1	1 1 1 2 2	2 2 3 3 4

Age 50

	Non-Fumeur	Fumeur	Non-Fumeur	Fumeur
180	1 1 1 1 1	1 1 2 2 2	2 2 3 3 4	4 4 5 6 7
160	0 0 1 1 1	1 1 1 1 1	1 1 2 2 2	2 3 3 4 5
140	0 0 0 0 0	1 1 1 1 1	1 1 1 1 2	2 2 2 3 3
120	0 0 0 0 0	0 0 0 1 1	1 1 1 1 1	1 1 2 2 2

Age 40

	Non-Fumeur	Fumeur	Non-Fumeur	Fumeur
180	0 0 0 0 0	0 0 0 0 0	0 1 1 1 1	1 1 1 2 2
160	0 0 0 0 0	0 0 0 0 0	0 0 0 1 1	1 1 1 1 1
140	0 0 0 0 0	0 0 0 0 0	0 0 0 0 0	0 1 1 1 1
120	0 0 0 0 0	0 0 0 0 0	0 0 0 0 0	0 0 0 1 1

Cholestérol mmol : 4 5 6 7 8 — 4 5 6 7 8 — 4 5 6 7 8 — 4 5 6 7 8

150 200 250 300 mg/dl

RÉSULTATS PAR TRANCHES			
Tranche 7	15% et au-delà	Tranche 4	3% à 4%
Tranche 6	10% à 14%	Tranche 3	2%
Tranche 5	5% à 9%	Tranche 2	1%
		Tranche 1	< 1%

— http://www.riskscore.org.uk (en anglais, pas forcément évident à comprendre).

Si votre risque est supérieur à 5 %, prenez rendez-vous avec votre médecin pour faire le point.

Infarctus et estrogène

Le traitement hormonal substitutif de la ménopause (THS) diminue de 28 % le risque de faire un infarctus, à condition d'être initié dès le début de la ménopause. C'est ce que vient de montrer une grande étude, la Nurses' Health Study (NHS) [1]. Cette étude va ainsi à l'opposé d'une précédente grande étude, la Women Health Initiative (WHI) qui ne montrait aucun effet protecteur des estrogènes sur le cœur. Comment expliquer la différence de résultat entre ces deux études ? Dans la première étude, les femmes commençaient leur THS dès l'âge de la ménopause alors que dans la seconde, les femmes le commençaient à 65 ans soit plus de dix ans après leur ménopause. En conclusion, le traitement estroprogestatif de la ménopause protège le cœur à deux conditions : être commencé dès l'âge de la ménopause et comporter un estrogène associé à une progestérone naturelle.

Comment prévenir les accidents vasculaires cérébraux ?

Nous avons beaucoup parlé d'infarctus du myocarde et un peu moins des autres accidents vasculaires. Il en existe deux autres : l'accident vasculaire cérébral (AVC), ou attaque cérébrale, et l'artérite des membres inférieurs.

Les maladies cardiovasculaires constituent la première cause de mortalité avec 180 000 décès par an en France. L'accident vasculaire cérébral à lui seul représente les deux tiers de ces décès et constitue la première cause de handicap physique ou intellectuel. La prévention des attaques cérébrales est donc aussi essentielle que celle des infarctus.

Pour prévenir les attaques cérébrales et les artérites des membres inférieurs, la même stratégie doit être utilisée que pour

---

1. Grodstein F., Manson J. E., Stamfer M. J., « Hormone Therapy and Coronary Heart Disease : The role of Time since Menopause and age at Hormone Initiation », *Journal of Women's Health*, 5(1) 2006.

l'infarctus du myocarde. Elle consiste à éliminer les facteurs de risque, soit en les traitant, soit en adaptant son mode de vie. Il faut particulièrement être vigilant pour sa tension artérielle, facteur de risque numéro un pour les accidents vasculaires cérébraux.

Enfin, en cas de risque élevé, prendre de l'aspirine et une statine est justifié car les statines réduisent le risque de faire un accident vasculaire cérébral de 27 %, tout en protégeant le cœur [1].

Que font les personnes qui connaissent tout cela ?

Entre savoir quelque chose et le mettre en pratique, il y a parfois un monde ! C'est pourquoi nous avons interviewé quelques cardiologues, au courant de toute la recherche pour leur demander comment ils réagissaient par rapport à toutes ces connaissances.

Hervé, 46 ans, est médecin cardiologue installé en libéral :

« Que faites-vous pour vous-même en prévention des maladies cardiovasculaires ?
— Je ne prends aucun médicament et je ne fais jamais de bilan par prise de sang. Il y a sept ans, j'en ai quand même fait un, parce que j'ai fait un emprunt et que l'assurance l'exigeait. Tout était normal. Comme activité physique, je cours deux fois par semaine pendant une heure et demie. 15 kilomètres à chaque fois. Franchement, je n'y prends aucun plaisir. Je le fais parce que je sais que deux fois une heure trente de sport par semaine, ça diminue les risques cardiovasculaires ! Si pour une raison ou une autre, je ne peux pas courir pendant une semaine, je me sens moins bien. Quand j'ai ma dose, je suis plus en forme.
Sinon, je jardine beaucoup, car j'ai un hectare de terrain. Aujourd'hui dimanche, j'ai enlevé deux souches de saules et taillé des haies...
Si je cours, c'est aussi parce que je n'ai pas envie de prendre des kilos : je pèse 70 kilos pour 1,77 mètre.
Dans mon alimentation, j'utilise de l'huile d'olive. Et je mange du poisson deux ou trois fois par semaine. Je n'aime pas ça, mais je sais que c'est bon pour la santé. La viande, je n'en prends jamais plus d'une ou deux fois par semaine. Par contre, les fruits et les

---

1. « Heart Protection Study Collaborative Group. MRC/BHF Heart Protection Study of cholesterol lowering with simvastatin in 20,536 high-risk individuals : a randomised placebo-controlled trial », *Lancet*, 360(9326), 6 juillet 2002, p. 7-22.

légumes frais, c'est tous les jours et le plus possible. Il faut dire que j'ai une employée de maison qui fait les courses et la cuisine, alors, c'est pratique !

Je ne prends aucun complément alimentaire vitamines ou autres, et je n'ai jamais fumé.

Moi qui n'ai jamais été sportif, je pense que le plus important, c'est l'activité physique. C'est certainement plus efficace que n'importe quel traitement. J'ai aussi la chance de n'avoir aucun facteur de risque familial particulier. »

Damien, 56 ans, est aussi médecin cardiologue installé en libéral :

> « *Que faites-vous pour vous-même en prévention des maladies cardiovasculaires ?*
> — Comme je suis hypertendu, je prends un traitement pour ma tension. Je fais régulièrement un bilan de cholestérol et de glycémie et je prends très souvent ma tension.
> À chaque fois que je pars en vacances, ce qui se produit sept ou huit fois par an pour une semaine, j'ai une activité sportive quotidienne (footing ou tennis). Mais dans l'année, c'est moins régulier. Je n'aime pas tellement le sport, je me force un peu pour en faire, car je sais que c'est important.
> Je ne fume pas du tout. Ce n'est pas difficile pour moi, car je n'ai jamais fumé. Je pense qu'il y a très peu de cardiologues qui fument. À mon avis, pas plus de 2 ou 3 %.
> Je passe mon temps à faire attention à ne pas grossir. Mon arrière-grand-père et mon père sont morts d'infarctus, alors, ça me motive vraiment pour faire attention. Et je surveille de près mon périmètre abdominal, car je suis aussi d'une famille de gros. Pour moi, garder un poids correct, c'est un combat quotidien.
> Quand je vais au restaurant, ce qui est fréquent, je choisis systématiquement du poisson. Chez moi, je force sur les légumes et les fruits. Et je suis revenu à l'huile d'olive, j'essaie de manger selon le régime méditerranéen. »

Francis, médecin cardiologue en hôpital, 47 ans :

> « *Que faites-vous pour vous-même en prévention des maladies cardiovasculaires ?*
> — Je prends régulièrement une statine car j'ai un peu de cholestérol. Je suis consciencieux pour cela. Je change de médicament, en général, il s'agit du Tahor® ou du Zocor®. Actuellement, il y a une tendance, chez les cardiologues, à prendre des statines très facilement en prévention, même si leur cholestérol n'est pas franchement élevé. Beaucoup de cardiologues ajoutent de l'aspirine.

Personnellement, je ne prends pas d'aspirine, car, même à petites doses, l'aspirine augmente le risque de saignements digestifs ou d'hémorragies cérébrales. Et je n'ai pas envie de courir ce risque. Je connais un cardiologue américain qui n'a jamais eu d'infarctus. Pourtant, il prend, en prévention, quatre médicaments, les mêmes que ceux que l'on prescrit aux personnes qui ont déjà eu un infarctus. Avec les mêmes connaissances, les cardiologues n'ont pas tous la même réaction que moi !

Je fais assez régulièrement un bilan de cholestérol (cholestérol total, HDL, LDL, apolipoprotéines), car dans les congrès de cardiologie, on nous les propose sur les stands. Beaucoup de mes collègues le font aussi. En général, ils n'aiment pas aller près de chez eux dans un laboratoire d'analyse pour un bilan, car ils n'ont pas envie que cela laisse des traces en cas d'anomalies, à cause des assurances. (Qui pourraient refuser un emprunt par exemple, ou augmenter les primes...)

En revanche, comme dans ces congrès, on ne dose pas la glycémie, je ne fais jamais ce dépistage du diabète.

Je ne pratique aucune activité physique, parce que ça m'emmerde ! Pour mon alimentation, je fais assez peu attention. J'utilise l'huile d'olive, c'est vrai. Je ne mange pas d'œufs, mais pour le reste, rien de spécial. Je remarque quand même que, dans les congrès de cardiologie, les repas sont presque toujours constitués d'un plat de poisson. C'est normal, on ne va pas proposer des frites !

Je ne prends aucune vitamine, je suis contre ces compléments.

Finalement, être cardiologue et savoir ce qui n'est pas souhaitable me gâche plutôt la vie ! Je préférerais ne rien savoir ! »

Que conclure ?

Avec les mêmes connaissances, les médecins eux-mêmes ne réagissent pas tous pareil ! C'est donc à vous de décider du niveau d'effort et du niveau de protection que vous voulez vous donner. Cela dépend de l'intérêt que vous portez au sport, à l'alimentation et des angoisses que vous pouvez avoir de faire un infarctus ou un accident vasculaire cérébral. Une chose nous semble importante à ajouter : faire de la prévention cardiovasculaire, c'est aussi garder toutes ses artères en bon état dans tout le corps. Ce n'est pas seulement la mortalité qui baisse, mais la qualité de vie qui est augmentée. Prenons par exemple les troubles de l'érection chez l'homme. Si vous avez de bonnes artères, vous avez moins de risques d'en souffrir. De même, pour la circulation dans les jambes ou dans le cerveau, sans aller jusqu'à la menace d'infarctus.

En synthèse, pour ceux qui veulent se donner le maximum de chances, il est possible de retenir les modalités de prévention suivantes en fonction de leurs niveaux de risque :

Niveau de risque	Mesures de prévention optimales
Niveau de risque bas	Nutrition + Activité physique + Psychisme positif + oméga 3
Facteur de risque élevé mais isolé : Hypertension artérielle (HTA) ou cholestérol	Nutrition + Activité physique + Psychisme positif + oméga 3 + traitement HTA si HTA + statine si cholestérol
Niveau de risque élevé (diabète, syndrome métabolique, antécédents familiaux précoces, risque >5 % à dix ans, HTA très élevée, cholestérol très élevé, inflammation chronique, obésité/sédentarité	Nutrition + Activité physique + Psychisme positif + oméga 3 + traitement facteur de risque (cholestérol, HTA, diabète) + aspirine * (ou clopidogrel) et statine
Plaques d'athérome constituées Post Infarctus du myocarde	Nutrition + Activité physique + Psychisme positif + oméga 3 Aspirine (ou clopidogrel), statine, IEC, Bêtabloquant * * *

* L'aspirine réduit de 36 % le risque de faire un infarctus [1], même si elle ne réduit pas le risque d'attaque cérébrale chez les personnes qui n'en ont encore jamais fait.
* * IEC ou Inhibiteur de l'enzyme de conversion. Il s'agit d'un antihypertenseur qui protège particulièrement les reins et les artères. Voir le chapitre médicaments.
* * * Les bêtabloquants constituent une autre classe d'antihypertenseurs qui ralentit le cœur et diminue sa charge de travail.

1. Hansson L., Zanchetti A., Carruthers S. G. *et al.*, « Effects of intensive blood-pressure lowering and low-dose aspirin in patients with hypertension : principal results of the Hypertension Optimal Treatment (HOT) randomised trial. HOT Study Group », *Lancet*, 351(9118), 13 juin 1998, p. 1755-1762.

L'alcool : poison ou médicament ?

L'alcool a-t-il des effets bénéfiques pour la santé, ou plutôt des effets néfastes ? S'il a un intérêt, quelle sorte d'alcool faut-il préférer et à quelle dose ?

En France, un écueil a longtemps empêché de trouver des réponses claires à ces questions. Nous sommes en effet dans un pays qui produit du bon vin, et ce qui est bon est censé faire du bien ! Culturellement, le vin fait partie de notre patrimoine. Alors la plupart des Français, y compris certains chercheurs, ont l'idée préconçue qu'un peu de bon vin, ça ne peut pas faire de mal. Mais qu'en est-il vraiment ?

L'alcool est dangereux, même à faibles doses

En France, 700 à 2 000 enfants sont victimes chaque année d'un syndrome d'alcoolisation fœtale [1]. Il s'agit d'un retard mental dû à l'effet direct de l'alcool sur les cellules du cerveau de l'enfant, les fameux neurones. Cet effet toxique s'observe lorsqu'une femme enceinte boit de l'alcool pendant sa grossesse. Et il suffit de doses d'alcool très faibles pour provoquer ces terribles dégâts. C'est la raison pour laquelle le gouvernement a décidé que toutes les bouteilles de boissons alcoolisées devraient afficher un avertissement pour prévenir les femmes enceintes et les inciter à ne pas boire du tout d'alcool pendant leur grossesse. A priori, une telle décision ne pouvait qu'être encouragée. Alors, que

_____

1. www.sante.gouv.fr.

s'est-il passé ? Le lobby de l'alcool a mis tout son poids pour contrer cette mesure. Et il a eu gain de cause. Vous ne voyez toujours aucun avertissement sur les bouteilles, et des enfants vont continuer à être victimes par manque d'information des futures mères. Un petit espoir : même en militant contre l'accès à l'information du grand public, le pouvoir de l'alcool a réussi seulement à retarder la décision, et si les personnes qui décident ont suffisamment d'éthique et d'intérêt humain pour la santé de ceux qu'ils gouvernent, d'ici à quelques années, des avertissements seront enfin apposés sur les bouteilles. En attendant, tant pis pour les enfants qui seront victimes et pour les mères qui n'auront pas été informées qu'il ne fallait absolument pas boire d'alcool pendant leur grossesse. Les lois censées protéger les faibles protègent parfois plutôt les riches et les puissants. Malheureusement, cela n'étonne plus personne.

Cette maladie, l'alcoolisation fœtale, nous enseigne deux choses :

— de très petites doses d'alcool peuvent être extrêmement toxiques ;

— il faut du temps pour se mobiliser contre les effets négatifs de l'alcool, car boire un peu est considéré comme une norme en France. Il semble donc difficile de préconiser à quelqu'un d'être totalement abstinent pendant neuf mois, même si la santé de son enfant est en danger ! Ainsi, le syndrome d'alcoolisation fœtale était connu depuis très longtemps sans que rien ait été fait.

L'alcool augmente le risque de cancers du sein, du foie, du poumon, du côlon, du rectum, de la bouche, de l'œsophage, du pharynx, du larynx. C'est ce que montre une enquête de l'Inserm menée en 2002 [1].

Pendant longtemps, les études scientifiques ne se sont intéressées qu'aux buveurs excessifs. Elles ont montré l'effet toxique de l'alcool sur les organes directement concernés (bouche, pharynx, larynx, œsophage, foie). L'alcool a donc été considéré comme responsable de seulement 10 % des cancers. Or, c'est faux, l'alcool est à l'origine de nombreux autres cancers chez des buveurs non excessifs, chez monsieur ou madame Tout-le-monde.

---

1. Alcool, effets sur la santé : une expertise collective de l'Inserm, 2002, *Consommation d'alcool et cancers*. World Cancer Research Fund, anonyme, 1997.

L'alcool joue par exemple un rôle dans le cancer du sein, même à très petite dose ! Ainsi, le risque de cancer du sein augmente de 10 % pour un verre quotidien de 10 centilitres. Pire, ce risque est proportionnel à la quantité d'alcool que vous buvez. Chaque verre de 10 centilitres quotidien augmente le risque de 10 %, et cela jusqu'à 6 verres par jour [1]. L'effet cancérigène de l'alcool apparaît donc dès le premier verre !

☞ **L'alcool est cancérigène, même en cas de faible consommation. La dose d'alcool la moins cancérigène est la dose zéro !...**

L'alcool est cancérigène et cardioprotecteur

La France étant le pays du bon vin, il est difficile d'accepter ce genre d'idées.

Le professeur Renaud [2] a même inventé le fameux « paradoxe français » : le fait de boire du vin protégerait les Français des maladies cardiovasculaires. Il faut dire qu'avec des facteurs de risques identiques ils en meurent moins que d'autres populations. Mais il n'est pas certain que cette hypothèse, si séduisante au demeurant, soit réaliste !

Bon nombre de personnes ont intérêt à ce que l'alcool soit présenté comme bénéfique : ceux qui vivent de sa production, de sa commercialisation, et bien sûr l'état qui le taxe très fortement. Nous ne prétendons pas que les lobbies de l'alcool cherchent à travestir la réalité, mais simplement qu'il n'y a guère de contrepoids à leur pouvoir. Cela peut être très grave, comme ce qui s'est passé pour les femmes enceintes.

☞ **Si boire de l'alcool a un impact négatif pour les cancers, boire un peu se révèle cependant bénéfique contre les maladies cardiovasculaires.**

---

1. Smith-Warner S. A., Spiegelman D., Yaun S. S. *et al.*, « Alcohol and breast cancer in women : a pooled analysis of cohort studies », *JAMA*, 279(7), 18 février 1998, p. 535-540.
2. De Lorgeril M., Renaud S., Mamelle N. *et al.*, « Mediterranean alpha-linolenic acid-rich diet in secondary prevention of coronary heart disease », *Lancet*, 343, 1994, p. 1454-1459.

Que contient un verre d'alcool ?

Il est généralement considéré qu'un verre d'alcool est équivalent quel que soit le spiritueux. Ainsi la dose moyenne de 10 g d'alcool par verre correspond à :
— 1 verre de 10 centilitres de vin à 12° ;
— 1 verre de 2,5 centilitres de pastis à 45° ;
— 1 verre de 10 centilitres de champagne à 12° ;
— 1 verre de 7 centilitres de porto à 18° ;
— 1 verre de 2,5 centilitres de whisky à 45° ;
— 1 verre de 25 centilitres de bière à 5°.
Chaque gramme d'alcool apporte 7 calories. Chaque verre d'alcool représente donc 70 calories. À raison de 2-3 verres par jour, cela fait un supplément énergétique de l'ordre de 5 à 10 % des besoins journaliers et, à la longue, des conséquences sur le poids.

En ce domaine, il existe réellement une dose d'alcool qui fait du bien. Quelqu'un qui boit un peu est moins exposé aux risques cardiovasculaires qu'un abstinent total [1]. Cet effet positif est observé pour une consommation inférieure à 2-3 verres par jour.

☞ **Mais attention, dès 3 verres d'alcool par jour, le risque de faire un accident vasculaire cérébral devient important.**

Les hommes qui boivent plus de 3 verres d'alcool par jour ont un risque d'accident vasculaire cérébral ischémique (AVC ou infarctus cérébral) augmenté de 42 % par rapport aux abstinents ! Or l'AVC est un infarctus du cerveau. En revanche, le taux d'AVC chez les abstinents ou ceux qui consomment moins de 2 verres d'alcool moins de quatre jours par semaine est similaire [2].

☞ **Boire un peu d'alcool est bénéfique pour le cœur et les artères.**

Ce qui compte, c'est en fait la mortalité globale, toutes causes confondues. En effet si une substance est extrêmement cancéri-

---

1. Alcool, effets sur la santé : une expertise collective de l'Inserm, *op. cit.*

2. Mukamal K. J., Ascherio A., Mittleman M. A. *et al.*, « Alcohol and risk for ischemic stroke in man : the role of drinking patterns and usual beverage », *Ann. Intern. Med.*, 142(1), 4 janvier 2005, p. 124.

gène, elle ne présente guère d'intérêt, même si elle guérit une maladie particulière ! L'important est de trouver plus de bénéfices à la prendre que de risques !

Voici ci-dessous une courbe qui présente la mortalité globale en fonction de la dose d'alcool consommée. Au-delà de 2 ou 3 verres par jour (2 pour les femmes et 3 pour les hommes), plus on boit, plus le taux de mortalité augmente ! Il faut donc absolument rester en dessous de cette dose.

La mortalité est la plus basse lorsqu'on boit entre 1 et 6 verres par semaine. La mortalité est même plus faible que celle des gens qui ne boivent jamais.

On appelle cela une courbe en J.

Pourquoi cette forme de J ? C'est qu'à petites doses, l'effet bénéfique de l'alcool sur les artères compense largement son effet cancérigène. Autrement dit, quand on boit si peu, l'effet cancérigène est peu important, alors que l'effet sur le cœur est intéressant.

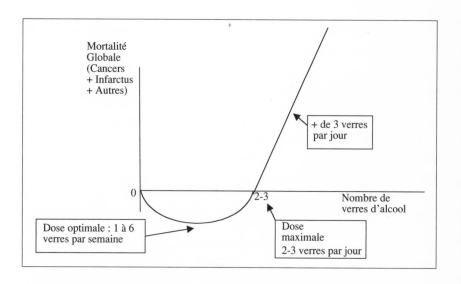

Le risque de mortalité pour un non-buveur est le même que celui d'une personne qui boit 2 ou 3 verres par jour. Mais ce n'est pas la dose idéale, car ce buveur a déjà un risque de cancer augmenté. Donc 2 verres par jour pour les femmes, et 3 pour les hommes, c'est la dose à ne pas dépasser. Au-delà, l'alcool devient dangereux, y compris pour les artères !

☞ **La dose idéale d'alcool pour laquelle la mortalité totale est la plus basse est comprise entre 1 et 6 verres par semaine.**

Comme ce raisonnement est un peu complexe, tout le monde a tendance à s'emmêler les pinceaux et il n'est pas facile de trouver une réponse claire à la question suivante : quelle dose d'alcool boire pour optimiser sa santé ?

Voici quelques exemples d'avis sur la consommation d'alcool, venant de sources compétentes, et pourtant assez peu limpides !

Le professeur Renaud [1] parle du régime crétois qui diminue le risque de deuxième infarctus de 73 % par rapport à un régime prudent classique. « Deux aliments du régimes crétois ont un effet protecteur : les fruits en grande quantité et le vin rouge à doses modérées. » Nous avons donc comparé en détail la consommation de fruits et de vin dans les deux régimes étudiés. La consommation de fruits est effectivement plus importante dans le régime crétois par rapport au régime prudent : 251 grammes par jour contre 203. Mais celle du vin est identique dans les deux groupes : 145 grammes par jour dans le régime crétois, contre 149 grammes dans le régime témoin. Autrement dit, la consommation de vin ne peut absolument pas expliquer la différence entre les deux régimes !

Pourquoi alors affirmer le contraire ? Nous préférons penser qu'il s'agit d'une idée préconçue plutôt que d'un intérêt économique qui aurait influencé ces études très sérieuses !

Le professeur Yusuf, médecin cardiologue de renommée mondiale, affirme lui aussi que l'alcool aurait un rôle bénéfique important en prévention des maladies cardiovasculaires. Or, en regardant à la loupe, les résultats de son étude internationale, la plus importante jamais réalisée sur les facteurs de risques cardiovasculaires [2], il s'avère que l'alcool n'a en fait aucun effet significatif. Cela veut dire que, si l'alcool a réellement un effet positif sur le cœur, celui-ci est très modéré !

---

1. De Lorgeril M., Renaud S., Mamelle N. *et al.*, art. cit.
2. Dans la plus grande étude réalisée à ce jour sur les facteurs de risques cardiovasculaires, l'étude « Interheart » effectuée dans 52 pays, le professeur Yusuf retient 10 facteurs influençant la survenue d'un infarctus. D'après lui, si vous ne consommez pas du tout d'alcool, vous augmentez votre risque d'infarctus. Or, sur les 10 paramètres étudiés, l'alcool n'est absolument pas significatif. D'un point de vue scientifique, ce facteur alcool aurait donc dû être éliminé...

L'Institut national de prévention et d'éducation pour la santé (INPES) a publié un excellent guide, *La santé vient en mangeant – le guide alimentaire pour tous* [1]. Si la plupart des recommandations y sont très claires (manger au moins 5 fruits et légumes par jour...), les directives concernant l'alcool sont très confuses et même contradictoires, comme vous pouvez le constater !

— Il est important de se souvenir que, pour prévenir le risque de cancer, il est recommandé de ne pas boire d'alcool.

— Pour ne pas grossir, évitez de consommer des boissons alcoolisées.

— La non-consommation de boissons alcoolisées, préconisée par certaines religions, va plutôt dans le sens des recommandations nutritionnelles.

— Chez les femmes enceintes, il est recommandé de supprimer complètement les boissons alcoolisées.

— Pour ceux dont le budget est serré : les boissons alcoolisées sont chères et sont des facteurs de déséquilibre nutritionnel.

— La réduction du risque de maladies cardiovasculaires suggérée par certaines études (et non clairement démontrée) ne s'observe, de toute façon, que pour des consommations inférieures à l'équivalent de 2 verres de vin par jour.

— Pour l'adulte amateur de vin, boire un verre par repas reste raisonnable.

— Au restaurant, pensez à demander de l'eau pour vous limiter plus facilement à un ou deux verres de vin ou de bière sur l'ensemble du repas.

Et pourtant, le message de base qui est exprimé 7 fois dans le guide est le suivant :

« Limitez la consommation de boissons alcoolisées qui ne devrait pas dépasser, par jour, 2 verres de vin de 10 centilitres pour les femmes et 3 pour les hommes ».

Autrement dit, dans le même guide, nous apprenons que l'alcool est un facteur de déséquilibre nutritionnel, qui entraîne des cancers dès le premier verre, dont les effets bénéfiques sur le cœur ne sont pas démontrés et qui est très dangereux dès le 2e verre par jour chez les femmes et le 3e chez les hommes, et on nous conseille simplement, par 7 fois, de ne pas dépasser 2 à 3 verres de vin par jour ! Personne ne répond à la question la plus intéressante : quelle quantité d'alcool idéale faut-il consommer pour être

---

1. INPES, *La santé vient en mangeant – le guide alimentaire pour tous*, 2002.

au mieux de sa forme ? Est-ce qu'un peu d'alcool est bénéfique, ou est-ce que boire un peu d'alcool n'est après tout pas si toxique que cela ? Faut-il encourager, pour leur santé, les abstinents à boire un petit peu ? Aucune de ces questions ne trouve de réponse.

☞ **L'alcool est à la fois un cancérigène et un cardioprotecteur.**

Le paradoxe français

En France, on boit bien, et paradoxe : les hommes français meurent moins de maladies cardiovasculaires que les hommes des autres pays occidentaux. L'explication la plus couramment retenue est donc la consommation de vin. Nous proposons une autre vision beaucoup moins attrayante !

Si les hommes français meurent moins de maladies cardio-vasculaires, c'est qu'ils meurent prématurément de cancers (les hommes français sont les champions du monde du cancer), de cir-rhoses et de morts soudaines. Or, quand on est mort par cancer ou par accident, on ne peut plus mourir d'un infarctus. Et l'alcool est très impliqué dans tous ces décès prématurés ! En vous tuant plus rapidement d'autre chose, l'alcool vous empêche de mourir d'un infarctus !

Un exemple très significatif, celui de Pierre : à 70 ans, après deux infarctus du myocarde, Pierre meurt d'un cancer du poumon. Son premier infarctus, survenu à 60 ans, était très grave, et a abîmé son cœur. Son deuxième infarctus, à 65 ans, moins grave, a néanmoins abîmé encore plus son cœur. Il n'a ensuite pu mener qu'une vie confinée à la maison. Comme son médecin le lui avait demandé, il avait arrêté de fumer dès son premier infarctus. Et, comme son médecin lui avait expliqué que l'alcool était bon pour son cœur, il continuait à boire consciencieusement 2 à 3 verres de vin par repas. À 70 ans, on lui découvre un can-cer du poumon et il meurt quatre mois plus tard dans beaucoup de souffrances.

Or, le tabac et l'alcool sont des facteurs bien connus du cancer du poumon. Car l'alcool et le tabac sont des substances cancéri-gènes. Le tabac et l'alcool ont donc tué Pierre. Mais comme, pour les statistiques, on ne peut mourir que d'une seule cause, Pierre est simplement mort d'un cancer. Et le fait de l'encourager à boire a certainement contribué à fabriquer son cancer. Il aurait peut-être mieux valu qu'il ne boive pas et qu'il meure d'un infarctus à 80 ans!

Comparons deux pays intéressants, la Grèce et la France dans les années 1990, époque où nous étions encore champions du monde en consommation d'alcool. La mortalité cardiovasculaire chez les hommes est beaucoup moins élevée en France, de presque 50 % en moins. Mais si l'on compare les chiffres de mortalité par 100 000 habitants, en tenant compte des maladies influencées par l'alcool, les résultats sont instructifs [1].

	France	Grèce	Différence entre Français et Grecs
Maladies cardiovasculaires	265	409	– 144 morts français
Cancers	297	219	
Cirrhoses	25	12	
Morts soudaines	151	98	
Total maladies influencées par l'alcool	473	329	+ 144 morts français

On constate ainsi que les Français meurent effectivement moins de maladies cardiovasculaires. Mais cet avantage est totalement annulé par les décès entraînés par les maladies liées à l'alcool!

Ce tableau confirme l'importance statistique des transferts de décès : les hommes français mourant relativement tôt de maladies liées à l'alcool meurent moins de maladies cardiovasculaires.

Au vu de ces chiffres, on ne saurait conseiller aux Grecs d'augmenter leur consommation d'alcool! Il nous semble donc que l'on ne peut pas interpréter le paradoxe français en s'extasiant sur nos bons scores de mortalité cardiovasculaire et en fermant les yeux sur notre place de n° 1 en mortalité par cancers. Car, rappelons-le, les hommes français sont ceux qui, dans le monde, meurent le plus de cancers!

---

1. Taux de mortalité masculine (par 100 000) corrigé pour l'âge en 1990-1991. Chiffres donnés par l'OMS dans l'*Annuaire des statistiques sanitaires mondiales* de 1993.

☞ **Trois verres d'alcool par jour chez un homme et deux verres par jour chez une femme, c'est la dose à ne pas dépasser.**

Quelle est la dose idéale ?

Moins de 2 verres par jour pour les femmes et moins de 3 verres par jour chez les hommes, c'est certain. *Mais quelle est la dose idéale ?*

Une seule étude détaille la mortalité associée à une consommation verre par verre, la Physician's Health Study (Gaziano, 2000). La dose associée à la plus faible mortalité est de *1 verre par semaine* ! Notons que les doses 2 à 4 verres et 5 à 6 verres par semaine ont des résultats un peu moins bons, mais toujours positifs dans le sens où elles réduisent aussi la mortalité globale.

Nombre de verres	Réduction de la mortalité
1 verre par semaine	– 26 %
2-4 verres par semaine	– 23 %
5-6 verres par semaine	– 22 %
1 verre par jour	– 18 %

1 verre par semaine, c'est très peu évidemment !

Il existe quelques autres études un peu moins précises sur la quantité d'alcool. Nous en avons retenu sept, une anglaise, une danoise et cinq américaines. Les plus puissantes, celles dont les effectifs sont les plus élevés, sont les cinq études américaines. Nous avons séparé les hommes des femmes car nous avons vu que les doses à ne pas dépasser par jour sont différentes selon le sexe : 2 pour les femmes et 3 pour les hommes.

Nous nous intéressons donc au point où les courbes de mortalité sont au plus bas, c'est-à-dire aux doses d'alcool pour lesquelles la mortalité globale est la plus faible. Selon ces études, ces doses vont de 1 à 14 verres par semaine pour les hommes et de 1 à 6 verres par semaine pour les femmes.

On peut regretter que, dans toutes ces études, un niveau plus fin de consommation d'alcool n'ait pas été analysé.

Mortalité la plus faible	Durée du suivi	Verres / Homme / semaine	Nombre participants	Verres / Femme / semaine	Nombre participantes
Prospective study among Male British doctors [1] (Doll 1994)	13 ans	8 à 14	12 321		
Physician's Health Study [2] (Gaziano 2000)	10,7 ans	1	89 299		
(Fuchs 1995 [3])	12 ans			1 à 3	85 299
National Health Interview Survey [4] (Liao 2000)	6 ans	1 à 7	17 821	1 à 6	25 874
American Cancer Society prospective study [5] (Boffetta 1990)	12 ans	1 à 7	238 802		
Cancer Prevention Study [6] (Thun 1997)	9 ans	7	238 206	1 à 7	251 420
Copenhagen City Heart Study [7] (Gronbaek 1994)	10-12 ans	1 à 6	6051	1 à 6	7 234

1. Doll R., Peto R., Hall E. *et al.*, « Mortality in relation to consumption of alcohol : 13years' observations on male British doctors », *BMJ*, 309, 1994, p. 911-918.

2. Gaziano J. M., Gaziano T. A., Glyn R. J. *et al.*, « Light-to-moderate alcohol consumption and mortality in the Physician's Health Study enrollment cohort », *J. Am. Coll. Cardiol.*, 35(1), janvier 2000, p. 96-105.

3. Fuchs C. S., Stamfer M. J., Colditz G. A. *et al.*, « Alcohol consumption and mortality among women, *N. Engl. J. Med.*, 332(19), 11 mai 1995, p. 1245-1250.

4. Liao Y., McGee D. L., Cao G. *et al.*, « Alcohol intake and mortality : findings from the National Health Interview Surveys (1988 and 1990) ».

5. Boffetta P., Garfinkel L., « Alcohol drinking and mortality among men enrolled in American Cancer Society prospective study », *Epidemiology*, 1(5), septembre 1990, p. 337-339.

6. Thun M. J., Peto R. F., Lopez A. D. *et al.*, « Alcohol consumption and mortality among middle-aged and elderly U.S. adults », *N. Engl. J. Med.*, 337(24), 11 décembre 1997, p. 1705-1714.

7. Gronbaek M., Deis A., Sorensen T. I. *et al.*, « Influence of sex, age, body mass index, and smoking on alcohol intake and mortality », *BMJ*, 308(6928), 26 février 1994, p. 598.

Pourquoi retenir seulement 7 études ?

Les études sur l'alcool et la santé paraissent par centaines. Parmi elles, nous en avons retenu seulement 7. Pourquoi ? Nous avons éliminé toutes les études qui ne détaillaient pas la consommation d'alcool entre 1 et 14 verres par semaine et celles qui ne tenaient pas compte de la mortalité globale (toutes causes confondues). Du coup, il en reste finalement très peu !

La consommation moyenne permettant d'optimiser les bénéfices de l'alcool sur la santé est comprise entre 1 et 6 verres par semaine, tant pour les hommes que pour les femmes, la consommation d'un verre par semaine étant toujours aussi efficace que celle de 6 par semaine.

☞ **Pour votre santé, 1 verre d'alcool par semaine est la dose idéale, celle qui a un effet bénéfique ! Et jusqu'à 6 verres par semaine, l'alcool a encore un effet positif.**

Oui mais, quand on aime le bon vin, c'est un peu triste quand même !

Boire plus de 6 verres par semaine, jusqu'à 2 ou 3 verres par jour (2 pour une femme et 3 pour un homme) tous les jours n'apporte plus aucun bénéfice pour la santé. Une personne voulant réellement préserver sa santé ne peut donc pas prendre comme argument « C'est bon pour ma santé » si elle boit à cette dose. Sa mortalité sera, en moyenne, identique à celle d'un non-buveur. Elle peut cependant dire : « Boire comme je le fais ne me fait pas de mal. » Et c'est vrai. Mais pour faire du bien à son corps, il faut en rester à une dose comprise entre 1 et 6 verres par semaine, c'est-à-dire nettement moins que 2 ou 3 verres par jour qui correspond à 14 à 21 verres par semaine.

Si vous choisissez de boire plus de 6 verres d'alcool par semaine, il serait bon pour vous de prendre quotidiennement des compléments en vitamines à la dose SU.VI.MAX (*cf.* conclusion du chapitre) pour prévenir les cancers auxquels vous vous exposez.

☞ **Au-delà de 6 verres par semaine et jusqu'à 2 verres par jour pour les femmes et 3 verres par jour pour les hommes, vous ne vous faites pas de mal... mais pas de bien non plus !**

Il est très probable que l'effet positif de l'alcool soit surestimé par des études françaises pourtant bien faites. Pourquoi ?

Dans toutes les études présentées, la mortalité des buveurs est comparée à celle des non-buveurs. C'est logique. Pourtant il est extrêmement difficile de comparer un groupe de buveurs et un groupe de non-buveurs dans les pays où, comme en France, boire de l'alcool est la norme. Car les personnes totalement abstinentes sont très peu nombreuses, de l'ordre de 10 % de la population. Elles ne sont absolument pas comparables au reste de la population. En effet, les non-buveurs comprennent des personnes malades à qui l'alcool est déconseillé (hépatites, cirrhoses...), des personnes prenant des médicaments qui contre-indiquent l'alcool, des anciens alcooliques devenus abstinents, des épileptiques pour qui l'alcool est dangereux... Une partie importante des non-buveurs peut donc avoir une mortalité augmentée par rapport à la population globale, non pas à cause de son abstinence, mais des problèmes qui l'ont menée à ne pas boire. Cela fausse tous les résultats des études [1] !

Dans toutes les études, plus le nombre de non-buveurs est élevé dans la population comparée, plus il existe de non-buveurs en bonne santé qui sont intéressants à comparer aux buveurs. Et conclusion, plus les non-buveurs en bonne santé sont nombreux, plus le chiffre de consommation idéale d'alcool devient bas.

☞ **Entre 1 et 6 verres d'alcool par semaine, il est possible qu'un verre par semaine soit plus bénéfique que 6 verres par semaine.**

---

1. C'est la raison pour laquelle nous n'avons pas retenu l'étude prospective de Renaud, bien que française, car les non-buveurs à qui l'on compare les buveurs sont estimés à 10 % – les chiffres exacts ne sont pas donnés –, et le groupe largement majoritaire boit 2 à 3 verres de vin par jour. Renaud S., Lanzmann-Petithory D., Gueguen R. *et al.*, « Alcohol and mortality from all causes », *Biol. Res.*, 37(2), 2004, p. 183-187.

Le vin est-il le meilleur alcool?

On prétend souvent que le vin est très bénéfique pour la santé. Est-ce vrai? Et si oui, peut-on en boire un peu plus que 1 à 6 verres par jour?

Même si le vin est bon, ce n'est pas une raison pour boire plus! Car boire du vin ne modifie pas la dose d'alcool qui permet la plus faible mortalité. Autrement dit, ce n'est pas parce que votre seule boisson alcoolisée est le vin que vous pouvez vous autoriser à boire plus que s'il s'agissait d'un autre alcool. Il vaut toujours mieux rester à une consommation modérée, entre 1 à 6 verres par semaine. Le vin cependant semble augmenter les effets bénéfiques de l'alcool. Une des rares études [1] qui fait la différence entre plusieurs sortes de boissons l'indique.

Les personnes qui boivent du vin sont davantage protégées que celles qui boivent un autre alcool : entre 1 à 7 verres par semaine, ceux qui boivent du vin réduisent leur mortalité de 34 % et ceux qui boivent un autre alcool la réduisent seulement de 10 %! Alors oui, le vin c'est bon, mais à petite dose!

Cette étude réaffirme que tous les alcools, autres que le vin, sont cancérigènes dès le premier verre. Le vin, lui, aux doses que nous conseillons semble protéger légèrement contre les cancers. Cette protection disparaît cependant rapidement avec des doses plus élevées, et l'effet cancérigène réapparaît alors. Le professeur Béliveau [2] affirme même sur des hypothèses scientifiques que seul le vin rouge aurait cet effet positif sur les cancers. Pourquoi le vin rouge serait-il meilleur pour la santé que les autres alcools? C'est sans doute dû à des antioxydants, les polyphénols qui proviennent de la peau des raisins. Dans la fermentation des vins blancs, cette peau est exclue. Une autre hypothèse suggère que le vin est généralement consommé au cours des repas, contrairement aux autres alcools. La bière consommée à table avec modération pourrait, peut-être aussi, se révéler bénéfique.

---

1. Gronbaek M., Becker U., Johansen D. *et al.*, « Type of Alcohol Consumed and Mortality from All Causes, Coronary Heart Disease, and Cancer », *Ann. Intern. Med.*, 133, 2000, p. 411-419.
2. Béliveau R. et Gingras D., *Les Aliments contre le cancer*, Éditions du Trécarré, Canada, 2005 ; Éditions Solar, France, 2006.

☞ **Quand on choisit de boire avec modération, entre 1 et 6 verres par semaine, le vin rouge semble donc la meilleure des boissons alcoolisée.**

En pratique, comment adapter votre façon de boire, en fonction de votre consommation actuelle ?

Nous avons trouvé une seule étude [1] qui s'intéressait au suivi des consommations des gens dans le temps. Elle nous permet de vous proposer les conseils suivants :

— *Si vous buvez déjà entre 1 à 6 verres* par semaine d'alcool, continuez ! Vous pouvez être satisfait de ce mode de vie.

— *Si vous buvez 7 à 13 verres* par semaine, vous avez intérêt à réduire votre consommation pour rester entre 1 à 6 verres par semaine.

— *Et si vous buvez plus de 13 verres d'alcool* par semaine ? Diminuez votre consommation pour arriver à vous situer entre 7 et 13 verres par semaine. Car passer directement à une dose nettement plus faible de 1 à 6 verres par semaine ne vous serait pas aussi bénéfique, du moins dans un premier temps.

— *Et si vous ne buvez pas ?* En vous mettant à boire 1 à 6 verres par semaine, votre mortalité baisserait de 6 % par rapport à ceux qui sont restés abstinents. Autrement boire un tout petit peu vous apporterait un très léger avantage. Cependant, on ne peut vous conseiller de vous mettre à boire, même 1 verre par semaine, car le risque de devenir dépendant à l'alcool est imprévisible.

Les fumeurs dont le cœur et les artères sont en danger sont-ils un peu protégés par l'alcool ?

Oui, une consommation modérée d'alcool est très légèrement bénéfique pour les fumeurs, *mais ce bénéfice ne compense en rien les dégâts provoqués par le tabac.*

Dans la plus grande étude du monde, la Cancer Prevention Study [2], qui analyse les données de 490 000 participants, les

---

1. Gronbaek M., Johassen D., Becker U. *et al.*, « Changes in alcohol intake and mortality », *Epidemiology*, 15, 2004, p. 222-228.
2. Thun M. J., Peto R. F., Lopez A. D. *et al.*, « Alcohol consumption and mortality among middle-aged and elderly U.S. adults », *N. Engl. J. Med.*, 337(24), 11 décembre 1997, p. 1705-1714.

auteurs concluent que « boire de l'alcool ne compense pas la très grande augmentation du risque due au tabac ».

Dans une autre étude, japonaise celle-ci (les Japonais fument beaucoup, d'où leur intérêt pour la question), les auteurs concluent qu'une consommation modérée d'alcool profite essentiellement aux non-fumeurs [1].

Existe-t-il un intérêt à boire quand on est jeune ?

Toutes les études présentées jusqu'ici ne concernent que des personnes de plus de 40 ans. Il est impossible d'en tirer des conclusions pour les plus jeunes.

Un regroupement de plusieurs études (méta-analyse) chez les hommes jeunes nous donne quelques éléments de réponse [2] :

— Les jeunes non-buveurs ont un risque de décès inférieur à ceux qui boivent 15 fois par mois.

— Une forte consommation d'alcool s'accompagne d'une forte augmentation de la mortalité. C'est la donnée la plus constante. Le risque mortel lié à l'alcoolisation aiguë est particulièrement élevé. Les accidents de la route représentent la première cause de mortalité chez les jeunes.

Il existe donc de nombreux arguments pour inciter les jeunes à ne pas boire, pour les protéger de l'alcool. En revanche, il n'y a aucune raison d'encourager des jeunes à boire un peu en affirmant que cela pourrait être bénéfique pour leur santé.

On ne peut donc pas recommander à quelqu'un de moins de 40 ans de boire, ne serait-ce qu'un peu. Si l'effet positif de l'alcool avant 40 ans n'a pas été démontré, son effet négatif est en revanche très bien connu.

☞ **C'est seulement après 40 ans qu'il serait utile de commencer à boire un tout petit peu de vin ! (1 à 6 verres par semaine)**

---

1. Tsugane S., Fahey M. T., Sasaki S. *et al.*, « Alcohol consumption and all-cause and cancer mortality among middle-aged Japanese men : seven-year follow-up of the JPHC cohort I. Japan Public Health Canter », *Am. J. Epidemiol.*, 150(11), 1er décembre 1999, p. 1201-1207.

2. Leino E. V., Romelsjo A., Shoemaker C. *et al.*, « Alcohol consumption and mortality. II. Studies of male populations », *Addiction*, 93(2), février 1998, p. 205-218.

Quand l'alcool favorise le sida

Il existe un effet très négatif de l'alcool chez les jeunes. C'est un médecin spécialiste du sida qui nous en a parlé. Il disait ceci : « La plupart des jeunes contaminés par le virus du sida que je vois en consultation l'ont été à cause de l'alcool. À jeun, ils savent très bien que le préservatif est indispensable pour se protéger. Mais, pendant une fête, quand ils ont bu, un peu ou beaucoup, leur niveau de vigilance baisse. Ils se désinhibent... et ils font l'amour sans préservatif. » L'alcool est ainsi certainement responsable d'un pourcentage élevé des séropositivités observées chez les jeunes pour le virus du sida. C'est un aspect de l'alcool dont il faut absolument parler pour le prévenir.

Quid des seniors ?

Est-ce que boire très modérément reste profitable quand on avance en âge ? La réponse est oui, le bénéfice obtenu est identique entre 50-64 ans et après 64 ans [1].

Et si on est malade du cœur ?

Habituellement, un peu d'alcool a un effet positif pour le cœur. Mais ce même alcool a-t-il un effet bénéfique si vous avez déjà eu un infarctus ? La réponse est oui et plusieurs études montrent que des consommations quotidiennes jusqu'à 3 ou 4 verres par jour limitent le nombre des rechutes après un infarctus du myocarde [2].

Mais si l'on s'intéresse à la mortalité globale, et pas seulement aux infarctus, alors la consommation « idéale » d'alcool est comprise entre 2 et 4 verres par semaine. Cela réduit la mortalité de 28 % [3].

---

1. Gronbaek M., Deis A., Becker U. *et al.*, « Alcohol and mortality : is there a U-shaped relation in elderly people ? », *Age Ageing*, 27(6), novembre 1998, p. 739-744.
2. Mukamal K. J., Conigrave K. M., Mittleman M. A. *et al.*, « Roles of drinking and type of alcohol consumed in coronary heart disease in men », *N. Engl. J. Med.*, 348(2), 9 janvier 2003, p. 109-118. De Lorgeril M., Salen P., Martin J. L. *et al.*, « Wine drinking and risks of cardiovascular complications after recent acute myocardial infarction », *Circulation*, 106, 2006, p. 1465.
3. Muntwyler J., Hennekens C. H., Buring J. E., Gaziano J. M., « Mortality and light to moderate alcohol consumption after myocardial infarction », *Lancet*, 352(9144), 12 décembre 1998, p. 1882-1885.

La Physicians'Health Study, étude américaine qui portait sur environ 90 000 hommes, a montré que, chez les personnes ayant trop de tension artérielle, consommer un peu d'alcool chaque semaine permettait de réduire le risque de décès toute cause confondue de 28 %, de 14 % pour une consommation mensuelle et de 27 % pour une consommation quotidienne [1]. La dose idéale semble donc se résumer à quelques verres par semaine.

☞ **Pour ceux dont le cœur est fragile, la consommation optimale d'alcool se situe entre 1 et 6 verres par semaine.**

Les personnes en surpoids, ou à risque élevé de diabète ont-elles intérêt à boire un peu ?

Chaque gramme d'alcool apporte 7 calories, soit 70 calories par verre de vin. Quand on veut perdre du poids, il vaut mieux tenir compte de cet apport en calories qui peut représenter plus de 10 % des besoins de l'organisme suivant les quantités bues.

En cas d'obésité (indice de masse corporelle ou IMC supérieur à 30), un peu d'alcool peut-il malgré tout avoir un effet bénéfique ?

Là encore, il semble que oui ! Les résultats de certaines prises de sang sont en effet favorablement influencés par un peu d'alcool : le taux de sucre dans le sang (glycémie), l'hémoglobine glyquée (recherchée dans le diabète car elle montre le degré de résistance à l'insuline). Cet effet favorable est optimum pour des consommations hebdomadaires faibles, de moins de 10 verres par semaine [2].

Certaines personnes ont un risque de développer un diabète de type 2. Une compilation de plusieurs études (une méta-analyse) récente portant sur 370 000 personnes a montré qu'une consommation comprise entre ½ et 2 verres par jour diminuait de 30 % le risque de développer un diabète [3].

1. Malinski M. K., Sesso H. D., Lopez-Jimenez F. *et al.*, « Alcohol consumption and cardiovascular disease mortality in hypertensive men », *Arch. Intern. Med.*, 164(6), 22 mars 2004, p. 623-628.

2. Dixon J. B., Dixon M. E., O'Brien P. E., « Alcohol Consumption in the Severely Obese : Relationship with the Metabolic Syndrome », *Obesity Research*, 10, 2002, p. 245-252.

3. Koppes L. L., Dekker J. M., Hendriks H. F., Bouter L. M., Heine R. J., « Moderate alcohol consumption lowers the risk of type 2 diabetes : a meta-analysis of prospective observational studies », *Diabetes Care*, 28(3), mars 2005, p. 719-725.

Attention !!! Nous n'avons pas trouvé d'étude sur l'effet de l'alcool sur la mortalité globale chez les gens obèses ou à risque de faire un diabète. Il n'est pas impossible que les effets néfastes de l'alcool puissent facilement contrebalancer ses avantages. Aussi, il convient donc d'être prudent et de s'en maintenir à une consommation optimale de 1 à 6 verres par semaine. Il est même possible qu'il soit préférable de rester dans la zone basse de cette fourchette, plus proche de 1 verre par semaine que de 6, l'effet bénéfique étant déjà présent et les effets négatifs ayant moins de risques de se produire.

Même en cas de diabète ou de surpoids, boire 1 à 6 verres d'alcool par semaine semble bénéfique. Mais, dans bien des cas, le médecin pourra prescrire l'abstinence ou une diminution encore plus nette, si l'alcool contribue à aggraver l'obésité ou le diabète.

Alcool et maladie d'Alzheimer

Le cœur et les cancers ne sont pas seuls à être influencés par l'alcool. Notre cerveau lui aussi ressent les effets de l'alcool ! En ce qui concerne la maladie d'Alzheimer, l'effet de l'alcool dépend de l'existence ou non d'un gène appelé apo E4 (voir chapitre sur la prévention de la maladie d'Alzheimer).

Les personnes qui ne sont pas porteuses de ce gène apo E4 ont beaucoup moins de risque de présenter une maladie d'Alzheimer et l'alcool a, chez eux, un effet protecteur même à plus de 2 verres par jour [1]. Cependant la dose idéale, celle pour laquelle la protection pour la maladie d'Alzheimer est maximale, est de 1 à 6 verres par semaine [2]. Autrement dit, l'idéal de consommation que nous avions déjà défini est également valable en prévention des démences.

20 % d'entre nous sont porteurs du gène de l'apo E4 et ont un risque plus élevé que les autres de présenter une maladie d'Alzheimer. Mais s'ils ne boivent jamais, ils ont un risque aussi bas de maladie d'Alzheimer que ceux qui n'ont pas ce gène et ne

1. Ruitenberg A. *et al.*, « Alcohol consumption and risk of dementia : the Rotterdam Study », *Lancet*, vol. 359, 26 janvier 2002, p. 281-286.
2. Mukamal K. J. *et al.*, « Prospective Study of alcohol consumption and risk of dementia in older adult », *JAMA*, 289, 2003, p. 1405-1413.

boivent pas [1]. Autrement dit, ce gène qui augmente le risque de maladie d'Alzheimer a seulement un effet nocif chez les buveurs [2]. Il n'a pas d'effet chez les non-buveurs.

Cela prouve que l'alcool est un co-facteur important de ce risque et qu'il contribue en grande partie au risque d'Alzheimer chez les porteurs de l'apo E4 pour qui il est multiplié par 3.

Pour les porteurs de l'apo E4, être non buveur est donc bénéfique. Ils peuvent cependant avoir un intérêt à boire un tout petit peu. Chez eux aussi, consommer 1 à 6 verres d'alcool par semaine a un effet préventif sur la maladie d'Alzheimer. Si l'on compare des personnes porteuses de l'apo E4 entre elles : les petits buveurs présentent un risque moindre d'Alzheimer. Mais boire un seul verre par semaine est aussi efficace en matière de prévention que 1 à 6 verres par semaine.

A contrario, à partir de 1 à 2 verres par jour, le risque de maladie d'Alzheimer est augmenté de 49 % et il est multiplié par plus de 3 au-delà [3].

Un point négatif : les excès d'alcool, les épisodes d'ivresse, même très occasionnels, sont très néfastes aux porteurs de l'apo E4 [4]. De simples excès, à raison de moins de 1 par mois, multiplient le risque d'Alzheimer par 2,3 alors que des excès plus fréquents, à raison de plusieurs fois par mois, multiplient le risque par 3,6 !

Pour ceux qui ne savent pas s'ils sont porteurs ou pas de l'apo E4 (c'est-à-dire la plupart d'entre nous), la consommation d'alcool optimale est donc comprise entre 1 et 6 verres par semaine. Au-delà, le risque de maladie d'Alzheimer augmente chez les porteurs qui s'ignorent.

Finalement, pour tous, boire 1 à 6 verres par semaine en évitant les occasions d'ivresse a tendance à protéger contre une maladie d'Alzheimer.

☞ **Pour se protéger de la maladie d'Alzheimer buvez entre 1 et 6 verres de vin par semaine et ne soyez jamais ivre.**

---

1. Anttila T. *et al.*, « Alcohol drinking in middle age and subsequent risk of mild cognitive impairment and dementia in old age : a prospective population based study », *BMJ*, 329(7465), 4 septembre, p. 539. Epub, 10 août 2004.
2. *Ibid.*
3. Mukamal K. J. *et al.*, art. cit.
4. Anttila T. *et al.*, art. cit.

Que faire si je souhaite continuer à boire tous les jours
plus d'un verre, 2-3 verres de vin ou plus?

Le message qu'il est bon de boire 2-3 verres de vin par jour est tellement bien intégré que certaines personnes s'y sont mises consciencieusement, pensant bien faire pour leur santé. D'autres aiment tellement le vin que diminuer leur consommation leur paraît inenvisageable. Que conseiller à ceux qui veulent continuer à boire leurs verres de vin tous les jours?

Mangez équilibré et consommez le plus possible de fruits, de légumes et de poisson. Ensuite, vous pouvez réduire votre risque de faire un cancer en prenant tous les jours un complexe vitaminique selon les doses de l'étude SU.VI.MAX soit :
— 30 milligrammes de vitamine E,
— 120 milligrammes de vitamine C,
— 6 milligrammes de bêta-carotène,
— 100 microgrammes de sélénium,
— 20 milligrammes de zinc [1].

C'est ce que nous conseillons à ceux qui veulent boire tous les jours leurs 2-3 verres d'alcool tout en leur rappelant de manger le plus possible de fruits, de légumes et de poisson.

Nous vous conseillons aussi d'essayer de vous abstenir totalement d'alcool un ou deux jours par semaine, de façon à ne pas vous laisser entraîner à boire plus au fil du temps. Rappelons que la dose maximale journalière pour ne pas se faire de mal est de 2 verres pour les femmes et de 3 verres pour les hommes.

Conclusion

Que ressort-il de ce panorama?

Une faible consommation d'alcool est bonne pour la santé. **La dose idéale pour diminuer au maximum la mortalité est comprise entre 1 et 6 verres par semaine** dans pratiquement tous les cas.

Il ressort aussi que ceux qui ne boivent pas n'ont pas vraiment à se forcer à boire un peu, le gain espéré étant très faible (6 %). Ou alors, il leur suffit de s'octroyer un verre de vin par semaine. Ceux

---

1. Hercberg C. *et al.*, « A randomized, placebo-controlled trial of the health effects of antioxidants vitamins and minerals », *Arch. Intern. Med.*, 164, 2004, p. 2335-2342.

qui boivent plus de 6 verres par semaine ont en revanche intérêt à réduire leur consommation.

Il ressort enfin que le vin rouge est sans doute l'alcool le plus bénéfique.

Que faire en pratique ?

Le plus simple est d'éviter de boire tous les jours et de réserver cette consommation aux occasions sympathiques, une à trois fois par semaine à raison d'un à deux verres à chaque fois. Cela revient souvent à choisir entre apéritif et vin à table. Par exemple : une coupe de campagne en apéritif et une eau minérale à table ou bien une boisson sans alcool à l'apéritif et du vin à table.

Reste le cas particulier de ceux qui veulent se donner les moyens d'éviter absolument une maladie d'Alzheimer. Tout épisode de consommation excessive leur est potentiellement préjudiciable, même s'il s'agit d'un seul événement par mois. S'ils sont porteurs du gène de l'apo E4, leur consommation doit impérativement rester en dessous des 6 verres par semaine, et s'ils ne sont pas porteurs, la dose optimale est aussi comprise entre 1 et 6 verres par semaine.

Les Français boivent de moins en moins

La quantité d'alcool commercialisée en France diminue : elle était de 104,6 litres en 1997 par an et par habitant. Elle n'est plus que de 95,7 litres en 2001. Cela fait encore beaucoup d'alcool !

Le détail des différentes boissons consommées est donné dans le tableau ci-dessous :

Boissons alcoolisées l/an/habitant	1997	1998	1999	2000	2001
Vins	64,88	66,26	64,72	54,62	61,96
Champagne	2,12	2,29	2,44	1,91	2,05
Bière	35,47	37,7	37,78	33,71	33,31
Cidre	6,42	6,52	6,4	5,53	5,58

L'idéal serait de boire 1 ou 2 verres de vin par semaine, dose à laquelle on tire le maximum de bénéfices de l'alcool en minimisant son rôle potentiellement toxique dans des pathologies telles que le cancer.

Et si vous buvez plus de 6 verres par semaine, prenez des compléments en vitamines à dose SU.VI.MAX pour prévenir les cancers (30 milligrammes de vitamine E, 120 milligrammes de vitamine C, 6 milligrammes de bêta-carotène, 100 microgrammes de sélénium et 20 milligrammes de zinc).

Vivez plus longtemps en diminuant le nombre de vos cigarettes ou en arrêtant de fumer...

La première chose à faire pour arrêter de fumer, c'est de se persuader que la cigarette, c'est vraiment mauvais. C'est même tellement mauvais que l'on ne connaît pas de pire serial killer sur terre !

Frédérique, 45 ans :

> « Mon père fumait énormément, 3 paquets par jour. Cela signifie qu'il allumait souvent une cigarette avec celle qu'il venait de terminer. Je détestais cette odeur, et j'étais très angoissée à l'idée qu'il puisse mourir. J'avais appris à l'école que fumer était dangereux et mon grand-père venait de mourir d'un cancer de la gorge lié au tabac. Alors, je suppliais souvent mon père d'arrêter de fumer.
> Il l'a fait d'un seul coup et il a tenu bon. Nous étions très contents mon frère, ma mère et moi et nous nous sommes vite habitués à cette nouvelle vie sans tabac. Je pense que notre angoisse et l'importance que nous avions pour lui ont beaucoup joué dans sa décision d'arrêter. »

Le tabac, c'est vraiment mauvais pour votre santé et votre vie

Quelques chiffres qui sont éloquents :
— Le tabac est le cancérigène numéro 1. Il provoque à lui tout seul 22 % des cancers [1]. Il est ainsi responsable de 90 % des cancers du poumon, de 53 % de ceux de la vessie 53 %, de

---

1. FNORS : www.fnors.org.

54 % de ceux de l'œsophage, 35 % de l'estomac et 33 % du pancréas [1].

— Le tabac est le premier poison du cœur et des artères. Même en fumant seulement 1 à 5 cigarettes par jour [2], on augmente son risque de 40 % de faire un infarctus. Ensuite, les chiffres sont exponentiels : le risque est multiplié par 2 pour 6 à 10 cigarettes, par 3 pour 11 à 15 cigarettes, par 3,5 pour 16 à 20, par 4 au-dessus de 20, par 9 au-dessus de 40 !

— Le tabac est l'enfer des poumons, la bronchite chronique obstructive amenant un fumeur sur 6 à une insuffisance respiratoire mortelle. (Les patients ayant une insuffisance respiratoire ne peuvent plus se déplacer sans l'aide d'une bouteille d'oxygène.)

— Le tabac est le premier facteur de vieillissement et de dégénérescence de l'organisme. Il aggrave toutes les maladies auto-immunes, comme la sclérose en plaques ou la polyarthrite rhumatoïde. Il asphyxie tous les organes dont la peau, le plus visible, dont le teint devient grisâtre et la texture plus parcheminée et ridée. Cet aspect de la peau est surtout un inconvénient esthétique, mais il correspond aussi à une réalité intérieure. Il est la facette visible des dégâts internes du corps. Un fumeur paraît cinq ans de plus qu'un non-fumeur du même âge [3] ! On peut donc dire que l'on se vieillit artificiellement.

Vous l'avez compris, le tabac, il n'y a pas pire pour votre corps. Mais n'allez surtout pas croire que le tabac ne devient dangereux qu'après dix années de tabagisme et qu'avant 30 ans, on est à l'abri :

— Le tabac chez les adolescentes qui commencent à fumer avant l'âge de 17 ans va augmenter de 19 % le risque ultérieur de faire un cancer du sein [4].

---

1. Siemiatycki J., Krewski D., Franco E. *et al.*, « Associations between cigarette smoking and each of 21 types of cancer : a multi-site case-control study », *Int. J. Epidemiol.*, 24(3) juin 1995, p. 504-514.

2. Yusuf S. *et al.*, « Effect of potentially modifiable risk factors associated with myocardial infarction in 52 countries (the INTERHEART study) : case-control study », www.thelancet.com. Publication en ligne le 3 septembre 2004.

3. C'est ce qui a été démontré par une étude finlandaise demandant à ses participants d'estimer l'âge de fumeurs ou de non-fumeurs d'après leur apparence : *Acta Dermato-Venereologica*, 84, 2004, p. 422-427, www.stop-tabac.ch.

4. Egan K. M., Stampfer M. J., Hunter D. *et al.*, « Active and passive smoking in breast cancer : prospective results from the Nurses' Health Study », *Epidemiology*, 13(2), mars 2002, p. 138-145.

— Le tabac provoque des infarctus et des attaques cérébrales avant l'âge de 30 ans.

— Il multiplie par 2,4 le risque de faire une dépression et il double le risque de se suicider si l'on fume moins de 25 cigarettes par jour. Et si l'on fume plus, ce risque est multiplié par 4 au-delà de ces 25 cigarettes journalières [1].

— Les adolescents qui fument plus d'un paquet par jour voient leur risque de faire des crises de panique multiplié par 15, d'anxiété généralisée par 5,6 et d'agoraphobie par 6,8 [2]... Le tabac rend-il vraiment heureux ?

Le tabac tue les fumeurs : Il est la cause de presque un quart des cancers, détruit les artères du cœur et du cerveau. Fumer tue, c'est indiqué sur chaque paquet de cigarettes !

Mais le tabac est aussi très dangereux pour les autres et cela peut être une motivation de plus pour vous. L'Académie de médecine rappelle que le tabagisme passif augmente [3] :

— les attaques cardiaques de 25 % ;

— les cancers du poumon de 25 % à 34 % [4],

— les infections respiratoires de l'enfant de 70 % si la mère fume,

— les crises asthmatiques de l'enfant,

— les morts subites du nourrisson,

— les souffrances fœtales, les bébés naissant plus petits et très fragilisés.

☞ **La fumée du tabac tue aussi ceux qui la respirent sans le vouloir.**

Alors, comment éviter ou limiter tous ces dégâts ?

Il existe deux approches : celle de la société et les mesures qu'elle prend contre le tabac et pour la santé des citoyens, et

---

1. Hemenway D., Solnick S. J., Colditz G. A., « Smoking and suicide among nurses », *Am. J. Public Health*, 83(2), février 1993, p. 171-172.

2. Johnson J. G., Cohen P., Pine D. S. *et al.*, « Association between cigarette smoking and anxiety disorders during adolescence and early adulthood », *JAMA*, 284(18), novembre 2000, p. 2348-2351.

3. Dautzenberg B. *Le Tabagisme passif. Rapport au directeur général de la santé*, La Documentation française, Paris, 2001, 200 p.

4. Vineis P., Airoldi L., Veglia F. *et al.*, « Environmental tobacco smoke and risk of respiratory cancer and chronic obstructive pulmonary disease in former smokers and never smokers in the EPIC prospective study », *BMJ*, doi/10 1136/bmj.38327 648472.82 (publication le 1er février 2005).

l'approche individuelle, personnelle qui consiste à trouver une solution pour soi.

Les différents États sont tous convaincus que le tabac est néfaste, mais leurs approches varient beaucoup. Les deux pays où l'on fume le moins au monde sont la Californie et la Suède.

% de fumeurs	Hommes	Femmes
Californie	19 %	12 %
Suède	17 %	18 %
France	33 %	26 %

Pourtant de tels résultats n'ont pas été obtenus avec les mêmes moyens.

La « dictature » des anti-fumeurs

Aux États-Unis, dans l'État de Californie, ce bon résultat [1] a été obtenu par une politique draconienne de contrôle du tabac dans les lieux publics, par des programmes scolaires et communaux de communication, par des campagnes publicitaires claires et par des impôts élevés sur les produits du tabac. Elle l'a aussi obtenu avec l'aide directe des entreprises.

Ainsi aux États-Unis, le nombre d'établissements non fumeurs est passé de 3 % en 1985 à 69 % en 1999 !

En Californie, si l'on vous incite très fortement à ne pas fumer, il existe des lois qui protègent la liberté individuelle. On ne peut donc pas non plus vous obliger à ne pas fumer ! C'est pourtant quasiment le cas de certains États américains ! Parfois, en Amérique, il faut choisir entre son travail et sa cigarette. Aujourd'hui 6 000 entreprises américaines [2] refusent d'embaucher des fumeurs, même s'ils fument seulement à leur domicile. Ces entre-

---

1. Communiqué de presse, 20 avril 2005, www.dhs.ca.gov.
2. *Liaisons sociales*/magazine, juin 2005 : « Bosser ou fumer, chez l'oncle Sam, il faut choisir ».

prises sont par exemple l'Union Pacific Railroad, l'université de la Vallée de Kalamazoo dans le Michigan, le comté de Montgomery en Pennsylvanie ou encore le célèbre groupe multimédia de Ted Turner, Tuner Broadcasting System.

Certaines entreprises vont même plus loin. Non seulement elles écrèment à l'embauche, mais elles menacent de licenciements ceux qui avaient été embauchés auparavant et qui, ne parvenant pas à arrêter le tabac, continuent à fumer chez eux. Elles peuvent aussi leur imposer des pénalités financières. Pourquoi ? Parmi de très nombreuses études, celle du National Center for Disease Control and Prevention estime à 1 372 euros par an le manque à gagner du fumeur en terme de productivité. Car il passe 8 % de son temps au travail à faire des pauses cigarettes. De plus, il s'absente en moyenne six jours et demi de plus par an que le non-fumeur. Et, pis encore, il oblige à dépenser 1250 euros par an, ce qui correspond au surcoût en frais médicaux à la charge de l'employeur. Les calculs sont vite faits... Employer un fumeur, ça coûte trop cher ! Et les méthodes peuvent être musclées : licenciement des fumeurs, obligation de participer à des séminaires de sevrage, pénalités allant jusqu'à 40 euros par mois... Et globalement le peuple américain soutient ces démarches avec conviction... Bonjour l'ambiance...

La liberté de la Suède et de ses Snus

La Suède, elle, obtient les meilleurs résultats au monde (aux États-Unis les fumeurs représentent encore 20,6 % de la population des plus de 18 ans) avec une méthode totalement différente et originale, fondée sur l'usage répandu d'un tabac sans fumée, qui ne présente pratiquement aucun danger sur le plan médical : il s'agit du Snus.

Le Snus est un petit sachet, de la même texture qu'un sachet de thé, qui contient du tabac. On le place sous la lèvre supérieure, les arômes du tabac et surtout la nicotine diffusant à travers la joue. Ce tabac, cultivé sans nitrate, a été séché sans aucune fermentation, de manière à éviter les nitrosamides, cancérigènes de premier plan. Il est aussi traité pour éliminer un maximum d'impuretés. Le sachet empêche le contact direct du tabac avec les muqueuses et l'absence de combustion évite la production de substances cancérigènes puissantes telles que les hydrocarbures polycycliques, des amines aromatiques, etc. Car il existe plus de 4 000 cancérigènes dans une cigarette ! L'absence de combustion évite aussi l'inhalation de gaz CO, le monoxyde de carbone, responsable de nombreux dégâts cardiovasculaires du tabac et d'hypoxie chronique.

L'innocuité des Snus suédois est réelle [1] : les études n'ont pas réussi à démontrer une augmentation du risque de cancer de l'estomac, ni de cancer buccal par usage du Snus, alors que le tabac oral à chiquer le multiplie par plus de quatre. Aucune augmentation non plus des maladies cardiovasculaires n'a été observée avec l'usage du Snus.

Mais attention, cela est vrai seulement pour le Snus *suédois*. Car il existe aussi des Snus américains non traités de la même manière qui, eux, sont plus toxiques.

Pourquoi le Snus est-il interdit à la vente partout en Europe sauf en Suède ? C'est que ce produit dérange beaucoup de monde. Il risquerait de faire baisser la consommation traditionnelle de tabac. Mais des tabacologues militent aujourd'hui pour qu'il soit enfin autorisé, et cela pour deux raisons : le Snus suédois permet d'éviter à certains jeunes de se lancer dans la cigarette et il permet à nombre d'adultes de quitter la cigarette.

Frédérique continue l'histoire du tabac dans sa famille :

> « Mon père a arrêté de fumer seul quand j'avais une dizaine d'années. Presque trente ans plus tard, il a fumé une seule cigarette. En une semaine, il était à 3 paquets par jour. Il a repris seulement quelques mois, sachant qu'il voulait arrêter, mais content de savourer ce qui pour lui était vraiment un plaisir. Ce qui l'a beaucoup aidé à arrêter la deuxième fois, c'est que dans l'entreprise où il travaillait, fumer était de plus en plus mal vu. Les fumeurs étaient cantonnés à un petit local mal aéré et il était interdit de fumer ailleurs dans le bâtiment. Cela dit, dès sa reprise, il savait qu'il ne continuerait pas. Il avait presque trente ans de plus et se rappelait parfaitement du décès de son père pour cause de tabagisme... Cela le motivait pas mal ! »

---

1. Fagerstrom K. O., Schildt E. B., « Should the European Union lift the ban on snus ? Evidence from the Swedish experience », *Addiction*, 98, p. 1191-1195.

Les débuts dans la cigarette

En France, quand on tend une cigarette pour la première fois à un adolescent, c'est comme si on lui proposait de jouer à la roulette russe avec un pistolet à 6 coups. Car, parmi eux, 15 % décéderont d'une maladie liée au tabac, soit 1 coup sur 6 comme à la roulette russe !

Tous les jeunes sont exposés un jour ou l'autre au tabac et à 18 ans [1], 80 % ont essayé (en moyenne, la première cigarette est fumée à 13,4 ans pour les garçons et à 13,6 ans pour les filles). Sur ces 80 %, 40 % vont devenir fumeurs réguliers et 30 % le seront pour une longue période de leur vie. Parmi eux, les vrais fumeurs en définitive, la moitié (soit 15 % de la totalité des jeunes) décéderont d'une maladie liée au tabac. Le tabac est ainsi le seul produit qui tue la moitié de ses consommateurs...

En Suède, les choses se passent différemment. Sur 100 jeunes qui goûtent au tabac, 15 choisissent le Snus et 85 la cigarette. Parmi les 15 qui ont commencé par le Snus suédois, 3 iront à la cigarette : cela en fait toujours 10 % d'économisés ! Parmi ceux qui ont commencé par la cigarette, 40 % vont la laisser tomber pour le Snus !

☞ **Deux stratégies socialement différentes ont montré leur efficacité pour réduire le nombre de fumeurs : aux États-Unis, le bâton, et en Suède, le remplacement du tabac toxique par un tabac moins agressif pour la santé.**

À savoir pour ceux qui essaieraient les Snus : les premiers essais sont pénibles car quand on avale sa salive elle a un mauvais goût et elle provoque des sensations bizarres dans la gorge. C'est donc aussi mauvais que les premières cigarettes qu'on inhale... Puis on s'y fait. Si les anciens chiqueurs crachaient leur salive, les Suédois l'avalent !

Que faire pour réduire son risque ?

Pour atteindre le risque zéro lié au tabac, il faut arrêter de fumer. C'est facile à dire, mais pas toujours facile à réaliser. Le nombre de fumeurs diminue en France, certes, MAIS ceux qui

---

1. ESCAPAD 2000-2002. Enquête par autoquestionnaire sur la santé et les consommations lors de l'appel de préparation à la défense.

arrêtent le plus facilement sont les moins dépendants. Résultat, les grands fumeurs très dépendants, ceux qui mettent le plus leur santé en danger, sont ceux qui se découragent le plus devant l'idée de divorcer totalement avec le tabac. Pourtant, c'est chez eux que les traitements, utilisés à bonne dose, sont les plus efficaces. Et il existe aussi d'autres fumeurs qui ne souhaitent pas arrêter de fumer, en tout cas, pas tout de suite...

Malgré tout, toutes ces personnes aimeraient, pour leur santé, diminuer le risque qu'elles prennent avec le tabac. Et elles sont motivées !

La preuve en est le succès des cigarettes « légères » pourtant tout aussi toxiques que les autres. Les adeptes ont le sentiment d'essayer de faire un peu « moins pire » qu'avec les cigarettes plus riches en nicotine ! D'autres pensent : « Au point où j'en suis, la cigarette fait tellement partie de ma vie que j'ai l'impression que ça ne servirait à rien que je fasse un effort ! Je n'arriverai jamais à arrêter. » D'autres se disent plutôt : « C'est dommage de prendre de si grands risques pour un plaisir finalement modéré. » D'autres enfin voudraient ne plus enfumer leurs familles à la maison ou leurs collègues au bureau et que leur qualité de vie devienne meilleure.

Les réponses à ces personnes qui veulent améliorer leur situation sans arrêter de fumer sont quasi nulles en France. On leur répond : il faut arrêter, un point c'est tout. Il est évident que ce serait idéal, mais que faire si c'est impossible ?

Des méthodes existent pour réduire les risques liés au tabac et elles sont efficaces. Elles diminuent très rapidement le risque cardiovasculaire de 50 %, améliorent la fonction respiratoire et entraînent une bien meilleure qualité de vie. Et quand un gros fumeur diminue de moitié le nombre de cigarettes fumées, il fait baisser son risque de cancer de poumon de moitié [1], même si ce risque reste plus élevé que chez un non-fumeur.

☞ **Si vous ne réussissez pas à arrêter de fumer, trouver une méthode pour diminuer les cigarettes préserve déjà votre santé.**

En pratique, deux méthodes sont possibles, l'une officielle et l'autre non officielle (officiellement interdite en France !) :

---

1. Godtfredsen N. S., Prescott E., Osler M., « Effect of smoking reduction on lung cancer risk », *JAMA* 294(12), 28 septembre 2005, p. 1505-1510.

— la méthode officielle : remplacer au moins la moitié des cigarettes par des substituts nicotiniques, sous forme de gommes, de tablettes ou d'inhaleurs ;

— la méthode non officielle, et très peu connue : on remplace tout ou partie des cigarettes par des Snus suédois à commander par Internet.

La méthode des substituts vendus en pharmacie est la méthode française officielle. Il s'agit de remplacer le maximum de cigarettes par des substituts nicotiniques. On arrive ainsi à apporter la même dose de nicotine sans apporter de toxiques, comme les goudrons, les produits de combustion, le monoxyde de carbone et gaz ou particules cancérigènes (hydrocarbures polycycliques, etc.). La personne ne ressent donc pas de manque et, de ce fait, ressent moins l'envie de fumer. Réduire le nombre de cigarettes devient alors possible.

En pratique : quand vous avez envie d'une cigarette, vous prenez une gomme, un comprimé, ou une inhalation. C'est une habitude à prendre.

Officiellement encore, les patchs ne sont pas indiqués pour diminuer les cigarettes, mais seulement pour arrêter. En fait, ils peuvent tout aussi bien être utilisés à cet usage. C'est à vous de choisir ce qui vous semble le mieux adapté.

Le patch délivre une quantité continue de nicotine. Il diminue l'envie globale de fumer. Mais pas l'envie ponctuelle forte. Il est alors possible qu'un apport ponctuel de nicotine marche mieux. Car en plus, la prise de nicotine est alors accompagnée d'un geste, l'inhalation, la mise en bouche de la gomme ou du comprimé.

Sachez que l'on peut associer les différentes possibilités, comme pour Gérard, motivé par des problèmes cardiaques et suivi par un tabacologue qui veut des résultats.

> « Je fumais 3 paquets par jour, et je voulais diminuer, sans avoir le courage d'imaginer arrêter. Cela me paraissait plus difficile que de gravir l'Éverest ! Mon médecin m'a prescrit un patch, le plus fort, mais il m'a prévenu que ça ne suffirait pas. Il m'a proposé plusieurs possibilités : mettre carrément 3 patchs fortement dosés collés en même temps, ou un seul patch, mais en lui associant des gommes ou comprimés. J'ai choisi la deuxième solution. J'ai continué à fumer, à peine 1 paquet par jour, avec mon patch et en prenant des comprimés à sucer. C'est déjà un progrès car je fume deux tiers de cigarettes en moins. »

Il est en effet possible de continuer à fumer tout en prenant des substituts. Cette association n'est pas dangereuse ! Car un patch fortement dosé à 21 milligrammes correspond globalement à la dose de nicotine inhalée avec à un paquet de cigarettes par jour. Si vous fumiez 2 paquets par jour, il est normal qu'avec un seul patch, vous continuiez à avoir envie de fumer !

Les fortes doses de nicotine peuvent entraîner quelques effets secondaires, comme une bouche sèche, un mal de tête, une nervosité, un cœur qui bat plus vite. Mais cela n'est pas dangereux pour la santé. Il n'y a pas d'accident de surdosage en nicotine. Les chamanes qui ingurgitaient des potions extrêmement concentrées en nicotine en retiraient des hallucinations en plus des signes que nous venons de décrire, mais pas de risque grave ou mortel.

Cependant les substituts ne font pas tout. Ils libèrent d'une dépendance chimique, mais pour réussir à diminuer son risque, il faut avoir envie de réduire le tabac et faire un effort. Le besoin physique de fumer est très abaissé, mais si un fumeur ne veut pas diminuer sa consommation, ce sera moins efficace de lui proposer des substituts.

Quand on continue à fumer, l'avantage des substituts nicotiniques est qu'ils aident à réduire le nombre de cigarettes fumées. Cependant, au bout d'un an, seuls 10 % des fumeurs réussissent à en rester à cette demi-dose de tabac. La plupart des fumeurs a tendance, même avec l'aide des substituts, à augmenter progressivement le nombre de cigarettes fumées. Comme ce n'est pas la nicotine dans le sang qui fait défaut, c'est peut-être le geste qui manque ! Remplacer la moitié des cigarettes par un substitut présente cependant un avantage plus intéressant : cela permet de faciliter l'arrêt total du tabac. Ainsi, les fumeurs qui réduisent de moitié leur consommation par cette méthode sont nombreux par la suite à décider et réussir d'arrêter totalement de fumer. C'est un peu une étape qui facilite l'arrêt définitif. Quand on aurait envie d'arrêter de fumer et que ça semble impossible, irréalisable, cette démarche de diminution peut être le premier pas vers une réussite inenvisageable autrement. C'est donc une méthode étape.

La deuxième possibilité, l'utilisation du Snus suédois est très différente. Elle permet d'arrêter totalement de fumer, en gardant le plaisir du tabac, c'est-à-dire l'imprégnation du corps en nicotine associée à un geste particulier ! En Suède un tiers des fumeurs quitte la cigarette avec des Snus [1] pour leur plus grand bien. Le risque est immédiatement réduit au minimum car, nous l'avons vu, les Snus suédois ne provoquent ni cancer, ni infarctus.

Le Snus se présente dans une boîte hermétique qui renferme des sachets d'un aspect similaire aux sachets de thé, mais beaucoup plus petits. Quand l'envie de fumer se fait sentir, il suffit de le glisser dans la bouche, entre la gencive et les lèvres et de laisser diffuser à travers la joue.

Mais les Snus suédois sont interdits à la vente en Europe, sauf... en Suède. Heureusement, il y a Internet ! Il est possible de commander des Snus suédois sur le site : www.websnus.com.

Si vous souhaitez choisir une méthode, faites-le selon votre sensibilité. Vous pouvez donc commencer par la méthode classique, ou si vous sentez qu'elle ne vous convient pas, essayer les Snus et faire partie de ceux qui lancent les tendances ! Pour notre part, nous sommes toujours désolés de voir des grands fumeurs se détruire rapidement et souffrir de leur dépendance, alors qu'il est au moins possible de diminuer les risques grâce aux substituts nicotiniques ou au Snus ! De nombreux tabacologues regrettent l'interdiction de vente du Snus en France, car ils permettraient d'apporter une solution efficace à certains qui ont en besoin.

☞ **Deux méthodes font diminuer les risques d'une intoxication tabagique : les substituts nocotiniques et le Snus suédois.**

Arrêter de fumer n'est pas une question de volonté mais de stratégie

Un beau jour, on essaie une cigarette, et, par un mécanisme que l'on ne pouvait pas concevoir, on se retrouve fumeur, souvent pour une longue période de sa vie : 33 % des hommes sont des fumeurs réguliers en France et 26 % des femmes. Et la grande majorité d'entre eux, 60 %, veut arrêter de fumer [2] !

Si c'est votre cas, sachez qu'arrêter de fumer n'est pas une question de volonté, mais de stratégie. C'est du reste cette fausse

1. Fagerstrom K. O., Schildt E. B., art. cit.
2. Guilbert P., Baudier F., Gautier A., *Baromètre Santé 2000*, résultats volume 2, Vanves, CFES 2001.

croyance en la toute-puissance de la volonté qui pousse la plupart des jeunes à commencer de fumer : ils sont 3 sur 4 à penser qu'ils ne deviendront jamais dépendants à la cigarette, pas eux...

Amélie le décrit très bien :

> « Je veux absolument arrêter de fumer, pas tellement à cause des maladies, parce que je suis encore jeune et en bonne santé, et tout ça ne me fait pas très peur. En revanche, je déteste cette accoutumance. Je suis capable de faire des kilomètres si je n'ai plus de clopes. Je trouve ça lamentable. Une remarque m'a un jour choquée. C'est un psychiatre qui disait à un fumeur : "Vous préférez le tabac à votre femme et à vos enfants. Parce que votre femme ou vos enfants, vous pouvez facilement vous en passer pendant une semaine, mais de vos cigarettes, non !" C'est vraiment un comportement de drogué qui a perdu de sa liberté. Et ce sont ces chaînes que je déteste. Je ne me rendais pas compte de ça avant de commencer à fumer. Si on vous disait "Tu vois ces cacahuètes. Si tu en prends une, tu ne pourras plus jamais t'en passer. Tu seras capable de n'importe quoi pour t'en procurer, et ça, tous les jours de ta vie. Tu deviendras esclave des cacahuètes !" Dans ce cas, vous répondez : "Non merci, vos cacahuètes, vous pouvez vous les garder !" Il me semble que si l'on m'avait expliqué ça clairement pour le tabac, peut-être que je n'aurai pas mis le doigt dans l'engrenage... Mais cette dépendance est difficile à imaginer quand on ne l'a jamais expérimentée. On se croit plus fort que les autres !" »

C'est aussi cette illusion dans la volonté qui amène de nombreux fumeurs à subir de nombreux échecs d'arrêt du tabac. Un chiffre nous illustre la force de cette dépendance : même en danger de mort, un an après un infarctus, 21 % des personnes sont encore fumeuses [1], ce qui revient là encore à jouer sa vie à la roulette russe !

Certes, la majorité des gens qui arrête de fumer le fait sans aide, mais pas sans apprentissage : il est assez rare de réussir du premier coup et plusieurs tentatives permettent de s'entraîner à déjouer les envies qui reviennent sans cesse et les manques qui ne lâchent pas prise avant au moins deux à trois semaines (sauf avec un traitement bien conduit).

---

1. EUROASPIRE II Study Group, « Lifestyle and risk factor management and use of drug therapies in coronary patients from 15 countries ; principal results from EUROASPIRE II Euro Heart Survey Programme », *Eur. Heart J.*, 22(7), avril 2001, p. 554-572.

Il est donc intéressant de connaître les différents stades face auxquels on se trouve pour mieux déterminer la stratégie que l'on va suivre. Ces stades ont été décrits par Prochaska :

Je ne suis pas motivé. C'est la non-motivation ou indétermination. Les risques, vous ne les percevez pas. Après vous, le déluge et de toute façon vous ne vous sentez pas concerné. La motivation n'est pas encore assez forte. Il vaut mieux que vous commenciez à vous informer sur les dangers du tabac. Lisez tout ce que vous pouvez dans la presse, dans des livres... Et, petit à petit, vous ne supporterez plus l'idée de vous empoisonner. Si l'idée vous prend d'arrêter de fumer, essayez quand même, on ne sait jamais !

J'y pense : C'est le stade de l'intention : vous espérez vous arrêter dans les six prochains mois. Continuez à vous tenir informé des dangers du tabac et commencez à prendre connaissance des différentes méthodes qui s'offrent à vous.

Je planifie mon arrêt : C'est la préparation : C'est décidé, vous allez arrêter dans les trente jours. Du reste vous avez peut-être déjà acquis de l'expérience lors d'une tentative dans les douze derniers mois. Vos degrés de maturité et de motivation sont élevés. Intéressez-vous au choix de votre méthode : patchs nicotiniques ? Gommes en cas d'envies ? Autres stratégies ? Quel jour je m'arrête vraiment ? Vais-je demander de l'aide à mon entourage ? Toutes ces questions vont vous aider à vous préparer au mieux.

Je suis en train d'arrêter : C'est l'action : Ça y est, cela fait moins de 6 mois que vous avez arrêté et vous tenez bon. Il faut à la fois savourer votre victoire car toute tentative est une victoire, et rester vigilant. Vous êtes encore facile à piéger !

Je viens d'arrêter de fumer : C'est la consolidation : Vous êtes maintenant un non-fumeur depuis plus de six mois et dans un contexte normal, sans autres fumeurs et sans grand stress, vous oubliez complètement le tabac. Le plus dur est fait... Mais c'est maintenant que se joue la victoire car il faut réussir sur une période de douze à dix-huit mois pour vraiment sentir que le tabac est derrière vous.

☞ **Avant d'arrêter de fumer, réfléchissez à votre stratégie. Car cesser de fumer n'est pas une question de volonté mais de stratégie.**

Frédérique parle du deuxième arrêt du tabac de son père :

« La première fois, il avait arrêté seul, d'un coup, sans jamais rechuter. Il a un caractère très très fort. Quand il a repris près de trente ans plus tard, il a décidé de s'aider avec les patchs. Et je sais que ça l'a beaucoup soutenu. Il nous a expliqué que, la première fois, il avait souffert le martyre en arrêtant brutalement. Cette fois, c'était nettement plus facile. Et je crois que sa motivation était très forte, ce qui compte énormément. En plus, il a attendu un peu que ma mère aille mieux (elle était un peu dépressive), de manière à se sentir assez fort pour affronter cette épreuve ! Et il n'a pas recommencé à fumer depuis à ma connaissance. Il me semble que, pour quelqu'un comme lui, réduire sa consommation est impossible. Il a un caractère trop entier qui l'entraîne à fond dans ce qu'il fait. Il ne connaît pas les demi-mesures. »

Le risque opératoire des fumeurs

Quand ils sont opérés, les fumeurs ont beaucoup plus de risque de complications que les non-fumeurs : 6 fois plus d'infections à la cicatrice, 3 fois plus d'infections sternales et médiastinales en chirurgie thoracique, 3 fois plus de risques d'éventration, 3 fois plus de thromboses vasculaires, 3 fois plus de retard de la consolidation osseuse... Autrement dit, le tabac complique gravement toutes les opérations. C'est la raison pour laquelle la conférence d'experts sur le tabagisme péri-opératoire (Cetpo) recommande un arrêt du tabac avec l'aide de substituts nicotiniques six à huit semaines avant l'opération et trois semaines à trois mois après [1]. En suivant cette recommandation, les fumeurs annulent leur sur-risque opératoire. C'est bon à savoir !

Comment vous arrêter de fumer concrètement ?

Bon ça y est, vous êtes au stade où vous planifiez votre arrêt du tabac. Vous allez vous lancer ! Il est pour vous intéressant d'évaluer deux facteurs clés pour vous situer et choisir des stratégies adaptées à votre cas personnel :

— votre moral qui s'évalue grâce à un test sur l'échelle d'Anxiété dépression (HAD),

---

1. Conférence d'experts, *Tabagisme péri-opératoire*. Les Journées de l'ASFAR, Paris, 2005.

— votre dépendance au tabac qui s'évalue elle aussi par un test sur l'échelle de Fagerström.

Échelle d'HAD [1] : Comment vous sentez-vous ?

Lisez chaque question et entourez la réponse qui convient le mieux à ce que vous avez ressenti ces derniers jours. Donnez une réponse rapide : votre réaction immédiate est celle qui correspond le mieux à votre état actuel.

1. Je me sens tendu(e) ou énervé(e) :
— La plupart du temps   3
— Souvent   2
— De temps en temps   1
— Jamais   0

2. Je prends plaisir aux mêmes choses qu'autrefois :
— Oui, tout autant   0
— Pas autant   1
— Un peu seulement   2
— Presque plus   3

3. J'ai une sensation de peur
comme si quelque chose d'horrible allait m'arriver :
— Oui, très nettement   3
— Oui, mais ce n'est pas trop grave   2
— Un peu, mais cela ne m'inquiète pas   1
— Pas du tout   0

4. Je ris facilement et vois le bon côté des choses :
— Autant que par le passé   0
— Plus autant qu'avant   1
— Vraiment moins qu'avant   2
— Plus du tout   3

5. Je me fais du souci :
— Très souvent   3
— Assez souvent   2
— Occasionnellement   0
— Très occasionnellement   0

6. Je suis de bonne humeur :
— Jamais   3
— Rarement   2
— Assez souvent   1
— La plupart du temps   0

---

1. Dossier de tabacologie de l'INPES.

7. Je peux rester tranquillement assis(e) à ne rien faire et me sentir décontracté(e) :
— Oui, quoi qu'il arrive   0
— Oui, en général   1
— Rarement   2
— Jamais   3

8. J'ai l'impression de fonctionner au ralenti :
— Presque toujours   3
— Très souvent   2
— Parfois   1
— Jamais   0

9. J'éprouve des sensations de peur et j'ai l'estomac noué :
— Jamais   0
— Parfois   1
— Assez souvent   2
— Très souvent   3

10. Je ne m'intéresse plus à mon apparence :
— Plus du tout   3
— Je n'y accorde pas autant d'attention que je devrais   2
— Il se peut que je n'y fasse plus autant attention   1
— J'y prête autant d'attention que par le passé   0

11. J'ai la bougeotte et n'arrive pas à tenir en place :
— Oui, c'est tout à fait le cas   3
— Un peu   2
— Pas tellement   1
— Pas du tout   0

12. Je me réjouis d'avance à l'idée de faire certaines choses :
— Autant qu'avant   0
— Un peu moins qu'avant   1
— Bien moins qu'avant   2
— Presque jamais   3

13. J'éprouve des sensations soudaines de panique :
— Vraiment très souvent   3
— Assez souvent   2
— Pas très souvent   1
— Jamais   0

14. Je peux prendre plaisir à un bon livre ou à une bonne émission de radio ou de télévision :
— Souvent   0
— Parfois   1

— Rarement   2
— Très rarement   3

Additionnez les points des réponses 1, 3, 5, 7, 9, 11, 13 :
Total A =
Additionnez les points des réponses 2, 4, 6, 8, 10, 12, 14 :
Total D =
Un score de A supérieur à 12 indique un état anxieux.
Un score de D supérieur à 8 indique un état dépressif.

Dans ces deux cas, il est préférable d'organiser votre arrêt du tabac avec un médecin, qu'il soit généraliste ou tabacologue. Il évaluera votre besoin d'être pris en charge psychologiquement. Car arrêter de fumer, c'est difficile pour le psychisme. Cela peut accentuer une anxiété ou déclencher une dépression. Le suivi de l'arrêt du tabac peut impliquer la prescription d'antidépresseurs, car il est fréquent de se sentir déprimé pendant quelques mois.

Échelle de Fagerström : quel est votre degré de dépendance ?

Entourez le chiffre qui correspond à votre réponse.

1. Le matin, combien de temps après être réveillé(e), fumez-vous votre première cigarette ?
— Dans les 5 minutes   3
— 6-30 minutes   2
— 31-60 minutes   1
— Plus de 60 minutes   0

2. Trouvez-vous qu'il est difficile de vous abstenir de fumer dans les endroits où c'est interdit ? (ex : cinémas, bibliothèques)
— Non   0
— Oui   1

3. À quelle cigarette renonceriez-vous le plus difficilement ?
— À la première de la journée   1
— À une autre   0

4. Combien de cigarettes fumez-vous par jour, en moyenne ?
— 10 ou moins   0
— 11 à 20   1
— 21 à 30   2
— 31 ou plus   3

5. Fumez-vous à intervalles plus rapprochés durant les premières heures de la matinée que durant le reste de la journée ?

— Oui   1
— Non   0

6. Fumez-vous lorsque vous êtes malade au point de devoir rester au lit presque toute la journée ?
— Oui   1
— Non   0

Faites le total de vos réponses : Total : ......

Votre score vous aidera à choisir une stratégie, notamment en fonction des substituts nicotiniques à votre disposition.

Vous avez moins de 4 : votre dépendance est plutôt faible. Vous pouvez vous lancer dans une tentative d'arrêt les mains dans les poches ! Mais méfiez-vous quand même : les pièges sont nombreux... Si c'est votre première tentative, observez bien toutes les situations qui vous font envie, les périodes de manque. Prenez un petit carnet sur vous pour noter vos impressions et les heures difficiles, ainsi que les trucs qui ont marché : cette expérience sera précieuse pour la suite. Si cette première tentative n'a finalement pas abouti, il faudra envisager l'utilisation des substituts nicotiniques. Il faudra aussi envisager de vous faire suivre par un médecin.

Vous avez de 4 à 5 : votre dépendance est plus élevée. Le mieux est de vous lancer en utilisant des substituts nicotiniques. Deux méthodes se présentent à vous :

— soit vous utilisez un patch que vous porterez seize heures par jour (vous l'enlevez le soir au coucher) ou vingt-quatre heures sur vingt-quatre ;

— soit vous utilisez à volonté des gommes à 2 ou 4 milligrammes de nicotine ou des tablettes de 2 à 4 milligrammes, ou des pastilles à 1,5 milligramme ou encore un inhaleur à nicotine.

L'objectif est de vous sentir bien, avec le moins possible de périodes de manque, lesquelles doivent être très fugaces. Si les signes du manque sont là, il faut augmenter rapidement les doses de nicotine et associer patch et formes orales. Et ne surtout pas hésiter à consulter un médecin rapidement.

Vous avez de 6 à 7 : Votre dépendance est moyenne ou forte. Le mieux est de vous faire accompagner par un médecin d'entrée de jeu, de manière à bien ajuster le traitement dès le début. Seul, on n'ose pas y aller franchement, alors que la clé du succès est là. Deux stratégies sont adaptées à votre cas :

— soit vous associez d'emblée un patch à des gommes ou des tablettes de manière à éviter au maximum le manque ;

Les substituts nicotiniques

Les substituts nicotiniques sont des médicaments à base de nicotine. Cette nicotine remplace celle qui est habituellement apportée par les cigarettes (ou pipe, ou cigare...). En les prenant, vous diminuez ou évitez le manque, vous vous déshabituez du geste de fumer, mais surtout, vous cessez de vous exposer aux poisons de la cigarette comme les hydrocarbures, métaux lourds, nitrosamides pour les principaux cancérigènes et monoxyde de carbone pour le principal agent asphyxiant des artères et de tout l'organisme.

Les substituts se présentent sous différentes formes :
— les timbres (ou patchs) qui se collent sur la peau et diffusent de la nicotine de manière constante. Il existe plusieurs dosages de nicotine, faible, moyen ou fort et des timbres sur seize ou vingt-quatre heures ;
— les gommes dosées à 2 ou 4 milligrammes. Ce ne sont pas des chewing-gums. Il faut les mastiquer un peu puis les laisser contre la joue à travers laquelle la nicotine diffuse,
— les tablettes sublinguales qui se placent sous la langue,
— les comprimés à sucer de 2 à 4 milligrammes ;
— les pastilles à sucer à 1,5 milligramme,
— l'inhaleur à nicotine (un tube en plastique avec des cartouches de nicotine).

En pratique, il faut faire son choix en fonction du nombre de cigarettes que l'on fumait et de son niveau de manque.

Globalement, il est conseillé d'utiliser un patch à 15 ou 21 milligrammes par paquet de cigarettes fumé et de prendre des gommes ou pastilles à volonté en complément.

Les signes du manque qu'il faut chercher à éliminer avec les substituts nicotiniques sont les suivants :
— humeur négative ou dépressive ;
— irritabilité, frustration, colère ;
— anxiété ;
— difficulté de concentration ;
— fébrilité ;
— augmentation de l'appétit ou prise de poids.

— soit votre médecin vous prescrira d'emblée du Bupropion (Zyban®), un médicament utilisé dans le sevrage tabagique et d'une grande efficacité.

Vous avez plus de 7 : Votre dépendance est forte ou très forte. Le suivi par un médecin est indispensable pour vous aider à réussir. Il vous prescrira de fortes doses de substituts nicotiniques (patch le plus dosé, voire 2 ou 3 patchs, et gommes ou tablettes à volonté) et il pourra éventuellement doser votre cotinine urinaire (produit du métabolisme de la nicotine dans notre organisme) de manière à s'assurer que votre traitement est bien suivi. Il pourra selon le cas vous prescrire également du Zyban®, à la place ou en plus des substituts nicotiniques. Dans votre cas, il faut mettre le paquet!

Les questions les plus courantes

Quelques questions reviennent tout le temps. Nous en avons retenu quatre qui sont des constantes.

Est-ce que c'est dangereux de fumer si je suis « patché » ?
Je viens de craquer et de fumer une cigarette. Est-ce que je risque ma vie si je garde le patch (il paraît que c'est très dangereux pour le cœur...) ? Que dois-je faire ?
Non, votre vie n'est absolument pas en danger. Une rumeur entretenue par les lobbies du tabac prétend que patch + tabac = dégâts cardiaques... Ce n'était qu'une rumeur, mais elle a la vie dure! C'est un peu comme si, en plus de vos 20 cigarettes quotidiennes habituelles, vous en fumiez une de plus... ou 2 ou 3 de plus selon vos débordements! C'est la même chose si, en plus de votre patch, vous prenez une gomme à la nicotine. Vous ne courez aucun danger. Le plus intéressant est alors de comprendre pourquoi vous avez fait ce faux pas et comment éviter de retomber dans le même piège. Il ne faut jamais arrêter d'arrêter, même s'il vous arrive quelques faux pas.

Est-ce que je peux mettre un patch si je suis cardiaque ? Est-ce que je ne vais pas faire un infarctus ?
C'est la fumée de la cigarette qui est mauvaise pour le cœur, pas la nicotine qui diffuse lentement par le patch. Aujourd'hui, dans les meilleurs services de cardiologie, on « patche » même directement les fumeurs qui font un infarctus pendant qu'ils sont encore à l'hôpital! C'est bon pour le cœur car le patch permet d'éviter la toxicité du monoxyde de carbone (CO) qui diminue les apports d'oxygène au cœur au moment où il en a le plus besoin. Le patch évite aussi le manque dû à l'arrêt de la cigarette qui est très angoissant et toxique pour le cœur! De plus, arrêter le tabac dans les jours qui suivent l'infarctus est très motivant et donne d'excellents résultats. Le souvenir de la douleur horrible, la peur d'une récidive ou d'une mort brutale stimulent fortement les motivations!

J'ai envie de m'arrêter de fumer, mais j'ai peur de grossir. Que faire ?

Tout d'abord sachez que 30 % de ceux qui arrêtent de fumer gardent leur poids initial. La meilleure solution pour éviter l'augmentation de l'appétit, qui est un signe de manque, c'est le substitut nicotinique ! La première chose à faire si vous voulez éviter de prendre du poids en arrêtant de fumer, c'est de prendre suffisamment de substituts nicotiniques. Ensuite, pendant que vous prenez vos substituts nicotiniques, faites un bilan de votre alimentation, idéalement avec un diététicien ou un médecin nutritionniste. Il vous aidera à rééquilibrer vos menus avec plus de légumes et de fruits, plus de poissons, moins de graisses d'origine animale et beaucoup moins de sucres inutiles. Vous pourrez alors éliminer 200 calories chaque jour : c'est ce qu'il faudrait prendre en moins chaque jour pour ne pas grossir en arrêtant de fumer. Une fois votre diététique rééquilibrée et votre sevrage bien avancé, vous pourrez alors arrêter les patchs. Enfin, la reprise d'une activité physique régulière, voire d'un sport est très bénéfique. Elle permet d'éliminer de nombreuses calories en trop !

Je suis enceinte. Est-ce que je peux utiliser des substituts nicotiniques ?

Oui, vous pouvez : ils sont mille fois moins dangereux que la fumée de la cigarette pour le fœtus. Il est bien sûr idéal d'arrêter totalement la nicotine (ni cigarette, ni substitut). Pour cela, vous pouvez vous orienter vers une méthode comportementale et cognitive (voir plus loin). Mais si cela ne donne pas rapidement de résultats, passez aux substituts pour ménager votre enfant. Puis, après sa naissance, organisez-vous pour ne pas craquer à nouveau. Gardez des gommes de nicotine si nécessaire et pensez que sa santé est vraiment liée à un air non pollué. Au moindre doute, retournez voir votre médecin pour qu'il vous aide à passer le cap, peut-être en reprenant des substituts pendant le temps nécessaire.

Combien de temps peut-on utiliser des substituts nicotiniques ?

Ceux qui sont en train d'arrêter de fumer ont souvent envie de stopper les substituts dès que possible. C'est dommage car la rechute est alors fréquente et la prise de poids aussi (les substituts empêchent la prise de poids...). Inversement d'autres continuent à mâcher des gommes pendant plusieurs années et se plaignent d'être devenus dépendants aux substituts ! Alors combien de temps faut-il les prendre ? Rappelons que les substituts nicotiniques sont sans danger. Il faut donc en pratique les garder le temps nécessaire, trois mois, six mois, un an, deux ans... Ce qui compte le plus, c'est de ne pas reprendre le tabac et il faut parfois un à deux ans pour tourner la page...

Les approches comportementales et cognitives

Dans certains cas, notamment en cas de dépendance psychologique forte, les approches comportementales et cognitives sont d'une grande aide pour arrêter de fumer. Il s'agit d'apprendre à faire face aux envies de fumer, aux situations à haut risque, et éventuellement à un faux pas. Pour certains, il est très difficile de réussir à arrêter de fumer si rien ne vient soutenir les effets des substituts nicotiniques à forte dose.

L'aide d'un tabacologue (ou d'un psychothérapeute spécialisé dans la prise en charge des addictions) est alors très précieuse, car il est un véritable allié, cherchant avec vous les meilleures tactiques pour vous aider.

Il vous proposera tout d'abord de noter votre comportement lors de chaque cigarette, pendant deux jours de la semaine et pendant les deux jours du week-end. Vous pourrez ainsi repérer les heures des différentes cigarettes, et les situations qui leur sont associées. Car il existe différentes circonstances à risque :

— environnementales : repas, alcool, autres fumeurs, fêtes,

— émotionnelles : émotions négatives faites de colères, de tristesse ou d'ennui ;

— routinières : au lever, en prenant le téléphone, en montant dans la voiture, etc.

Il vous proposera ensuite une préparation au cours de laquelle il vous demandera de dissocier les stimuli (boire un café) de la réponse comportementale (fumer une cigarette). Vous vous entraînerez ainsi à un véritable déconditionnement de vos habitudes, en ne fumant plus à la fin des repas ou en laissant le paquet dans la poche au cours d'une conversation téléphonique. Vous augmenterez votre aptitude au contrôle et votre confiance en vous.

Une fois que vous aurez arrêté, le thérapeute vous apprendra à contrôler les stimulus, soit avec des stratégies d'évitement (en évitant le contact avec les fumeurs par exemple pendant un certain temps), soit en vous proposant d'autres stratégies :

— l'opposition : il s'agit de se souvenir que les envies vont par vagues et sont brèves (et donc qu'elles ne vont pas durer...), de dédramatiser, de se répéter des slogans en boucle (« la cigarette, c'est fini ! »), de se réciter la liste de ses motivations, de penser à autre chose de plaisant et de s'auto-encourager ;

206

— l'accompagnement : il consiste à s'installer confortablement en se concentrant sur les sensations physiques et psychiques qui accompagnent l'envie de fumer. En s'observant, on se détache et l'on accélère la fin de la vague d'envie ;

— le changement de contexte, lui, consiste à vous engager dans une activité brève, idéalement plaisante, ou dans une activité physique, en prenant une gomme de nicotine, en vous relaxant avec des exercices respiratoires ou en parlant avec un proche soutenant.

Le thérapeute vous apprendra aussi à gérer vos pensées sur le tabac avec la même approche, en agissant sur vos pensées ou ruminations (travail cognitif), en effectuant une action ou un comportement (travail comportemental).

Il vous aidera enfin à décider de votre plan d'action pour vous arrêter de fumer, en préparant des stratégies pour la gestion d'un faux pas. Car il ne faut jamais « arrêter d'arrêter de fumer » et tout faux pas doit être intégré dans l'expérience en vue de réussir.

Notons que *cette méthode est tout à fait adaptée pour les femmes enceintes*, car elle évite d'exposer leur bébé à la nicotine des substituts. Néanmoins, les substituts nicotiniques sont toujours beaucoup moins dangereux que les cigarettes elles-mêmes !

Frédérique, dont le père a arrêté de fumer deux fois avec succès, explique son histoire plus personnelle.

« Je me suis mise à fumer, moi aussi. Je sais que c'est stupide, ayant vu mon père fumer ses trois paquets par jours, surtout que j'ai commencé assez tard, à plus de vingt ans. Mais je ne réalisais pas vraiment ce qu'était une dépendance. Je fumais un paquet et demi par jour. J'avais dans l'idée d'arrêter, mais sans grande motivation profonde. C'est seulement quand j'ai voulu un enfant que cette décision s'est précisée. J'ai eu du mal à être enceinte, puis j'ai fait une fausse-couche. Mon médecin m'a vraiment conseillé d'arrêter de fumer, en m'expliquant que fumer nuisait à la fertilité. Je sais que c'est précisé sur les paquets de cigarettes, mais quand on fume, on évite de le lire ! Malgré ces conseils, je n'ai pas arrêté, mais seulement diminué. Je suis quand même tombée enceinte et j'ai eu une petite fille. J'ai recommencé à fumer très vite après mon accouchement. Je ne fumais jamais à la maison, ou seulement sur le balcon. C'est quand j'ai eu une phlébite dans la jambe gauche (un caillot de sang dans une veine) que j'ai compris que ma pilule faisait très mauvais ménage avec la cigarette. Cette fois, j'ai pris peur, et comme, en plus, j'envisageais une deuxième grossesse, j'ai enfin trouvé suffisamment de motivation pour arrêter. Pour moi, ça a été très difficile. J'ai eu plusieurs rechutes, j'ai tout testé, le patch, le chewing-gum, la psychothérapie, le plan de cinq jours, les compléments à base de plante... Il m'a fallu plus d'un an pour ne pas penser plusieurs fois par jour à fumer. Et je sais pertinemment que si j'en refume une seule, je replonge instantanément. Comme je n'ai pas envie de me faire du mal, d'avoir un truc encore plus grave qu'une phlébite, je tiens le coup. C'est surtout mes enfants qui me motivent le plus. Mon mari, c'est différent, il n'a jamais fumé, il m'encourageait, mais sans trop comprendre. Seuls les anciens fumeurs savent ce que c'est, je crois ! Mais heureusement, il ne m'a jamais harcelée. Ce qui est bien, c'est que mon père est en très bonne santé encore aujourd'hui et c'est certainement parce qu'il a arrêté de fumer ! Je compte comme lui rester en bonne santé très très longtemps ! »

Pour vous aider encore mieux, voici deux livres excellents sur l'arrêt du tabac.
Arrêter de fumer ?, de Gilbert Lagrue, aux Éditions Odile Jacob, 2000.
Le Tabac en 200 questions, de Béatrice Lemaître, aux Éditions De Vecchi, 2003.

En synthèse

Arrêter totalement de fumer est la meilleure façon d'améliorer sa qualité de vie et de l'allonger. Cela ne fait aucun doute au vu des montagnes de chiffres sur les graves effets négatifs du tabac.

Doubler les chances de réussite d'arrêt du tabac, c'est possible car on sait le faire depuis l'apparition des substituts nicotiniques et des approches comportementales et cognitives. Ces approches contribuent pour beaucoup à la baisse des fumeurs dans l'ensemble des pays occidentaux.

Réduire son risque en fumant moins est maintenant possible en s'aidant des substituts nicotiniques. Cela permet en plus de se préparer à l'idée d'arrêter de fumer...

Les Snus suédois sont malheureusement interdits en Europe (sauf en Suède), ce qui est très regrettable. Ils permettent en effet d'apporter sans danger de la nicotine, ce qui est une alternative très positive à la fumée du tabac. Souhaitons que les législateurs ouvrent les yeux, aidés en cela par de nombreux tabacologues qui essaient de leur expliquer. Hélas, ce domaine est contrôlé par des lobbies puissants...

Cependant, la recherche continue et plusieurs médicaments prometteurs sont annoncés pour 2007, comme le rimonabant ou la varénicline. Néanmoins, il serait dommage de les attendre pour arrêter de fumer. Ce serait retarder d'autant vos perspectives de meilleure santé, et oublier que toute tentative d'arrêt du tabac prépare votre future réussite.

Les fumeurs sont très carencés en vitamines et ils doivent manger encore plus de fruits et légumes que les non-fumeurs. Malheureusement, ils ne le font pas, car leur sens du goût étant altéré, ils les trouvent trop fades par rapport aux viandes, aux sauces et aux desserts sucrés. C'est pourquoi ils devraient prendre des vitamines, idéalement aux doses SU.VI.MAX (120 mg de vitamine C, 30 mg de vitamine E, 6 mg de bêta-carotène, 20 mg de zinc et 100 µg de sélénium).

☞ **Si vous fumez, diminuez votre consommation tabagique et prenez régulièrement de la vitamine C et un complément vitaminique.**

Mieux manger pour prévenir

Oak Brook est la ville du siège de McDonald's, géant du fast-food et Okinawa une île japonaise réputée pour ses centenaires.

À Oak Brook, on meurt beaucoup d'infarctus. À Okinawa très peu.

— Au Canada, dans les régions qui comptent plus de 20 fast-foods, la mortalité cardiaque augmente de 63 % par rapport aux régions où il y a moins de 10 fast-foods. Et elle augmente déjà de 35 % s'il y a entre 10 et 19 fast-foods [1].

— Dans l'île d'Okinawa, les habitants font 31 % de cancers en moins et 41 % d'infarctus en moins que les autres habitants du Japon [2]. Et encore, on ne les a pas comparés à des Américains vivant près d'un fast-food! Quel est le secret de ces « Okinawaïens »? Ils mangent nettement moins que les apports nutritionnels recommandés (seulement 62 % de ces apports conseillés) et ils mangent d'une manière favorable à leur santé.

Le mode alimentaire peut donc influencer très fortement la mortalité ou, au contraire, la longévité! Le risque de cancer de la prostate, rare chez les Japonais, est multiplié par 10 s'ils émigrent pour aller habiter à Hawaii où les cancers prostatiques sont très fréquents. À l'inverse, les cancers de l'estomac, fréquents au Japon, diminuent chez ces mêmes personnes émigrées à Hawaii.

Trois niveaux de prévention vont être abordés dans ce chapitre.

---

1. Revue de presse *Protéus*. Une description de l'étude est disponible sur www.ices.on.ca

2. Kagawa Y., « Impact of westernization on the nutrition of Japanese : changes in physique, cancer, longevity and cantenarians », *Prev Med.*, 7(2), juin 1978, p. 205-217.

— **La quantité** : Y a-t-il une ration calorique qui permet d'allonger la durée de vie et d'être moins sensible aux maladies telles que les cancers, les maladies cardiovasculaires ou dégénératives telle la maladie d'Alzheimer ?

— **La répartition** : Comment répartir les aliments selon leur catégorie. Quel équilibre alimentaire trouver entre glucides, protides et lipides ?

— **Le choix** : Comment choisir les bons aliments, ceux qui sont bénéfiques pour prévenir les maladies et vivre plus longtemps ?

La quantité. Quelle ration alimentaire choisir ?

Cette question en amène une autre :
Quel est le bon poids pour vivre longtemps sans maladie ?

Le surpoids joue un rôle dans la plupart des maladies chroniques (infarctus, attaque cérébrale, Alzheimer, hypertension, diabète, cancer du sein ou du côlon...) et les recommandations sont de maintenir un poids dans une fourchette déterminée par le calcul de l'indice de masse corporel (IMC), cet indice devant être compris, comme nous l'avons vu, entre 18,5 et 25. Au-dessous, on parle de maigreur. Au-dessus on parle de surpoids. Et au-delà de 30, il s'agit d'obésité.

Nous nous posons une question plus précise : quel est le poids idéal pour minimiser ces risques ? Il correspond à un IMC compris entre 18,5 et 21,9 [1] chez les personnes jeunes. Il est préférable d'être mince longtemps, quelle que soit la maladie à prévenir, l'obésité étant néfaste à tout âge. Cependant, chez les personnes vraiment âgées, cet IMC acceptable pourrait monter jusqu'à 25-28.

Si vous êtes à un poids idéal, sautez quelques pages pour en arriver à « que penser de la restriction calorique ».

☞ **Pour être en bonne santé, l'indice de masse corporel (IMC) idéal est situé entre 18,5 et 21,9. Il est donc préférable d'être mince !**

---

1. Field A. E., Coakley E. H., Must A. *et al.*, « Impact of overweight on the risk of developping common chronic diseases during a 10–year period », *Arch. Intern. Med*, 161 (13), 9 juillet 2001, p. 1581-1586.

Faut-il pour autant maigrir à tout prix si l'on est en surpoids?

Ce n'est pas si sûr!

Ce qui est certain, c'est que lorsqu'on est en surpoids, il ne faut pas continuer à grossir. La prise de poids sur des années augmente la mortalité. Une étude [1] observe une augmentation de mortalité de 57 % chez des personnes en surpoids ne souhaitant suivre aucun régime et se laissant encore grossir!

Marie témoigne que ne pas grossir n'est pas toujours facile :

« Au moment de la ménopause, sans manger plus, j'ai commencé à m'enrober. De quelques kilos par an, 2 ou 3. Seulement, en trois ans, j'approchais les 10 kilos de plus. Du coup, j'ai décidé de réformer en profondeur mon alimentation. Et j'ai progressivement reperdu ces kilos. Je pense même être un peu plus mince qu'auparavant. Je ne crois pas du tout aux régimes miracles. Je mange beaucoup plus de légumes, de soupes, je fais de la randonnée plusieurs heures par week-end. Je pense que ce changement de mode de vie est un passage obligé si l'on veut se maintenir en forme après 50 ans, pour les hommes comme pour les femmes. Car, en prenant de l'âge, on a souvent tendance à grossir si l'on ne fait aucunement attention. Quand je vois des femmes de mon âge (j'ai 69 ans) qui sont des mamies avec 25 kilos de trop, je me dis que j'ai bien fait de réagir, sinon, j'en serais là aussi! C'est dommage pour l'agilité, pour les rhumatismes, pour le cholestérol, la tension, le diabète, le souffle, le cœur... et j'en passe certainement! »

Marie a raison, car le surpoids est aussi nocif pour le cerveau, augmentant le nombre de maladies d'Alzheimer et les cancers!

La priorité est donc de rester à un poids stable.

Est-ce que maigrir c'est mieux? Oui, mais sans doute à condition, comme Marie, de ne pas suivre de régime. En effet, les personnes en surpoids voulant maigrir de manière volontariste voient leur mortalité augmenter quand elles réussissent à maigrir! C'est sans doute dû au fait qu'un régime trop sévère agresse l'organisme entraînant des effets néfastes.

---

1. Sorensen T., Rissanen A., Korkeila M., Kaprio J., « Intention to lose weight, weight changes, and 18-y mortality in overweight individuals without co-morbidities », *PLoS Medicine*, vol. 2/, Issue 6,/ e171, juin 2005.

En revanche, mincir sans régime, c'est-à-dire doucement en équilibrant son alimentation, est sans doute nettement plus bénéfique.

☞ **Pour augmenter vos chances de vivre longtemps évitez de grossir au fil des années. Si vous êtes en surpoids, améliorez votre alimentation sans faire de régime amaigrissant.**

En pratique, cela vaut tout de même la peine de maigrir plus activement dans les cas où l'on souffre des problèmes suivants :
— diabète ;
— syndrome métabolique (association de 3 facteurs sur les 5 suivants : tour de taille de plus de 88 cm chez les femmes et de plus de 102 cm chez les hommes, tension artérielle au dessus de 130/85, glycémie à jeun au-dessus de 1,10 g/l, HDL-cholestérol inférieur à 0,40 g/l chez l'homme et à 0,50 g/l chez la femme ou triglycérides au-dessus de 1,50 g/l). Ce syndrome prédispose au diabète ;
— hypertension artérielle ;
— hypercholestérolémie ;
— gêne respiratoire ;
— handicap ou faible activité physique ;
— troubles de l'érection ;
— toutes les affections aggravées par le surpoids.

Comment maigrir ?

Si vous avez décidé de maigrir, pour des raisons médicales ou pas (c'est votre choix !), la bonne méthode est celle qui vous permet de perdre du poids progressivement avec des résultats stables à long terme.

Sauf pour la perte de quelques kilogrammes, il est très important de vous faire suivre par un diététicien ou par un médecin nutritionniste, car il faut que vous appreniez à bien comprendre l'utilité de chaque aliment et son apport énergétique. Le professionnel vous guidera pour établir vos menus en fonction de vos objectifs.

Pour maigrir, il faut dépenser plus de calories que celles qui entrent dans votre corps par la nourriture. Il est donc particulièrement intéressant d'évaluer les calories que vous dépensez chaque jour pour y adapter votre alimentation.

Voici comment estimer vos dépenses quotidiennes en calories. Pour ce faire, utilisez les deux tableaux ci-dessous :

1. Évaluez votre dépense énergétique quotidienne de repos (kcal/j) en fonction de votre sexe, de votre âge et de votre poids (d'après l'Organisation mondiale de la santé, OMS)		
Âge	**Hommes**	**Femmes**
3-10 ans	22,7 × poids + 495	22,5 × poids + 499
11-18 ans	17,5 × poids + 651	12,2 × poids + 746
10-30 ans	15,3 × poids + 679	14,7 × poids + 496
31-60 ans	11,6 × poids + 879	8,7 × poids + 829
> 60 ans	13,5 × poids + 487	10,5 × poids + 596

Ce calcul nous donne le métabolisme de base, qui correspond à l'énergie que vous dépensez sans rien faire, seulement en laissant votre cœur battre, vos poumons respirer, votre sang circuler, vos cellules se renouveler, etc.

2. Évaluez votre dépense énergétique quotidienne	
Style de vie	**Dépense énergétique estimée**
Sujet sédentaire n'ayant pratiquement aucune activité physique	1,3 à 1,4 × métabolisme de base (obtenu par le calcul du premier tableau)
Sujet ayant seulement de faibles activités physiques au travail et pendant les loisirs	1,5 à 1,65 × métabolisme de base
Sujets régulièrement actifs	1,75 × métabolisme de base

Prenons l'exemple d'Henri, un homme de 45 ans, pesant 89 kilos et dont l'activité physique est limitée au travail comme pendant les loisirs :

— Son métabolisme de base est de 11,6 × poids + 879 = 11,6 × 89 + 879 = 1911 kcal/jour.

Sa dépense énergétique quotidienne est comprise entre :

- 1,5 × 1911 = 2866 kcal/jour.
- et 1,65 × 1911 = 3153 kcal/jour.

Sa dépense énergétique moyenne est donc de 3 000 kcal/jour.

Or, pour maigrir de 1 kilo, il y faut dépenser 8 000 kcal. Pour perdre 1 kilo en dix jours, il faudra qu'Henri diminue sa ration quotidienne de 800 kcal. Sa ration sera donc de 2 200 kcal/jour. En continuant ainsi, il perdra 3 kilogrammes par mois. Cependant, la perte de poids n'est pas linéaire. Des adaptations se font progressivement, notamment une diminution des dépenses énergétiques dues à la perte de poids et la réduction des apports énergétiques.

En pratique, un objectif de réduction pondérale de 2 kilogrammes par mois est réaliste et permet mieux de maintenir le résultat à long terme, ce qui est l'objectif principal. Des pertes de poids plus importantes exposent à des rechutes.

Adeline :

> « Depuis mes 18 ans, je me trouve un peu trop grosse. J'ai fait des dizaines de régimes, et à chaque fois, j'y arrive, mais je reprends tout, voire un peu davantage. Du coup maintenant que j'ai 42 ans, je pèse 68 kilos pour 1,60 mètre. Je pense que si je n'avais jamais fait de régime, je ne pèserais pas plus de 55 kilos ! En effet, j'ai vécu le phénomène du yoyo, à chaque régime, je garde quelques kilos supplémentaires. Depuis que j'ai compris ça, à 40 ans pile, âge des bilans, j'ai arrêté les régimes. Je fais mon possible pour équilibrer mon alimentation, manger beaucoup de fruits (au moins 3 par jour), des légumes, peu de graisses. J'ai, en deux ans, réussi à descendre de 75 kilos à 68. On peut penser que c'est « bof » que de perdre 7 kilos en deux ans ! Mais en fait, j'ai le sentiment qu'en continuant ainsi, je peux encore perdre des kilos sans faire de mal à mon corps, sans regrossir et en améliorant ma santé générale. Je continue donc comme ça et, pour la première fois de ma vie, j'apprécie de manger sans vraiment faire de régime, mais en pensant à mon bien général, pas à mon esthétique. C'est peut-être la prise de conscience avec l'âge qui m'a permis d'en arriver là ! Si je continue dans cette voie, je me mettrai peut-être même au sport, moi qui n'aime pas ça. Mais bon, ça j'y pense sans m'y mettre pour l'instant ! »

Arrêter de grossir quand on prend régulièrement du poids est déjà un objectif très important à atteindre. Et en s'y attelant, on peut même être surpris de fondre un peu, très doucement, exactement comme Adeline...

Si vous souhaitez connaître les dépenses énergétiques générées par différentes activités quotidiennes ou par divers exercices physiques, rapportez-vous au chapitre « activité physique » qui vous donne une idée plus fine de ces dépenses.

Que penser de la restriction calorique ?

Manger moins, nettement moins que la ration calorique conseillée pourrait faire vivre plus longtemps. Cela a parfaitement été démontré chez de nombreuses espèces animales comme des mouches, des vers, des rats qui peuvent allonger leur vie de 30 % si l'on restreint leur alimentation...

C'est donc une voie très intéressante pour nous : faudrait-il manger vraiment très peu pour vivre plus longtemps ? Oui pour certains animaux.

Mais, est-ce que cela a été également démontré chez l'homme ? Non. Même si les habitants de l'île d'Okinawa vivent centenaires en mangeant moins de calories que les autres Japonais, chez l'homme, les effets négatifs de la restriction calorique sont connus et ses effets positifs hypothétiques.

Pourquoi ?

Les hommes vivent beaucoup plus longtemps que des mouches et il n'est pas facile de les garder en cage pour contrôler leurs apports alimentaires ! Une étude [1] a pu néanmoins suivre deux groupes de 60 hommes, l'un prenant 35 % de calories en moins chaque jour que l'autre. Après 3 années, la différence du nombre de décès n'était pas significative.

Quelques études ont aussi été conduites sur les personnes ayant souffert de famines. Elles ne montrent pas d'effet particulièrement intéressant en ce qui concerne les cancers [2]. De même, les personnes souffrant d'anorexie ne vivent pas plus longtemps [3].

Il est difficile de comparer des animaux de laboratoire à des humains. Lors d'une expérience, on apporte aux animaux toutes les vitamines, oligoéléments, nutriments essentiels. Ils sont donc

---

1. Heilbronn L. K. et Ravussin E., « Calorie restriction and aging : review of the literature and implications for studies in humans », *Am. J. Clin. Nutr.*, 78, 2003, p. 361-365.

2. Dirks A. J., Leeuwenburgh C., « Caloric restriction in humans : potential pitfalls and health concerns », *Mech. Ageing Dev.*, 12 octobre 2005.

3. Korndörfer S. R., Lucas A. R., Suman V. J. *et al.*, « Long-term survival of patients with anorexia nervosa : a population-based study in Rochester », *Mayo Clin Proc.*, 78(3), mars 2003, p. 278-284.

soumis à une sous-nutrition, mais en aucun cas à une malnutrition. Il serait difficile de reproduire expérimentalement ces expériences sur des humains pendant des années ! Surtout qu'une restriction calorique entraînerait certainement des problèmes de santé, et surtout une sensation de faim chronique.

Une des seules expériences de restriction calorique chronique volontaire s'est faite dans Biosphère 2, enceinte close qui devait reproduire un écosystème complet. Là ont vécu pendant deux ans 4 hommes et 4 femmes. Toute la nourriture était produite dans l'enceinte, et ils ont été soumis à un régime hypocalorique de 1 800 calories au début et jusqu'à 2 200 calories par la suite. Des examens médicaux ont montré que cette restriction n'avait pas eu d'effets néfastes sur leur santé. Cependant, une fois sortis de Biosphère 2, les participants ont tous repris une alimentation normale... et des kilos !

☞ **Finalement, l'idéal est de manger sans excès, sans chercher à atteindre un stade de restriction qui exposerait à un déséquilibre alimentaire et qui serait difficilement tenable.**

La répartition : des habitudes alimentaires bouleversées en un siècle

En 1840, les graisses représentaient 18 % de la ration alimentaire. Elles représentent aujourd'hui 40 à 45 % !

Pis encore, cette augmentation est essentiellement due aux graisses animales, bien plus nocives que les graisses végétales...

Parallèlement, la ration de sucres (glucides) a beaucoup diminué, passant de 50-55 % à 40 %.

Les protéines, elles, sont restées stables, avec un basculement des protéines végétales vers les protéines animales.

Nous mangeons donc moins de glucides, délaissant les sucres lents (pain, céréales, légumes secs), pour consommer de plus en plus de sucres rapides au goût sucré : 33 kilos par an aujourd'hui contre 3 kilos en 1840 !

Pourtant, la ration alimentaire idéale est composée à 30 % de lipides, 15 à 20 % de protides et 50-55 % de glucides.

Quels sucres lents ajouter ?

En priorité, il serait bon de se réhabituer à des légumes secs comme les fèves, flageolets, lentilles, haricots rouges, haricots blancs, pois cassés, pois chiches, soja. Ce sont surtout ces aliments dont nous avons perdu l'habitude et qui sont à redécouvrir.

Odile :

« Je ne savais pas que les légumes secs étaient bons pour la santé. Je ne m'étais jamais posé la question, et je n'en préparais jamais car c'est long à cuire et que je suis toujours pressée. Depuis que j'ai pris conscience de leurs bienfaits, j'ai découvert de nouvelles recettes. Je les réalise le soir pour le lendemain, et finalement, même si c'est long à cuire, ce n'est pas long à préparer. La première recette a été celle des pois cassés que ma mère faisait quand j'étais petite. J'ai cuit aussi des haricots blancs, plat qui me semblait dépassé ! Ces plats sont très peu chers, très nourrissants, et peuvent remplacer la viande, puisqu'ils sont très riches en protéines. J'ai l'impression qu'ils ont été oubliés parce qu'ils ne sont pas chers. En effet, un industriel investira plus dans la pub sur la viande car il la vend plus cher. Du coup, tout ce changement est positif, à la fois pour ma santé et pour mon porte-monnaie ! »

Les sucres des céréales sont des sucres un peu moins lents que ceux des légumes secs : le pain complet, les céréales comme la semoule de blé, le couscous, le boulgour, le quinoa, le riz, l'épeautre, le sarrasin, le maïs, les pommes de terre, les pâtes, les produits à base de farine (crêpes, galettes...). Ils sont à conserver dans l'alimentation. Les régimes qui préconisent de les éviter sont à proscrire.

☞ **Pour vivre longtemps en bonne santé, mangez moins de graisses, surtout animales, moins de sucres rapides, et plus de sucres lents de type légumes secs et féculents.**

Le choix des aliments

Des messages officiels influencés par le poids de l'industrie alimentaire

En un siècle, notre alimentation a été complètement boulever-sée. Depuis le début du XXe siècle nous consommons donc :
— moins de pain et de céréales ;
— moins de fruits et légumes ;
— plus de viandes et produits carnés ;
— plus de laitages ;
— plus de produits cuisinés avec trop de graisses.

C'est une tendance forte qui a traversé tout le XXe siècle et elle continue, encouragée par les messages de l'industrie alimentaire, qui elle se préoccupe en priorité de ses bénéfices et pas spéciale-ment de la santé publique !

Face à l'explosion de l'obésité, du diabète et des accidents cardio-vasculaires, et pour limiter les dégâts en France, les autorités publiques ont publié des recommandations officielles qui sont connues sous le nom de PNNS (Programme national nutrition santé).

Recommandations INPES : Institut national de prévention et d'éducation pour la santé		
Fruits et légumes	au moins 5 par jour	• À chaque repas et en cas de petits creux. • Crus, cuits, nature ou préparés. • Frais, surgelés ou en conserve.
Pains, céréales, pommes de terre et légumes secs	à chaque repas et selon l'appétit	• Favoriser les éléments céréaliers complets ou pain bis. • Privilégier la variété.
Lait et produits laitiers (yaourts, fromages)	3 par jour	• Privilégier la variété. • Privilégier les fromages les plus riches en calcium, les moins gras et les moins salés.

Viandes, produits de la pêche ou œufs	1 à 2 fois par jour	• En quantité inférieure à celle de l'accompagnement. • Viandes : privilégier la variété des espèces et les morceaux les moins gras • Poisson : au moins deux fois par semaine.
Matières grasses ajoutées	Limiter la consommation	• Privilégier les matières grasses végétales (huile d'olive, de colza). • Favoriser la variété. • Limiter les graisses d'origine animale (beurre, crème...).
Produits sucrés	Limiter la consommation	• Attention aux boissons sucrées. • Attention aux aliments gras et sucrés à la fois (pâtisseries, crèmes dessert, chocolat, glaces...).
Boissons	Eau à volonté	• Au cours et en dehors des repas. • Limiter les boissons sucrées (privilégier les boissons allégées en sucre). • Boissons alcoolisées : chez l'adulte ne pas dépasser, par jour, 2 verres de vin (de 10 cl) pour les femmes * et 3 pour les hommes. 2 verres de vin sont équivalents à 2 demis de bière ou 6 cl d'alcool fort.
Sel	Limiter la consommation	• Préférer le sel iodé. • Ne pas resaler avant de goûter. • Réduire l'ajout de sel dans les eaux de cuisson. • Limiter les fromages et les charcuteries les plus salées et les produits apéritifs salés.

Elles constituent une base minimale de ce qu'il faut savoir pour bien s'alimenter. Cependant, ces messages officiels laissent une grande place aux laitages (3 par jour), à la viande (placée avant le poisson) et au vin dont il est seulement conseillé de limiter la boisson au-dessous de 3 verres de vin pour les hommes et de 2 verres de vin pour les femmes. Autrement dit, ces recommandations protègent les activités agricoles et alimentaires françaises, à savoir l'élevage, la production de laitages et la viti-culture.

Il est possible de faire nettement mieux !

L'effet positif de certains aliments est très surestimé

Il s'agit des laitages, de la viande rouge (surtout de la viande transformée), et du vin qui sont loin d'être toujours bénéfiques :

— *Le vin* est bon pour le cœur à *très faible dose*, mais néfaste pour les cancers. Il a aussi un effet négatif pour la maladie d'Alzheimer chez les porteurs du gène apo E4, soit un quart de la population. Sa consommation idéale se situe entre 1 à 6 verres par semaine.

— *Les graisses animales* sont dangereuses pour les trois mala-dies. La consommation élevée de viande rouge et de viandes trans-formées est potentiellement cancérigène.

— *Les laitages*, eux, sont soit sans effet sur ces maladies, soit potentiellement impliqués dans des cancers comme celui de l'ovaire [1] ou de la prostate [2]. Et les effets positifs dont les pare l'industrie sont souvent hypothétiques (*cf.* la publicité sur le calcium des yaourts, censé faire maigrir ! Toutefois, les pubs ne le disent pas vraiment, et pour cause, mais le sous-entendent...)

☞ **Ne vous forcez jamais à consommer davantage de laitages. Ce sont des aliments dont l'intérêt pour votre santé n'est réel qu'en petites quantités. Une alimentation équilibrée doit d'abord privilégier les fruits, les légumes et les poissons.**

1. Larsson S. C., Bergkvist L, Wolk A., « Milk and lactose intakes and ovarian can-cers risk in the Swedish Mammography cohort », *American Journal of Clinical Nutri-tion*, vol. n° 5, novembre 2004, p. 1353-1357.
2. Tseng M., Breslow R. A., Graubard B. I., Ziegler R. G., « Dairy, calcium, and vita-min D intakes and prostate cancer risk in the National Health and Nutrition Examination Epidemiologic Follow-up Study cohort », *Am. J. Clin. Nutr.*, mai 2005, p. 1147-1154.

Des laitages, du calcium, dans quel but ?

Les recommandations officielles sont de prendre trois laitages par jour. Cette recommandation n'a aucun intérêt pour prévenir des cancers, des maladies d'Alzheimer ou des infarctus (hormis un faible intérêt pour le cancer du côlon). Son objectif essentiel serait de limiter le risque d'ostéoporose et donc de fractures chez les femmes.

Cette recommandation ne s'appuie pas sur des preuves aussi solides que celles sur les légumes ou le poisson : les études sont contradictoires et, pour l'essentiel, voici ce que nous savons :

— La supplémentation en calcium n'a aucune efficacité chez les femmes ménopausées. Une étude dénommée RECORD vient même de démontrer l'absence d'efficacité du calcium, de la vitamine D et des deux en association chez les femmes de plus de 70 ans ayant déjà eu une fracture [1]. Pourquoi la prise de produits laitiers serait-elle plus efficace ? Cela n'a pas vraiment été démontré.

— Même chez les jeunes en croissance, en train de minéraliser leurs os, les études ne sont pas davantage convaincantes. Après analyse de 37 études, il ressort qu'aucune relation n'est retrouvée entre la consommation de produits laitiers et la minéralisation osseuse dans 27 études, dans 9 elle était faible et en relation avec de la vitamine D pour 3 d'entre elles [2].

Cette recommandation est gênante sur bien des plans :

— Prendre trois laitages par jour implique souvent de manger moins de fruits et légumes ou de poissons. C'est dommageable.

— Cette recommandation ne concerne pas les hommes qui ne souffrent guère d'ostéoporose. Il vaudrait mille fois mieux qu'ils s'intéressent plus aux fruits et légumes, ce qu'ils ne font pas assez !

— Le lait est loin d'être la seule source de calcium. On en trouve aussi dans :

• les eaux minérales : Vittel Hépar, Contrex (450 à 581 mg/litre) ;
• les amandes, figues, noix, abricots secs ;
• la semoule ;
• le chocolat amer.

Insistons sur l'importance d'une alimentation équilibrée, dans laquelle les laitages sont à une meilleure place et sur l'intérêt du fro-

---

1. Anderson F. *et al.*, « The RECORD trial : an evaluation of calcium and/or vitamin D in the secondary prevention of osteoporotic fractures », *Bone*, 36 (Suppl.2), 2005.
2. Lanou A. J., Berkow S. E., Barnard N. D., « Calcium, dairy products, and bone health in children and young adults : a reevaluation of the evidence », *Pediatrics*, 115(3), mars 2005, p. 736-743.

mage dans lequel le lait est concentré, particulièrement dans les pâtes dures (gruyères, Hollande, cantal : 776 à 1010 mg/100g), à comparer aux yaourts : 140 mg/100g.

Enfin, continuons à promouvoir l'activité physique qui diminue le risque d'ostéoporose jusqu'à 50 % [1] !

Fruits et légumes, poisson et bonnes graisses, là est l'essentiel

En faisant la synthèse des études sur la relation entre l'alimentation et les trois grandes maladies que sont l'Alzheimer, le cancer et l'infarctus, il en ressort que deux types d'aliments sont toujours protecteurs et peuvent être consommés en priorité :

— les fruits et légumes,
— le poisson en consommation élevée et les bonnes graisses (oméga-3).

Josette :

> « J'ai été étonnée de voir que mon fils, élève de CM1, apprenait à classer les aliments en trois classes : les constructeurs, les énergétiques et les protecteurs. Les aliments protecteurs sont les fruits et légumes. J'ai trouvé ça vraiment bien d'expliquer cela aux enfants. Nous avons en effet souvent du mal à les faire manger des légumes. Depuis que mon fils a appris ça à l'école, il est nettement moins réticent à goûter un légume. C'est dommage qu'à mon époque, on ne nous apprenait rien de tout cela. On connaissait juste les glucides, lipides ou protides ! Alors forcément quand on ne se rend pas compte de l'intérêt d'un aliment, ça n'incite pas à le consommer, surtout quand l'industrie fait de la pub pour les aliments tout préparés. »

Une alimentation optimale

La base : fruits, légumes, poissons et bonnes huiles

Il s'agit des aliments pivots pour construire nos repas.

Les fruits et légumes peuvent être pris à volonté. Ils sont toujours bénéfiques. Pourquoi ?

---

1. Direction générale de la santé (DGS) et INPES. Dossier de presse 2005 : « L'activité physique au quotidien protège votre santé ».

Ils contiennent des antioxydants, des polyphénols, toutes sortes de substances protectrices pour nos cellules. Ils sont particulièrement anticancéreux.

Voici ce qu'en dit le docteur Béliveau [1] lorsqu'il parle des microtumeurs cancéreuses que nous hébergeons tous dans notre corps :

« Prévenir le cancer consiste à empêcher ces microtumeurs de devenir des cancers déclarés. Comment ? Grâce aux agents anticancer des végétaux. En manger, c'est s'administrer une véritable chimiothérapie au quotidien. Une alimentation très riche en fruits, légumes et autres végétaux fournit à l'organisme plusieurs grammes de molécules anticancer chaque jour. Ces molécules visent les mêmes cibles que les médicaments utilisés en chimiothérapie, mais, contrairement à ces derniers, elles s'attaquent uniquement aux cellules cancéreuses, sans conséquence toxique.(...) les gens qui mangent beaucoup de fruits et de légumes, en Asie notamment, souffrent beaucoup moins de cancer. Ceux qui vivent le plus longtemps sont les Crétois et les habitants de l'île d'Okinawa, au Japon, dont l'alimentation regorge de fruits, légumes et légumineuses. De plus, les expériences en laboratoire s'avèrent concluantes. Plus précisément : certains végétaux réduisent les risques de cancer – par exemple, les crucifères (la famille du chou) bloquent la formation des œstrogènes associés au cancer du sein. Mais c'est la combinaison de molécules végétales différentes qui exerce un effet protecteur. Cela suppose un menu varié...

(voir le chapitre sur le cancer pour plus de précisions sur le régime anticancer)

— Un fruit le matin est une très bonne habitude à prendre : pommes, oranges et, selon la saison, abricots, myrtilles, groseilles.

— Prenez un fruit ou un dessert au fruit chaque jour, c'est toujours cela de gagné !

— Une crudité par jour est aussi une bonne habitude.

— Habituez-vous à ajouter des légumes à vos pâtes, votre riz, vos pommes de terre : tomates, carottes, courgettes, etc. Les surgelés sont très pratiques pour aller dans ce sens.

---

1. Richard Béliveau est auteur d'un livre intitulé *Les Aliments contre le cancer*, aux Éditions Trécarré, Canada, 2005 ; Éditions Solar, France, 2006.

— Cuisinez très facilement des légumes à la vapeur ou à l'étouffée (dans un tout petit peu d'eau), le plus simple des assaisonnements étant par exemple un filet d'huile d'olive ou de colza, un peu de parmesan, de moutarde ou de sauce tomate.

Les poissons sont tous bons. Les meilleurs, les plus riches en oméga-3 sont le saumon, la truite saumonée, le hareng, la sardine et le maquereau :

— Préparez 2 à 3 plats de poisson par semaine... ou plus. Le plus simple est de l'acheter une fois par semaine et de le congeler pour les jours suivants.

— Les poissons se cuisent en papillote, au court-bouillon, en grillade, en poêlée de dés de poisson, etc. Le maquereau est délicieux braisé. Après avoir tartiné les filets avec une moutarde à l'ancienne, placez-le sous le gril dix minutes.

— Les conserves de sardine ou de maquereau sont excellentes pour la santé. Les foies de morue [1] et le hareng à l'huile également. Choisissez des conserves contenant plutôt de l'huile de colza (la meilleure) ou d'olive, et évitez l'huile d'arachide ou de tournesol.

— Les enfants aiment souvent les poissons panés. Autant ne pas les en priver. Cuisez-les à l'huile de colza.

Faut-il choisir des poissons sauvages ou d'élevage ?

Un temps décriés, les poissons d'élevage sont aujourd'hui connus comme très riches en oméga-3, car ils sont nourris à la farine de poisson et non plus à la farine animale. De plus, ils sont plus gras que les poissons sauvages, donc riches en bonnes graisses. Alors, poissons sauvages ou d'élevage, les deux sont intéressants en ce qui concerne les bonnes graisses.

Les meilleures huiles sont riches en oméga-3 : l'huile de colza ou de noix. On trouve maintenant des mélanges d'huile d'olive et de colza. L'huile de colza est idéale pour la cuisson car, contrairement à une idée reçue, elle résiste très bien à la chaleur [2]. L'huile d'olive ou le mélange olive-colza sont très appréciés en assaisonnement des salades, mais aussi des légumes en remplacement du beurre.

---

1. Attention à ne pas en consommer de manière exagérée car il existe dans ce cas un risque de surdosage toxique en vitamine A et en vitamine D.

2. L'huile de colza est très bonne en friture à la poêle. Elle est en revanche déconseillée en friture répétée comme dans la friture profonde, comme pour les frites. Mais d'une manière générale, c'est la friture profonde qui est déconseillée...

Les fruits secs, notamment les amandes, les noix et les noisettes, sont également riches en acides gras monoinsaturés et en oméga-3. Ils peuvent être utilisés en en-cas, en apéritifs ou dans des salades.

Les compléments : pain, céréales, pommes de terre et légumes secs

Le pain complet est un excellent complément du repas.

Les céréales complètes, les pommes de terre et les légumes secs peuvent aussi être pris souvent. Ils constituent la deuxième base des repas après les légumes avec qui ils peuvent être mélangés. L'idéal, en accompagnement d'un poisson, est un mélange céréale-légumes, par exemple riz-artichaut, couscous-carottes, quinoa-courgettes, pain complet-choux, pâtes-brocolis, etc. Selon vos goûts !

Les céréales sont très pratiques car elles se cuisinent très rapidement. Il en est ainsi du couscous, du quinoa, du blé, des pâtes, etc. Ils s'assaisonnent avec de la sauce tomate, de l'huile et du fromage, etc.

Pour les légumes secs, préparez-les à l'avance car ils doivent tremper ou sont souvent longs à cuire. Vous pouvez aussi les acheter en boîte, tout cuits ou surgelés. Les légumes secs sont pauvres en graisses et très riches en protéines. Ils peuvent donc former un plat complet s'ils sont associés à la place de la viande à une céréale et à un ou plusieurs légumes. Ce sont d'ailleurs les bases traditionnelles des plats régionaux que nous redécouvrons : pois chiches associés au couscous et aux légumes, haricots rouges avec du maïs et des légumes, riz avec du soja et des légumes, soupe de haricots blancs avec des choux et du pain...

Viandes et volailles : selon votre goût, mais après et dans le cadre d'un régime équilibré

La grande étude EPIC est la plus instructive à ce sujet pour les viandes. Elle a suivi près de 500 000 personnes dans 10 pays européens [1].

---

1. Norat T., Bingham S., Ferrari P. *et al.* « Meat, fish, and colorectal cancer risk : the european prospective investigation into cancer and nutrition », *J. Natl Cancer Inst.*, 97, 2005, p. 906-916.

Les volailles et notamment le poulet et la dinde peuvent être mangés souvent. Ils n'ont pas d'effets négatifs particuliers. Les œufs sont bons et n'augmentent pas le cholestérol comme cela est si souvent entendu, même à raison de deux par jour [1].

La viande et les viandes transformées (saucisses, jambon, bacon) ne sont pas interdites, mais elles nécessitent de manger encore davantage de fruits et légumes ou de poissons. Les deux schémas ci-dessous permettent d'y voir clair.

Une personne qui mange beaucoup de viande, mais pas de poisson, augmente son risque de faire un cancer du côlon de 63 %. En revanche, si elle mange beaucoup de viande, mais aussi beaucoup de poisson, son risque ne sera que faiblement augmenté et de manière non significative.

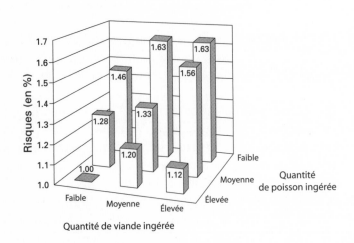

On peut dire la même chose avec les fruits et légumes. Celui qui mange beaucoup de viande, mais peu de fibres (légumes, céréales complètes, pain complet) augmente son risque de faire un cancer du côlon de 50 %. En revanche, s'il mange beaucoup de viande, mais aussi beaucoup de fibres, son risque ne sera que faiblement augmenté et de manière non significative.

---

1. Katz D. L., Evan M. A., Nawaz H. *et al.*, « Egg consumption and endothelial function : a randomized controlled crossover trial », *Int. J. Cardiol.*, 10 mars 2005, p. 65-70.

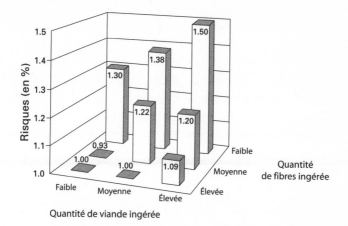

Autrement dit, ceux qui apprécient la viande doivent s'organiser pour avoir un régime le plus riche possible en poissons et légumes.

Il ressort de l'étude EPIC, qu'il faut préférer les viandes dans l'ordre suivant :
— Volailles ;
— bœuf et veau ;
— agneau.

Et manger rarement :
— porc ;
— jambon, bacon, saucisses.

Les graisses animales : à éviter ou à limiter
Place des laitages

L'effet négatif des graisses animales a été confirmé dans les maladies d'Alzheimer, les maladies cardiovasculaires et les cancers. Dans l'infarctus, les effets bénéfiques de régimes pauvres en graisses animales ont particulièrement été étudiés.

Que faire en pratique ? Mangez beaucoup moins de beurre, de crème, donc de pâtisseries, de viandes grasses et de charcuteries. Limitez aussi les graisses trans-hydrogénées. Il s'agit de graisses végétales solidifiées pour remplacer le beurre et qui sont en fait plus toxiques que lui. On les trouve dans la pâtisserie industrielle, les viennoiseries, les plats cuisinés, etc. Sur les listes de composants est souvent indiqué : graisse végétale hydrogénée.

Ces recommandations alimentaires sont très efficaces chez les personnes ayant déjà fait un infarctus : elles réduisent de 37 % le nombre d'accidents cardiaques et de 26 % le nombre des décès cardiaques après cinq années de suivi [1].

Pour faire le mieux possible et aller le plus loin possible dans l'amélioration de votre qualité de vie, suivez le régime méditerranéen strict : votre risque d'accident cardiaque recule de 76 % et votre risque des décès toutes causes de 70 % [2] par rapport au régime précédent suivi de manière peu stricte ! (Cela d'après une étude célèbre des professeurs de Lorgeril et Renaud qui ont comparé ces deux régimes.)

Quels sont les paramètres stricts du régime méditerranéen qui entraînent de meilleurs résultats ? Il y en a deux :

— Le premier, le plus important, concerne les graisses : supprimez totalement le beurre et la crème (remplacez-les par une margarine de colza idéalement, ou par une margarine de tournesol à prendre en quantité limitée). Utilisez seulement de l'huile de colza et d'olive. Les fromages sont autorisés en quantité limitée (ils sont très caloriques !), ainsi que les yaourts ou fromages blancs.

— Le deuxième : mangez encore plus de légumes secs, de légumes verts, de fruits, et très peu de viandes rouges et de charcuteries. Reportez-vous plutôt sur le poisson et la volaille.

Le beurre et la crème sont donc totalement éliminés ainsi que les huiles contenant des oméga-6 (comme le tournesol). Toutes ces graisses sont remplacées par des huiles contenant des oméga-3 (colza) et de l'acide oléique (olive).

Si vous voulez appliquer ce régime méditerranéen strict, vous devez éliminer totalement le beurre à table (tartines) et en cuisson pour cuisiner à l'huile de colza. Elle peut être mélangée à l'huile d'olive. Si vous êtes habitué à une graisse à tartiner et que vous n'arriviez pas à vous en passer, utilisez une margarine de colza. Vous pouvez essayer aussi les purées de noix de cajou ou d'amandes qui sont délicieuses.

Toutes les huiles végétales ne se valent donc pas : les huiles de colza ou de noix sont bénéfiques et l'huile d'olive est neutre. L'huile de tournesol est à limiter !

---

1. Leren P., « The Oslo diet-heart study. Eleven years report », *Circulation*, 42(5) : novembre 1970, p. 935-942.
2. De Lorgeril M., Renaud S., Mamelle L. *et al.*, « Mediterranean alpha-linolenic acid-rich diet in secondary prevention of coronary heart disease », *Lancet*, 343(8911), 11 juin 1994, p. 1454-1459.

Les différentes huiles

Les graisses sont composées d'acides gras de cinq sortes :
— Les acides gras saturés solides à la température ambiante, comme le beurre ou la Végétaline : ils sont à éviter.
— Les acides gras mono-insaturés bénéfiques et dont l'huile d'olive et l'huile de colza sont riches.
— Les acides gras poly-insaturés de type oméga-3 bénéfiques et que l'on retrouve dans l'huile de colza, de noix et de soja.
— Les acides gras poly-insaturés de type oméga-6 sont indispensables, mais ils ne doivent pas trop dépasser les taux d'oméga-3 (c'est l'équilibre entre les deux acides gras qui est important). On les trouve dans l'huile de tournesol, de maïs, d'arachide et de palme, ainsi que dans la plupart des margarines.
— Les graisses saturées artificiellement sont particulièrement toxiques. On les appelle aussi souvent acides gras trans. Ce sont des graisses végétales liquides auxquelles on a fait subir un traitement pour les rendre solides. Elles sont néfastes pour la santé, plus encore que les graisses comme le beurre ou l'huile de palme naturellement saturées. On les appelle aussi graisses hydrogénées.

L'idéal consiste dans un rapport entre les oméga-3 et les oméga-6, de l'ordre de 1 à 5. L'huile de colza contient un peu d'oméga-6 par exemple. Le problème est que l'alimentation moderne, notamment à travers les plats préparés, augmente considérablement les apports en oméga-6 et le rapport actuel se situe en moyenne à 11 (jusqu'à 50 pour certains !) [1].
Dans notre organisme les oméga-3 et les oméga-6 sont complémentaires quand leurs apports sont équilibrés. Mais, en cas de déséquilibre, les effets des oméga-6 sont mauvais. Pourquoi ? Tout simplement parce qu'ils s'opposent à l'effet sur la fluidification sanguine des oméga-3 et à leur effet anti-inflammatoire, car les oméga-6 participent à l'élaboration de molécules favorisant l'inflammation, les prostaglandines.
Du fait de ce grand déséquilibre dans notre alimentation, on peut se contenter de maximiser ses apports en oméga-3, les oméga-6 seront toujours assez présents dans notre assiette.

Contrairement au beurre et à la crème, le fromage reste raisonnablement utilisé, la fermentation du lait semblant le bonifier. Il en est de même des yaourts et des fromages blancs qui peuvent être pris plus ou moins allégés.

---

1. Jean-Marie Bourre, *La Vérité sur les oméga-3*, Paris, Odile Jacob, 2004.

Les sucres

Les sucres simples, comme les graisses animales et les graisses trans (saturées artificiellement), ont considérablement augmenté dans notre ration alimentaire. C'est le fait de l'industrie alimentaire. La consommation de sucres raffinés a ainsi été multipliée par 10 en un siècle ! Autrement dit, les sucres raffinés sont devenus de véritables pièges dans notre alimentation.

Attention aux boissons sucrées qui représentent une source supplémentaire très importante de calories. En effet, l'organisme ne les comptabilise souvent pas dans sa ration calorique journalière, et l'on mange toujours autant quand on en a ingéré, même si le nombre de calories bues est important. Il s'agit des cocas, sodas, limonades, jus de fruits, etc. L'industrie alimentaire nous propose maintenant des boissons sans calorie ou light : eaux minérales, Coca light, Schweppes light, Orangina light, etc. Ces boissons light sont intéressantes quand le sucre est remplacé par de l'aspartam, substitut ne contenant vraiment pas de sucre. Attention cependant à lire les étiquettes : certaines boissons soi-disant light contiennent en fait pas mal de sucre, même si c'est moins que cela pourrait être !

L'aspartam est absolument inoffensif pour la santé : il n'a jamais donné de cancer, contrairement à des rumeurs qui reviennent de temps en temps.

Dans les boissons caloriques, attention aussi à l'alcool, qui apporte en moyenne 70 à 100 calories par verre.

Avec les boissons sucrées, un autre piège est constitué par les pâtisseries, les crèmes dessert, les barres chocolatées, les glaces, etc. Il faut absolument les éviter en dehors des repas et, d'une manière générale, les limiter le plus possible. Pour les desserts courants, préférez toujours les fruits et les laitages.

La synthèse du bien-manger

Voici un tableau résumant les informations que nous venons de développer, en reprenant certaines des informations de l'INPES :

Fruits et légumes	au moins 5 par jour	• À chaque repas et en cas de petits creux. • Un fruit le matin • Crus, cuits, nature ou préparés. • Frais, surgelés ou en conserve.
Poissons	3 fois par semaine	• Saumon, truite saumonée, hareng, sardine, maquereau et tous les autres. • Frais, surgelés ou en conserve.
Pains, céréales, pommes de terre et légumes secs	à chaque repas et selon l'appétit	• Favoriser les éléments céréaliers complets ou pain bis. • Penser à mélanger des légumes avec les céréales. • Privilégier la variété.
Huiles d'olive, de colza, de noix, voire de soja et fruits secs	Pour toute la cuisine	• Privilégier la qualité des huiles. • Éviter les huiles de tournesol, de palme, d'arachide, de maïs. • Amandes, noix, noisettes, etc.
Volailles et œufs	En alternance avec le poisson	• Privilégier le poulet et la dinde.
Viandes	De temps en temps, à condition de manger suffisamment de fruits et légumes et/ou de poissons	• Privilégier les morceaux les moins gras • Limiter les viandes transformées (jambons, bacon, saucisses)
Beurre, crème	Supprimer la consommation ou la limiter	• Privilégier les matières grasses végétales (huile d'olive, de colza) dans la cuisine. • Préférer les laits écrémés ou demi-écrémés.
Laitages et fromages	En complément de repas	• Yaourt et fromages n'ont pas les propriétés négatives du beurre et de la crème.

Produits sucrés	Limiter la consommation	• Attention aux boissons sucrées. • Attention aux aliments gras et sucrés à la fois (pâtisseries, crèmes dessert, chocolat, glaces...).
Boissons	Eau à volonté	• Au cours et en dehors des repas. • Privilégier les eaux minérales riches en calcium. • Limiter les boissons sucrées (privilégier les boissons allégées en sucre). • Vin : 1 à 6 verres par semaine
Sel	Limiter la consommation	• Préférer le sel iodé. • Ne pas resaler avant de goûter. • Réduire l'ajout de sel dans les eaux de cuisson. • Limiter les fromages et les charcuteries les plus salées et les produits apéritifs salés.

En phase avec les recommandations de la Société européenne de cardiologie

Ce tableau de synthèse est complètement en phase avec les recommandations de la Société européenne de cardiologie :

— L'alimentation doit être variée et la quantité doit permettre de maintenir un poids idéal, avec un Indice de masse corporel compris entre 18,5 et 24,9.

— La consommation de fruits, légumes, céréales et pains complets, laitages écrémés ou demi-écrémés, poissons et volailles, doit être encouragée.

— Les huiles de poisson et les oméga-3 ont des propriétés très bénéfiques.

— La part totale des graisses ne doit pas dépasser 30 % des apports, les graisses saturées (beurre, crème, graisses animales) ne devant pas dépasser 10 %. La prise de cholestérol ne doit pas dépasser 300 mg par jour.

— Dans un régime, il est possible, à calories constantes, de substituer les graisses saturées par des sucres complexes (pain, riz, pâtes) et par des graisses végétales ou issues de poissons.

Les compléments alimentaires

Comme leur nom l'indique, les compléments alimentaires peuvent être très utiles, si l'alimentation n'est pas suffisamment équilibrée. Certaines personnes n'arrivent pas par exemple à manger du poisson, d'autres évitent les fruits et les légumes.

Les personnes qui n'arrivent pas à manger suffisamment de fruits et légumes, et celles qui boivent plus d'un verre d'alcool par jour ou qui fument, retirent un bénéfice d'une supplémentation régulière en vitamines et sels minéraux, selon une formulation approchée de celle de l'étude SU.VI.MAX :
— vitamine C : 120 milligrammes ;
— vitamine E : 30 milligrammes ;
— bêta-carotène : 6 milligrammes ;
— sélénium : 100 microgrammes,
— zinc : 20 milligrammes.

Les personnes qui ne prennent pas suffisamment de poissons peuvent faire appel aux capsules d'oméga-3, sans dépasser 2 grammes par jour (recommandation FDA = food and drug administration, organisme américain qui donne les autorisations de mise en vente et qui surveille la qualité sanitaire).

Faire évoluer nos comportements alimentaires

Le changement pour un mode de vie sain est très performant. En suivant un régime alimentaire méditerranéen associé à de l'exercice physique, une prise modérée d'alcool et un arrêt du tabac, on observe une chute de 65 % de la mortalité globale à dix ans [1]. Autrement dit, les changements liés au mode de vie ont nettement plus d'impact que celui des médicaments !

Malheureusement, changer de mode de vie n'est pas toujours simple.

Le premier temps du changement est la conviction de la nécessité de changer. Il faut s'intéresser à toutes les informations utiles

---

1. Knoops K. T., de Groot L. C., Kromhout D. *et al.*, « Mediterranean diet, lifestyle factors, and 10-year mortality in elderly European men and women : the Hale project », *JAMA*, 292(12) : 22 septembre 2004, p. 1433-1439.

dans ce but, disponibles dans les journaux, sur Internet et dans les livres comme celui-ci !

Le deuxième temps est la préparation au changement, qui consiste à s'organiser pour le réussir : organiser la cuisine, les repas à l'extérieur, les courses, les quantités à prendre. Une phase transitoire est souvent nécessaire.

Le troisième temps est celui de l'action : on a choisi son style d'alimentation et on le suit de manière plus constante.

Le quatrième temps est celui de la patience : il faut au moins 6 mois pour changer une habitude (cela peut prendre jusqu'à 18 mois) et il faut autant de temps pour que vos goûts changent. Car les goûts changent toujours et s'adaptent à votre nouveau style alimentaire : les fruits vous semblent bien meilleurs, les légumes aussi, le beurre devient immangeable, etc. Il en est de même de l'alcool, si on commence à se limiter à 1 à 6 verres par semaine.

Pour faire évoluer ses habitudes alimentaires, quelques autres moyens sont utiles à connaître :

— Des consultations de diététique peuvent être très utiles, notamment pour repérer certaines erreurs alimentaires et choisir les aliments qui conviennent le mieux à chaque cas.

— S'arrêter de fumer est essentiel, car outre que le tabac masque les goûts des fruits et légumes et les rend fades, il fait préférer les plats en sauce, les viandes et les desserts sucrés.

— Entraînez-vous à vous décider rapidement. Nous nous faisons souvent piéger par nos hésitations ! Salade de fruits ou pâtisserie ? Si vous attendez trop, vous allez vous retrouver avec un millefeuille ! Donc choisissez sans attendre ce qui vous convient.

— Repérez ce qui est à la fois bon et utile. Par exemple au bureau, vous n'avez le temps que pour un sandwich... Plutôt qu'un jambon beurre, essayez un panini au thon avec de l'huile d'olive.

— Ne mangez pas en dehors des repas. Hors de la maison, les barres chocolatées et autres sucreries vous assiègent de partout. Cela devient un vrai problème de société. À la maison, c'est la télé qui vous anesthésie et vous pousse à grignoter ou à boire des boissons caloriques.

— Attention aux apéritifs qui sont hypercaloriques : deux verres d'alcool ou de jus de fruits, 100 grammes de cacahuètes ou 100 grammes de chips et vous avez stocké plus de 1 300 calories ! Préférez les boissons sans calorie, les œufs de caille, les mini-légumes, le pain ou les cubes de fromage.

— Achetez des produits de qualité, notamment des bons fruits et légumes, des bons poissons et de bonnes huiles. Votre goût se faisant à ces aliments de base, vous connaîtrez progressivement leurs subtilités gustatives.

— Apprenez à cuisiner légèrement, sans graisse inutile, en privilégiant notamment la cuisine vapeur.

— Faites-vous plaisir avec de très bonnes choses. Si vous ne buvez plus qu'à une ou deux occasions par semaine, offrez-vous un bon vin. Idem pour les autres plaisirs de la bouche que vous auriez décidé de réserver à ces bonnes occasions.

Il n'est pas nécessaire de manger plus qu'il ne faut et mieux vaut éviter de grossir. Quelques règles simples permettent d'y arriver :

— Apprenez à connaître votre faim et sachez attendre le repas en accord avec elle.

— Ne pérennisez pas une exception : par exemple si vous prenez pour une fois un goûter chocolaté, n'en reprenez pas les jours suivants.

— Ne craignez pas de manger très léger, voire de sauter un repas, si vous avez fait un excès la veille. La recommandation classique de ne jamais sauter de repas s'adresse uniquement à ceux qui vivent des pulsions trop fortes quand ils ont faim. Il n'a jamais été démontré que sauter un repas était dommageable pour la santé. En revanche, il a été démontré chez l'animal que la pratique intermittente du jeûne allongeait la durée de vie [1].

— Prenez l'habitude de vous peser chaque semaine, toujours au même moment : les 3 à 4 premiers kilogrammes passent facilement inaperçus...

— Prévoyez un petit déjeuner constant, et allégez l'un des deux autres repas. Cela vous permettra de garder un troisième repas agréable, au cours duquel vous pourrez vous « lâcher un peu ».

— Si vous décidez d'augmenter un repas, pensez à en diminuer un autre...

— Buvez seulement des boissons sans calorie et réservez l'alcool aux moments les plus chaleureux.

---

1. Mattson M. P., « Energy intake, meal frequency, and health : A neurobiological Perspective », *Annu. Rev. Nutr.*, 25, 2005, p. 237-260.

— Apprenez à aimer l'exercice et évitez la sédentarité. La télévision quotidienne provoque bien des bourrelets.

Et, bien entendu, apprenez à aimer les fruits, les légumes et les poissons : dites-vous qu'à force d'essayer vous les apprécierez de plus en plus et progressivement, vous ne pourrez plus vous en passer. Donnez-vous le temps d'adapter vos habitudes !

Prévenir par l'activité physique

On fait aujourd'hui la chasse aux distributeurs de confiseries et de sodas dans les écoles, les industriels allègent leurs produits en graisses et en calories, les cantines proposent plus de légumes, les fast-foods vendent même des salades et des pommes (mais les hamburgers sont toujours là)... Les dangers d'une alimentation mal équilibrée sont de plus en plus connus par tous. L'apport total en calories comme l'apport en graisses diminue.

Et pourtant... les cas d'obésité ne cessent d'augmenter, notamment chez les jeunes... Comment expliquer ce paradoxe[1]? C'est que, dans le même temps, l'activité physique ne cesse de baisser! Transport motorisé, ascenseur, télévision, jeux vidéo, ordinateur... On invente des objets terrifiants comme des patinettes à moteur et autres invitations à la paresse physique qui nous tuent aussi sûrement que le tabac et la « malbouffe »!

Tout le monde est donc convaincu de l'intérêt de faire du sport. Mais la plupart d'entre nous ne savent pas trop comment se lancer. Alors, comment vous y mettre en pratique? Par où faut-il commencer? Quel objectif viser? Que faire en fonction de mes propres capacités et de ma motivation? Vous trouverez dans ce chapitre les réponses à ces questions.

---

1. Heini A. F., Weinsier R. L., « Divergent trends in obesity and fat intake patterns : the american paradox », *Am. J. Med.*, 102(3), mars 1997, p. 259-264.

Pratiquer une activité physique pour vivre plus longtemps [1] !

Les effets de la forme physique sur le long terme sont maintenant bien connus scientifiquement et ils sont impressionnants. Une étude scandinave indique une baisse de 46 % de la mortalité chez ceux qui ont une meilleure forme physique comparée à ceux qui sont sédentaires [2].

Mais le plus intéressant est montré par deux études américaines portant sur un grand nombre de personnes. La première a suivi 10 629 anciens du collège d'Harvard et a repéré que ceux qui commencent une activité sportive, quel que soit leur âge, font baisser de 23 % leur risque de mortalité [3]. La deuxième a porté sur 9 777 hommes. Elle confirme que plus on améliore sa forme physique, plus on diminue le risque mortel. La baisse de mortalité peut atteindre 44 %. Dans cette deuxième étude, la forme physique était évaluée par le temps que l'on pouvait tenir en pédalant au maximum de ses possibilités sur un vélo ergonomique. Résultat, chaque minute supplémentaire passée à supporter cet effort maximal diminue de 7,9 % le risque de mortalité globale [4] !

Commencer une activité sportive, à n'importe quel âge, est bénéfique car cela diminue le risque global de mortalité. On peut encore doubler ce niveau de baisse par une pratique soutenue, visant à améliorer nettement sa forme physique. Bref, on gagne à tous les coups !

☞ **L'activité physique fait vivre plus longtemps en diminuant la mortalité. Plus votre activité physique est soutenue, plus votre forme physique est bonne, plus la durée de votre vie prévisible s'allonge.**

---

1. Franco O. H., de Laet C., Peeters A. *et al.*, « Effects of physical activity on life expectancy with cardiovascular disease », *Arch. Intern. Med.*, 165, 2005, p. 2355-2360.

2. Sandvik L., Erikssen J., Thaulow E., Erikssen G., Mundal R., Rodahl K., « Physical fitness as a predictor of mortality among healthy, middle-aged Norwegian men », *N. Engl. J. Med.*, 328(8), 25 février 1993, p. 533-537.

3. Blair S. N., Kohl H. W. 3rd, Barlow C. E., Paffenbarger R.S. Jr, Gibbons L. W., Macera C. A., « Changes in physical fitness and all-cause mortality. A prospective study of healthy and unhealthy men », *JAMA*, 273(14), 12 avril 1995, p. 1093-1098.

4. Paffenbarger R. S. Jr, Hyde R. T., Wing A. L., Lee I. M., Jung D. L., Kampert J. B., « The association of changes in physical-activity level and other lifestyle characteristics with mortality among men », *N. Engl. J. Med.*, 328(8), 25 février 1993, p. 538-545.

Se mettre à l'activité physique pour éviter cancers, maladie d'Alzheimer, infarctus, accidents vasculaires cérébraux, diabète, ostéoporose...

L'exercice physique permet de prévenir de nombreuses maladies, comme les cancers, le diabète, l'infarctus, l'ostéoporose, la maladie d'Alzheimer... Et les chiffres sont impressionnants.

Voici les données prouvant l'effet préventif de l'exercice physique sur les cancers (*cf.* chapitre sur les cancers)[1] :

	Nombre d'études analysées	Le risque de cancer diminue de	Nombre d'études montrant un effet dose (1)
Côlon	44	40-50 %	27
Sein	35	30-40 %	24
Utérus	12	30-40 %	6
Ovaire	4	20-30 %	2
Prostate	16	10-30 %	10
Testicules	3	10-30 %	2
Poumon	9	30-40 %	7

(1) Effet dose : dans ces études, on observe d'autant moins de cancers que l'exercice est soutenu. C'est proportionnel. Ces études montrent donc que plus on fait de sport, plus on prévient de cancers.

La durée et l'intensité des exercices comptent toutes deux pour faire diminuer la mortalité. Autrement dit, quand on pratique de l'exercice physique, plus on pratique souvent et longtemps, mieux on se porte.

La grande étude EPIC (European Prospective Investigation Into Cancer and Nutrition) suit 519 978 personnes dans dix pays euro-

1. Friedenreich C. M., « Overview of the association between physical activity, obesity and cancer », *Eurocancer 2005*, Paris, John Libbey Eurotex, 2005, p. 207-208.

péens. Elle vient de confirmer ces résultats, cette fois-ci à très grande échelle. Elle montre :

— une diminution de 30 % du risque des cancers du sein chez les femmes préménopausées qui font activement leurs travaux ménagers [1] (maison, jardinage). Il ne s'agit pourtant pas de sport très soutenu !

— que les hommes et les femmes qui ont la plus grande activité physique voient leur risque de cancer du côlon diminuer de 20 à 28 %, par rapport à ceux qui sont sédentaires [2].

Autre information intéressante : l'activité physique protège les femmes qui ont déjà un cancer du sein. Celles qui font plus d'une heure de marche par semaine voient leur risque de décès diminuer de 20 % par rapport à celles qui marchent moins d'une heure par semaine. C'est aussi vrai pour un exercice physique équivalent à une heure de marche. Cette diminution du risque peut être encore plus intéressante, jusqu'à 50 % pour une activité hebdomadaire supérieure à trois heures de marche par semaine [3]... Là encore, point n'est besoin de s'engager dans une activité physique soutenue. La marche est un sport à la portée de tous !

Ce chiffre de trois heures d'activité par semaine se retrouve dans une autre étude montrant que les cancers de la prostate sont moins graves chez ceux qui sont dans cette tranche d'activité physique par rapport à ceux qui sont en dessous [4]. Ceci explique pourquoi les cancérologues préconisent maintenant de pratiquer trente à quarante-cinq minutes d'activité physique d'intensité modérée à élevée par jour [5].

☞ **Pour lutter contre les cancers, trois heures de marche par semaine sont efficaces. C'est prouvé au moins dans le cas des cancers du sein, de la prostate, du côlon...**

---

1. Lahmann P. H., Friedenreich C., Riboli E., « Physical activity, body size, weight change and breast cancer risk : result from the EPIC study », *Eurocancer 2005*, Paris, John Libbey Eurotext, 2005, p. 209-210.

2. Norat T., Friedenreich C., Pischon T., Riboli E., « Physical activity, anthropometry and colon cancer : results from the EPIC study », *ibid.*, p. 211-212.

3. Holmes M. D., Chen W. Y., Feskanich D., Kroenke C. H., Colditz G. A., « Physical activity and survival after breast cancer diagnosis », *JAMA*, 293(20), 25 mai 2005, p. 2479-2486.

4. Giovannucci E. L., Liu Y., Leitzmann M. F. *et al.*, « A prospective study of physical activity and incident and fatal prostate cancer », *Arch. Intern. Med.*, vol. 165, 9, 9 mai 2005.

5. Friedenreich C., « Overview of the association between physical activity, obesity and cancer », *Eurocancer 2005, op. cit.*, p. 207-208.

L'activité physique protège d'autres maladies graves comme la maladie d'Alzheimer, le diabète, l'infarctus du myocarde ou encore l'ostéoporose. Et les chiffres sont parlants :

— La **maladie d'Alzheimer** diminue de 62 % chez les personnes qui pratiquent de l'exercice physique [1] (vingt à trente minutes entraînant transpiration et essoufflement, 2 à 3 fois par semaine). Le risque de démence, toutes causes confondues, diminue aussi de 52 % chez ces mêmes personnes. Et quand on est porteur du gène apo E4, gène augmentant le risque de maladie d'Alzheimer, la même activité physique est encore plus intéressante puisqu'elle diminue ce risque de maladie d'Alzheimer de 77 % et celui de démences de 62 %.

— Les personnes les plus exposées à **l'infarctus**, celles qui en ont déjà fait un, voient leur mortalité cardiaque diminuer de 31 % si elles pratiquent une activité physique et cela si on les compare à des personnes qui ne pratiquent aucune activité physique.

— Les personnes les plus exposées au **diabète**, celles qui présentent une intolérance au glucose, voient leur risque de devenir diabétique diminuer de 64 % quand elles pratiquent une activité de loisir modérée à soutenue trente minutes par jour ou plus [2].

— L'exercice physique protège du risque de faire une **attaque cérébrale** [3].

— Quant à **l'ostéoporose**, l'activité physique peut diminuer le risque de fracture du col du fémur chez la femme dans une proportion allant jusqu'à 50 % [4].

L'activité physique protège des infarctus, de la maladie d'Alzheimer, du diabète, des attaques cérébrales, de l'ostéoporose, des cancers...

Voici des paroles prononcées, il y a quelques années, par Allan Rock, un ministre canadien de la Santé lors d'un sommet national pour le sport :

---

1. Rovio S., Kareholt I., Helkala E. L. *et al.*, « Leisure-time physical activity at midlife and the risk of dementia and Alzheimer's disease », *Lancet Neurol.*, 4(11), 4 novembre 2005, p. 705-711.

2. Laaksonen D. E., Lindstrom J., Lakka T. A. *et al.*, « Physical activity in the prevention of type 2 diabetes : the Finnish diabetes prevention study », *Diabetes*, 54(1), janvier 2005, p. 158-165.

3. Wendel-Vos G. C., Schuit A. J., Feskens E. T. *et al.*, « Physical activity and stroke. A meta-analysis of observational data », *Int. J. Epidemiol.*, 27 mai 2004.

4. Direction générale de la santé (DGS) et INPES, dossier de presse 2005 : « L'activité physique au quotidien protège votre santé ».

« (...) Nous savons tous que la vieillesse nous transforme, mais c'est la sédentarité qui est responsable de la moitié – je dis bien de la moitié – du déclin fonctionnel entre 30 et 70 ans, pas le vieillissement. Rester actif, voilà la fontaine de jouvence, le secret pour rester jeune !

Je voudrais aussi noter que le tiers des Canadiens souffre d'obésité et que cela augmente le risque de maladie, notamment de maladie du cœur et de cancer (...). Enfin, après 50 ans, la sédentarité entraîne les mêmes risques de décès prématurés que le tabagisme. (...) J'avais 13 ans quand j'ai commencé à fumer la cigarette. J'ai fumé pendant toutes mes études et je fumais toujours à l'âge adulte. Après avoir quitté l'école, j'ai intégré le marché du travail dans un poste sédentaire. Je ne faisais aucun exercice. Puis, je me suis marié et nous avons décidé d'avoir des enfants. Alors que nous attendions notre premier enfant, j'ai regardé mon paquet de cigarettes et j'en suis venu à la conclusion qu'il m'empêchait de mener une vie pleine et entière. Alors, j'ai jeté mes cigarettes à la poubelle et j'ai commencé à vivre.

Moi qui n'avais jamais été vraiment sportif, je me suis mis à la course et, sept mois à peine après avoir cessé de fumer, je courais mon premier marathon, expérience que j'ai répétée chaque année pendant plusieurs années. L'exercice fait maintenant partie de ma vie et je ne saurais m'en passer. J'essaie de passer le flambeau et, vous savez, il est important dans mon métier de prêcher par l'exemple. Je suis ici aujourd'hui pour vous dire simplement que, selon ma propre expérience, le sport peut faire une énorme différence dans la vie. Il peut transformer la vie. (...) »

Nous ne sommes pas égaux face à la sédentarité

Certaines personnes sont beaucoup plus sédentaires que d'autres, sans même s'en rendre compte. Sinon, comment expliquer qu'en mangeant la même quantité d'aliments, certains gardent le même poids et d'autres grossissent ? Les gens obèses nous disent souvent qu'ils pensent avoir un métabolisme plus bas. Qu'en est-il ?

Une étude américaine a montré que les sédentaires en surpoids important restent en moyenne assis deux heures et demie de plus par jour que des sédentaires minces. Concrètement, les chercheurs ont analysé tous les mouvements de 20 personnes sédentaires, 10 étant minces et 10 étant modérément obèses. Dans ce but, ils leur ont fait porter en permanence, pendant dix jours, des sous-vêtements munis de détecteurs de mouvements... Puis les participants devaient poursuivre leurs activités quotidiennes habituelles. C'est ainsi que les chercheurs ont pu noter cet écart, entre les deux groupes, les minces restant deux heures et demie de plus debout que les personnes en surpoids [1].

Deux heures et demie de mouvements en plus, cela fait 350 calories de brûlées en plus chaque jour et, au bout d'un an, cela se traduit par une différence de 15 kilos !

Selon les auteurs, cette différence de comportement est probablement biologique, correspondant à un besoin inné de mouvements ou d'inactivité. En effet, cette différence n'était pas due au sommeil, les participants des deux groupes dormant exactement le même temps en moyenne. Elle n'était pas davantage due au régime alimentaire qui était lui aussi équivalent.

Les auteurs ont aussi voulu répondre à une objection qui nous vient spontanément : les personnes en surpoids sont certainement plus sédentaires parce qu'elles sont handicapées par leurs kilos superflus. Si elles étaient minces, elles bougeraient tout autant que les autres ! Cette idée est fausse. Lorsqu'un régime alimentaire a fait « grossir » les minces et « maigrir » les obèses, les auteurs ont constaté que l'écart entre les dépenses physiques était toujours de deux heures et demie, les anciens obèses ne bougeant toujours pas davantage.

Cette différence de comportement étant connue, les personnes ayant tendance au surpoids auraient avantage à limiter le plus possible la station assise et à s'organiser en conséquence. Par exemple, décider de passer tous leurs coups de téléphone debout et éviter de placer une chaise à côté, cuisiner debout, se relever pour un oui et pour un non quand ils regardent la télé, etc. Il leur faudrait aussi augmenter leur activité physique quotidienne, notamment en marchant plus lors de leurs déplacements, ou en remplaçant la voiture par le vélo, etc.

☞ **Si vous avez tendance au surpoids, organisez-vous pour vous obliger à rester debout plus longtemps et à vous dépenser davantage. Vous pouvez gagner jusqu'à 350 calories par jour, soit 15 kilos par an !**

---

1. Levine J. A., Lanningham-Foster L. M., McCrady S. K. *et al.*, « Interindividual variation in posture allocation : possible role in human obesity », *Science*, 307(5709), 28 janvier 2005, p. 584-586.

L'exercice physique ne fatigue pas, au contraire

L'activité physique a enfin acquis des lettres de noblesse. Les études sur l'effet de l'exercice physique sur les maladies graves sont encore très récentes. Donc il faut faire de l'exercice. C'est très bien, mais pour faire de l'exercice, il faut se bouger et se dépenser, c'est fatigant! Cette idée est très répandue. Churchill, quand on lui demandait ce qu'il faisait pour rester en forme répondait : « *No sport!* » Cela revenait à dire : le sport, c'est tellement fatigant que ça vous empêche d'être en forme! Et cela arrangerait tout le monde de trouver l'excuse de la fatigue pour ne pas faire de sport! Qu'en est-il vraiment?

Faire du sport, est-ce que cela fatigue ou cela repose? Ou encore, quand on est fatigué, vaut-il mieux se dépenser ou se reposer? Eh bien, il vaut mieux faire de l'exercice car le sport défatigue.

La démonstration a été apportée par une étude au cours de laquelle 5 341 Norvégiennes avaient arrêté leur travail pour cause de grossesse ou de maladie. On leur demandait, quinze mois plus tard, si elles éprouvaient toujours de la fatigue pendant la journée. On leur demandait aussi quel était leur niveau d'activité physique. Les résultats sont clairs : celles qui pratiquaient un sport, plus de vingt minutes par semaine, avaient 30 % de risque de moins d'être fatiguées [1]. Et pourtant, vingt minutes par semaine, c'est loin d'être un régime vraiment sportif!

Moins fatigué, moins stressé, moins exposé aux maladies, il faut donc s'y mettre... Oui, mais nous ne sommes pas tous semblables! On ne peut comparer un grand sportif qui s'entraîne depuis toujours et quelqu'un qui a pris beaucoup de poids par ses activités sédentaires. Chacun doit donc se fixer un objectif en fonction de ses possibilités et de ses souhaits, après avoir compris que toute dépense physique est bénéfique :

— Une personne qui est très exposée à des maladies par son surpoids et sa sédentarité gagnera beaucoup en apprenant simplement à se dépenser un peu plus et mieux.

— Une personne moins sédentaire gagnera à reprendre un sport.

— Une personne un peu sportive gagnera à en faire un peu plus !

---

1. Eriksen W., Bruusgaard D., « Do physical leisure time activities prevent fatigue ? A 15 month prospective study of nurses' aides », *Br. J. Sports Med.*, 38(3), juin 2004, p. 331-336.

☞ **L'exercice physique, même peu soutenu, diminue la fatigue et augmente la longévité.**

Voici trois approches différentes et profitables en fonction de vos besoins à court terme :
— niveau 1 : stopper la sédentarité et ne plus grossir ;
— niveau 2 : entretenir sa force musculaire et sa souplesse par des activités courantes ;
— niveau 3 : augmenter sa forme physique par la pratique d'un sport.
À vous de choisir votre programme !

Niveau 1 : Stoppez votre sédentarité et votre prise de poids

Si vous avez tendance à être sédentaire et à grossir, vous vous dites peut-être qu'arrêter de prendre du poids serait déjà bien. Vous avez raison. Les femmes qui prennent plus de 15 kilos entre 20 ans et 50 ans augmentent leur risque de cancer du sein de 50 % [1]. Limiter la prise de poids est donc très efficace !

Alors comment faire ? Manger mieux bien sûr (cf. chapitre sur la nutrition), mais aussi devenir moins sédentaire.

Pour se dépenser un peu mieux, plusieurs solutions sont possibles, comme le rappelle l'Institut national pour la prévention et l'éducation pour la santé (INPES) :
— Prenez l'escalier plutôt que l'ascenseur, ou montez les marches, et même sur un escalator.
— Marchez pour les trajets courts plutôt que de prendre la voiture.
— Sortez votre chien plus longtemps que d'habitude.
— Descendez un arrêt de bus ou de métro plus tôt.
— Accompagnez les enfants à l'école à pied.
— Le soir, profitez des derniers rayons de soleil pour jardiner.
— Allez marcher quinze minutes lors de la pause déjeuner.
— Mettez plus d'énergie dans vos gestes et activités au quotidien.

---

1. Friedenreich C., *Eurocancer*, Paris, 22 juin 2005.

— Allez à la piscine plus souvent, prévoyez des marches en fin de semaine dans les parcs ou en forêt, faites davantage de lèche-vitrine, etc.

En sport, nos possibilités sont souvent supérieures à ce que nous croyons...

« Nous sommes les parias de la société. Pour nous, tout est impossible ! » En entendant son patient diabétique lui faire cette plainte, le docteur Saïd Bekka est profondément touché par cet exemple de désespérance morale.

« Donnez-moi un exemple de ce que vous ne pouvez pas faire ?

— Par exemple, je ne suis pas capable de courir un marathon...

— Chiche ! Dans six mois nous courrons le marathon de New York ensemble ! »

Ce qui fut dit fut fait. En six mois, Pierre, qui était un homme de 30 ans, en surpoids et sédentaire, fut prêt avec deux autres de ses compagnons, préparés à raison de 3 fois par semaine par le docteur Bekka et un entraîneur sportif. L'entraînement fut progressif : 2 kilomètres au bout de quinze jours, 5 au bout d'un mois, 10 au bout de deux mois, 20 au bout de trois mois et 42 en six mois ! Ils ont tous les quatre terminé le marathon de New York, sous les regard admiratifs de la presse locale : « *You did it, boys !* »

Depuis, Pierre participe à de nombreux challenges et tout lui paraît possible. Avec le docteur Bekka et une dizaine d'autres diabétiques qui les ont rejoints (en même état de désespérance morale à chaque fois), ils ont escaladé le Kilimandjaro, traversé la Manche à la nage en équipe, bouclé les 130 kilomètres et les quatre cols de la célèbre étape du Tour de France du mont Ventoux, rejoint le pôle Nord à ski et parcouru la muraille de Chine en VTT accompagnés d'une équipe de diabétiques chinois.

Et le docteur Bekka de conclure : « Aujourd'hui on ne parle aux diabétiques que de leurs complications. Alors ils dépriment. Il est essentiel de leur proposer un discours positif. Avec leur traitement ils peuvent avoir la vie qu'ils veulent, sympa et sans limite. Et ce qui est vrai pour les patients diabétiques est vrai pour tout le monde, avec une bien meilleure qualité de vie ! »

Vous pouvez aussi vous dépenser plus chez vous et au travail. Dans ce but, organisez-vous pour avoir à vous mettre debout le plus souvent possible, en évitant de tout avoir à portée de main, en faisant plusieurs allers-retours pour porter les choses d'une pièce à l'autre, en enlevant les chaises inutiles, et en vous laissant aller à « gigoter » et à avoir des gestes plus toniques, etc.

Tout cela est simple et évident, mais pas toujours facile à mettre en œuvre. Comment se motiver ?

Pour vous aider à augmenter votre nombre de pas et pour vous rendre compte de vos progrès, vous pouvez vous équiper d'un podomètre, un petit appareil qui enregistre chacun de vos pas et vous en donne le total à la fin de la journée. C'est très efficace et il a été montré que si vous dépassez les 10 000 pas par jour, cela représente l'équivalent d'une marche d'une demi-heure quotidienne [1]. Vous pourrez ensuite augmenter progressivement le nombre de vos pas, par exemple en visant 15 000...

Bien entendu, il est bon aussi de limiter les facteurs de sédentarité que sont la télévision et l'ordinateur ! Avec l'augmentation du temps libre depuis trente ans, le temps passé au sport est passé de quatre minutes par jour en 1975 à huit minutes par jour en 1999. Hélas, ces quatre minutes gagnées qui pourraient être bénéfiques ont été contrebalancées par une augmentation dans la même période de vingt-six minutes du temps passé devant la télévision [2] (passé de une heure dix en 1975 à une heure trente-six en 1999).

Or regarder la télévision est « l'activité » la pire qui soit pour la forme ! Devant le petit écran, vous ne bougez pas du tout, et votre dépense énergétique est quasiment aussi faible que lorsque vous dormez. En revanche, regarder la télévision donne envie de manger grâce aux publicités alimentaires et aussi pour ne pas avoir l'impression d'être inactif ! Au final, plus on regarde la télévision, plus on prend des kilos.

Depuis, ordinateur et jeux vidéo ont encore augmenté la panoplie des objets poussant à la sédentarité... Il faut clairement vous organiser pour les limiter :

— Ne laissez pas la télévision allumée sans la regarder.

— Enlevez télévision et ordinateur de votre chambre.

— Ne mangez pas, ne buvez pas (sauf de l'eau) en regardant la télé.

— Redécouvrez la radio chez vous. Elle permet de faire autre chose en même temps.

---

1. Hultquist C. N., Albright C., Thompson D. L., « Comparison of walking recommendations in previously inactive women », *Med. Sci. Sports. Exerc.*, 37(4), avril 2005, p. 676-683.
2. INSEE, « Futuribles » cité dans *L'Expansion*, 699, juillet-août 2005.

— Programmez des soirées sans télévision.

— Ne regardez qu'un programme télé dans une soirée, et évitez les programmes tardifs qui en plus diminuent le sommeil.

— Éteignez la télévision pendant les publicités (elles peuvent représenter près d'une demi-heure après les informations, c'est toujours cela de gagné. De plus, elles nous amènent à regarder le début du programme suivant, et hop, vous replongez !

— Installez un appareil de fitness devant la télé et regardez le journal en pédalant, en ramant ou en « steppant ».

— Asseyez-vous sur un tapis plutôt que dans un bon fauteuil : la position devient vite inconfortable et on se lève contraint et forcé !

— Allez jusqu'à ranger la télévision un certain temps au grenier ou à la cave pour voir. Vous pourrez être surpris de vous habituer à cet espace de liberté gagné !

Ces moyens simples, tous fondés sur un meilleur style de vie, sont très efficaces. Ils vous permettent de limiter la sédentarité et à ne plus grossir. Notez bien cependant que le temps est votre pire ennemi à court terme et votre meilleur allié à long terme. Il faut six à dix-huit mois pour transformer en profondeur vos habitudes, mais une fois qu'elles sont changées, elles constituent une seconde nature. Il faut donc être très patient, s'encourager régulièrement, être positif en cas de rechute et reprendre le programme.

☞ **Même si vous n'êtes pas sportif, organisez-vous de manière très pratique pour être moins sédentaire.**

Niveau 2 : Entretenez votre force musculaire et votre souplesse par des activités courantes et un peu de gymnastique

Vous voulez aller un peu plus loin, ne pas en rester à limiter la sédentarité ? Vous aimeriez vous entretenir davantage physiquement. Vous avez tout à fait raison, car vous y gagnerez en forme et en silhouette ! Vous serez plus résistant à la fatigue et vous diminuerez encore davantage vos risques de cancer, d'infarctus ou de maladie d'Alzheimer.

Ceci est d'autant plus important qu'après vingt ans de faible activité physique, on peut être surpris de constater à quel point on s'essouffle pour un rien ou à quel point nos forces nous ont quitté. Vous vous en rendez compte en essayant simplement de soulever votre corps avec une barre fixe ou en faisant une simple pompe : vous vous dites que vous allez en faire une dizaine et vous n'arrivez même pas à en faire une ! Et cela peut arriver avant 40 ans...

Pour vous entretenir dans cet objectif, outre la sédentarité à combattre, il est bon de vous fixer un programme quotidien de bonne forme. Ce programme pourra comprendre de la marche, de la gymnastique, voire du fitness.

Pour la marche, prévoyez trente minutes par jour, idéalement une marche rapide à 6 km/h. Il est très important d'être bien chaussé, même avec des chaussures de ville. Si cela vous est plus agréable, pourquoi ne pas en avoir une paire légère dans le sac pour échanger avec les chaussures à talon à la sortie du bureau ? Le week-end organisez de grandes balades avec des amis ou en famille, en forêt, à la campagne ou en ville. La semaine, prévoyez deux trajets de quinze minutes ou plus, par exemple à la pause déjeuner ou à la sortie du bureau.

Pour la gymnastique, vous pouvez aller voir un kinésithérapeute en lui expliquant votre objectif et en lui précisant si certains points de votre corps sont douloureux. Il vous expliquera alors quels mouvements de gymnastique faire et en une dizaine de séances vous aurez mis au point un enchaînement de mouvements qui vous seront bénéfiques et que vous pourrez faire tous les matins par exemple, pendant quinze minutes avant la douche. De tels mouvements vous permettront d'entretenir votre force physique et votre souplesse.

Une solution intéressante consiste à vous inscrire dans un club. Participez à des séances de gymnastique et familiarisez-vous avec les appareils de fitness : vélos, rameurs, steppeurs. Un de ces appareils vous plaira forcément plus que les autres. Vous pourrez ensuite continuer au club, ou encore vous équiper pour faire vos séances de fitness à domicile.

Il est plus amusant et motivant de s'exercer à deux, par exemple avec votre conjoint. Pourquoi – à condition d'avoir la place suffisante – ne pas acheter deux vélos que vous pourrez placer côté à côte ? Vous pourrez faire la course (celui qui fait le plus de distance gagne, les différences de forme étant gommées par le niveau de force sélectionné sur chaque engin). Vous pourrez aussi regarder la télévision ensemble en vous dépensant !

Si le fitness ne vous dit absolument rien, alors mettez-vous au yoga. C'est une activité excellente pour la souplesse, la concentration, le calme et aussi pour la force physique, le maintien de certaines positions nécessitant des contractions musculaires longues. Ce sera aussi pour vous une expérience riche, car vous serez étonné de vous « redécouvrir », de vous sentir plus calme et mieux dans votre peau.

Une autre solution peut être appréciable. Outre la marche et les mouvements d'étirement et d'assouplissement, utilisez un appareil d'électrostimulation. Il s'agit d'électrodes que vous placez à différents endroits de votre corps pour contracter les muscles sous la peau. On appelle souvent cela la gymnastique passive. C'est efficace et très largement utilisé chez les sportifs et en récupération musculaire après d'importantes immobilisations.

Enfin, il est vraiment important de bien traiter tout ce qui peut vous gêner physiquement dans votre projet. Nous pensons en particulier à trois cas de figures qui se rencontrent assez souvent :

— Le surpoids est un facteur limitant de l'activité physique. Pour faciliter votre reprise d'activité, en même temps commencez un programme de perte de poids avec un professionnel de santé. L'avantage, c'est que vous constaterez très rapidement les progrès de votre forme physique, même pour simplement quelques kilos perdus.

— Les hanches douloureuses pour cause d'arthrose ne poussent pas à marcher... Heureusement, de très importants progrès ont été réalisés dans les prothèses de hanche et il ne faut pas hésiter à consulter un chirurgien spécialisé à tout âge : on peut opérer jeune pour supprimer la douleur et permettre la reprise d'une activité physique normale, et on peut aussi opérer les gens âgés, voire très âgés, dès lors qu'ils préfèrent prendre le risque opératoire que de rester bloqué dans leur néfaste et déprimante inactivité.

— Les fuites urinaires sont chez les femmes un très grand facteur d'inactivité. Il a été montré qu'elles représentaient un obstacle à l'activité physique très important. Elles limitent l'activité physique chez 19 % des femmes souffrant de fuites urinaires une fois par mois, chez 38 % des femmes dont les fuites étaient hebdomadaires et chez 66 % des femmes gênées quotidiennement [1].

---

1. Kinchen K. S. *et al.*, « The impact of urinary incontinence on exercise », Communication au 100ᵉ congrès annuel de l'American Urological Assocation, 21-26 mai 2005, San Antonio (Texas).

Il est donc capital de consulter un urologue spécialisé dans cette prise en charge, de manière à mettre en place le traitement adapté (kinésithérapie périnéale, antibiotique de longue durée, traitement d'une vessie irritable ou chirurgie).

Là encore, rappelons qu'il faut du temps pour changer ses habitudes. Compter trois mois pour que l'organisme se fasse à la nouvelle activité physique qu'on lui impose, et six mois à dix-huit mois pour qu'il y prenne goût...

☞ **Prenez les moyens de mettre en place une activité physique régulière simple et qui vous convient.**

Niveau 3 : Augmentez votre forme physique par la pratique d'un sport d'endurance

On ne sait jamais, peut-être aurez-vous envie d'aller plus loin et de reprendre un sport. Vous renforcerez alors encore votre résistance face aux cancers, infarctus et autres maladies favorisées par l'inactivité.

Malheureusement, vous n'avez peut-être plus fait de sport depuis... enfin cela fait très longtemps... et il faut commencer par une remise en forme.

Si vous avez plus de 45 ans, que vous soyez un homme ou une femme, il est important de faire un bilan cardiaque comprenant un électrocardiogramme avec un test d'effort : il faut s'assurer que votre cœur va tenir le coup !

Si vous avez moins de 45 ans, pour savoir si vous avez besoin d'un bilan avant de reprendre le sport, vous pouvez répondre au *questionnaire sur l'activité physique* (Q-AAP) ci-dessous :

1. Votre médecin vous a-t-il déjà dit que vous souffriez d'un problème cardiaque et que vous ne deviez participer qu'à des activités physiques prescrites et approuvées par un médecin ?

2. Ressentez-vous une douleur à la poitrine lorsque vous faites une activité physique ?

3. Durant le dernier mois, avez-vous ressenti des douleurs à la poitrine lors de périodes autres que celles où vous participiez à une activité physique ?

4. Éprouvez-vous des problèmes d'équilibre reliés à un étourdissement ou vous arrive-t-il de perdre connaissance ?

5. Souffrez-vous de problèmes osseux ou articulaires qui pourraient être aggravés par une activité physique ?

6. Prenez-vous actuellement des médicaments pour contrôler votre pression artérielle ou un problème cardiaque ?

7. Selon vous, existe-t-il une autre raison qui vous empêcherait de faire de l'exercice ou de pratiquer une activité physique ?

Si vous répondez oui à une seule de ces sept questions, il est important de consulter votre médecin pour faire un bilan avant la reprise du sport. Notez bien que si vous répondez non, vous n'avez rien à perdre à faire un bilan !

Si vous êtes apte à la reprise du sport, il faut maintenant évaluer votre forme physique, soit avec votre médecin, soit tout seul, en notant vos résultats de manière à suivre vos progrès (qui vont vous étonner...). Pour cela, vous disposez du *test de Ruffier Dickson (et du test de Cooper pour les plus sportifs).*

Le test d'aptitude à l'effort de Ruffier-Dickson se déroule en trois étapes. Réalisez ce test seulement si vous n'avez jamais eu de problèmes cardiaques.

Après être resté allongé environ cinq minutes au calme :

— prenez votre pouls. Notez le résultat et appelez le (P1) ;

— réalisez 30 flexions complètes sur les jambes, bras tendus et pieds bien à plat sur le sol, en quarante-cinq secondes. Prenez votre pouls juste après l'effort et appelez le résultat (P2) ;

— allongez-vous à nouveau et reprenez votre pouls 1 minute après la fin de l'exercice. Appelez le résultat (P3) ;

— calculez l'indice de Ruffier = (P1 + P2 + P3 − 200)/ 10.

L'indice de Ruffier s'interprète pour un adulte (plus de 20 ans) ensuite ainsi :

— proche de 0 : Excellent ;

— entre 0 et 3 : Très bon ;

— entre 3 et 8 : Bon ;

— entre 8 et 15 : Moyen ;

— entre 15 et 20 : Médiocre.

Alexandra prend son pouls au repos, il est de 80. (P1)

Après 30 flexions complètes, il monte à 140 pulsations. (P2)

Après un repos d'une minute, il est encore à 130. (P3)

80 + 140 + 130 − 200 /10 = 15. C'est un résultat médiocre.

Alexandra a pourtant seulement 35 ans, est mince, mais ne pratique aucun sport, se déplace en scooter et donc marche très peu.

> « Pourtant, jusqu'à 20 ou 22 ans, j'étais vraiment sportive. Je faisais de la danse africaine ou jazz dans un club plus de deux fois par semaine. Mais depuis, je ne pratique plus rien. Mon travail dans la publicité me prend quasiment tout mon temps. Je suis très étonnée, car j'ai toujours tendance à me considérer comme quelqu'un de sportif parce que j'aime le sport. Mais il vaudrait peut-être mieux que je n'aime pas le sport et que j'en fasse ! Le sport est pour moi un plaisir dont je me prive pour privilégier le travail. Mais ce test me fait comprendre que c'est une très mauvaise manière de raisonner. Je ne pensais vraiment pas descendre au plus bas niveau ! Me voilà stimulée pour recommencer, un peu comme s'il fallait que ce soit un devoir important pour que je m'en accorde le plaisir ! »

À l'occasion de ce test, trois cas de figures doivent vous pousser à consulter pour un bilan cardiaque, car ils indiquent un risque élevé de faire un accident [1] :
— votre pouls au repos est supérieur à 75 battements par minute ;
— votre pouls à l'effort ne monte pas au-dessus de 90 battements par minute ;
— votre pouls ne se ralentit pas au repos.

Vous êtes presque prêt à vous y mettre. Bien entendu, plus la forme est basse, plus il faudra prévoir un temps de remise en forme long. Prenez bien conscience que vous avez tout le temps et qu'il vous faudra plusieurs mois pour atteindre un bon niveau et effectuer une activité sportive bien adaptée à votre aptitude.

Vous êtes prêt : vous savez où vous en êtes.

Choisissez un sport d'endurance : footing, vélo, natation, fitness, marche rapide, roller, etc.

Admettons pour l'exemple que vous ayez choisi le footing (sport le plus pratique car il peut se faire partout avec un équipement très réduit et demande peu d'investissement financier et peu d'organisation).

---

1. Jouven X., Empana J. P., Schwartz P. J. *et al.*, « Heart-rate profile during exercise as a predictor of sudden death », *N. Engl. J. Med.*, 352(19), 12 mai 2005, p. 1951-1958.

Le test de Cooper

Si vous êtes en forme avec un test de Ruffier entre Bon et Excellent, vous pouvez effectuer le test de Cooper, pour mieux apprécier votre endurance. Ce test consiste à courir la plus grande distance possible (l'alternance course marche est admise) pendant douze minutes sans vous arrêter. L'idéal est de la pratiquer sur une piste d'athlétisme, ce qui facilite la mesure de la distance parcourue (vous arrondissez la distance au 50 mètres supérieurs). Notez bien que ce test est surtout adapté aux personnes de moins de 35 ans ou à celles qui ont suivi un programme progressif d'entraînement pendant au moins six semaines.

En fonction de la distance parcourue et de votre âge, vous pourrez apprécier votre aptitude à l'endurance, en utilisant le tableau ci-dessous [1] :

	Distance en m en fonction de l'âge						
Aptitude endurance	13 à 19 ans	20 à 29 ans	30 à 39 ans	40 à 49 ans	50 à 59 ans	plus de 60 ans	
Très mauvaise	< 2100	<1950	<1900	<1850	<1650	<1400	hommes
	<1600	<1550	<1500	<1400	<1350	<1250	femmes
Mauvaise	< 2200	<2100	<2100	<2000	<1850	<1650	hommes
	<1900	<1800	<1700	<1600	<1500	<1400	femmes
Moyenne	<2500	<2400	<2350	<2250	<2100	<1950	hommes
	<2100	<1950	<1900	<1800	<1700	<1600	femmes
Bonne	<2750	<2650	<2500	<2500	<2300	<2150	hommes
	<2300	<2150	<2100	<2000	<1900	<1750	femmes
Très bonne	<3000	<2850	<2700	<2650	<2550	<2500	hommes
	<2450	<2350	<2250	<2100	<2100	<1900	femmes
Excellente	> 3000	>2850	>2750	>2650	>2550	>2500	hommes
	>2450	>2350	>2250	>2150	>2100	>1900	femmes

1. Ce test permet également aux plus sportifs de calculer leur VO_2 max selon la formule :

VO_2 Max = $22,351 \times D - 11,288$. La VO_2 Max correspond au débit maximal d'oxygène consommé lors d'un effort. Pour les athlètes de haut niveau, elle va jusqu'à 90 ml/min.

Commencez par vous fixer un objectif modeste : quinze minutes de footing. Tenez-vous-en absolument à cet objectif de temps, même si vous devez marcher pour l'atteindre. Vous devez tenir quinze minutes à tout prix, même si pour cela, vous marchez pendant dix minutes en marche rapide.

Une erreur extrêmement fréquente est de démarrer trop vite. Vous vous sentez alors épuisé au bout de cinq minutes ! Et vous pouvez vous décourager en pensant « décidément, je ne suis pas sportif ! » Démarrez donc très doucement, encore moins vite que cela, de manière à tenir vos quinze minutes. Petit à petit, au fil des séances, vous arriverez progressivement à trente minutes, voire à soixante minutes. Une fois à ce stade, vous pourrez progressivement augmenter votre intensité de course, sans augmenter la durée de votre course et toujours sans vous presser.

Pour la régularité, courez 1 à 5 fois par semaine. 5 fois, c'est mieux, mais en une seule fois, vous obtiendrez déjà des progrès rapides !

Marie nous raconte son expérience.

« À 40 ans, j'ai commencé à sentir qu'il fallait faire quelque chose pour ma forme. Je prenais quelques kilos, je devenais poussive et en plus j'ai plusieurs amies qui ont, ces trois dernières années, un cancer du sein, ce qui m'a fait vraiment peur. J'ai pensé qu'il fallait absolument faire du sport. J'ai donc décidé de me mettre au footing, sport que je déteste ! J'ai commencé lamentablement, je courais 50 mètres et je marchais, trop fatiguée pour continuer. J'étais essoufflée comme si je fumais 3 paquets par jour, moi qui ne fume jamais. Mais j'ai insisté. En 4 ou 5 semaines, j'ai réussi à courir quinze minutes sans m'arrêter, mais toujours très doucement, à l'allure de l'escargot. Puis, petit à petit, j'ai couru trente minutes et de plus en plus vite. Je pratique maintenant une fois par semaine, parfois 2. C'est peu, je sais, mais si je zappe une séance de footing, j'en ressens le manque ! Ça m'a donné un peu le goût de me dépenser plus : cette année, je vais nager une fois par semaine à la piscine, une demi-heure seulement, mais j'y prends goût. »

Il est très difficile d'évaluer l'intensité de l'effort à fournir. Quand on se sent en forme, on court un peu vite, et au bout de deux minutes on est essoufflé. C'est le signe que l'on est parti trop rapidement ! Mais il est difficile par avance de savoir quelle vitesse adopter pour courir au bon rythme.

Il existe un moyen très simple et efficace pour aider à trouver ce bon rythme. C'est l'utilisation d'un cardio-fréquence mètre. Il s'agit d'une sorte de montre sur laquelle vous pouvez lire votre fréquence cardiaque. Cette fréquence cardiaque est mesurée par une électrode placée autour de votre poitrine, sous votre tee-shirt. Avec cet appareil une fois que vous connaissez votre fréquence cardiaque idéale, lorsque vous courez, vous adaptez l'intensité de votre effort minute après minute. Vous ralentissez si votre cœur va trop vite, vous accélérez s'il bat trop lentement.

La plupart de ceux qui débutent une activité physique ont le plus souvent besoin de franchement ralentir, du moins au début !

Pour utiliser un cardio-fréquence mètre au mieux, vous avez donc besoin de connaître votre fréquence cardiaque maximale, celle à ne pas dépasser pendant l'effort. Vous pouvez alors calculer votre fréquence cardiaque cible, celle que vous devez viser pour vous y maintenir au cours de l'effort.

Votre fréquence cardiaque maximale s'obtient en retranchant votre âge à 220. Dans le cas de Pierre qui a 45 ans, elle est de 220-45 = 175 battement par minute. Vous ne devez jamais laisser votre cœur battre plus vite que cette fréquence.

Voici un tableau qui vous propose cinq zones de fréquence cardiaque d'effort (source : Timex®) :

Idéal pour	Résultat voulu	Intensité en % Fc Max	Exemple pour 45 ans
Un exercice léger	Cœur sain et remise en forme	50-60 %	85-105
Contrôler votre poids	Perte de poids	60-70 %	105-125
Entraîner votre cœur	Endurance Capacité cardio-respiratoire	70-80 %	125-140
Une forme physique optimale	Excellente condition physique	80-90 %	140-160
Un athlète de haut niveau	Condition athlétique	90-100 %	160-175

Votre fréquence cardiaque cible, elle, dépend de votre objectif. Elle est forcément inférieure à votre fréquence cardiaque maximale dont elle représente un pourcentage. Ce pourcentage est d'autant plus élevé que vous souhaitez pratiquer un exercice physique soutenu, donc que vos objectifs sont élevés en terme de santé.

Si vous visez haut, si vous avez envie d'avoir la forme d'un athlète de haut niveau, alors que vous êtes totalement sédentaire pour l'instant, commencez cependant par miser sur un exercice léger avant d'augmenter vos ambitions. Vous pouvez y arriver à condition d'y aller progressivement.

Pierre, qui vise simplement une remise en forme, va choisir un exercice léger avec une fréquence cardiaque cible comprise entre 85 et 105 battements par minutes. Ce n'est pas beaucoup. Il aura tout intérêt à faire son footing dans cette zone cible pendant un mois, avant de passer à la zone cible au-dessus, s'il se sent bien.

Ensuite, il pourra augmenter la durée de son effort, courir quarante-cinq minutes puis soixante minutes, et ensuite, choisir une zone cible plus ambitieuse, en passant par exemple à 60-70 %, puis à 70-80 % s'il est toujours en forme.

En pratique, pour la plupart des gens, la zone 50-60 % est trop basse et il est possible de commencer directement par la zone 60-70 %, pour atteindre en un à deux mois la zone 70-80 %.

À partir de ce stade, vous sentirez que votre cœur est en bien meilleure forme, notamment parce qu'il s'adaptera au mieux à l'intensité de votre exercice. Vous trottinez, il reste tranquille, vous accélérez, il accélère, vous restez à allure constante, il reste constant, vous ralentissez, il ralentit. Vous pourrez alors choisir précisément la fréquence cardiaque à laquelle vous voulez effectuer votre course.

Pourquoi ne pas choisir un exercice qui fait battre votre cœur très vite pour commencer ? C'est que vous serez tellement essoufflé que vous serez incapable de tenir le temps de l'exercice. Vous serez obligé de faire des pauses. Or la durée de l'exercice est le critère numéro 1 pour muscler son cœur. Il vaut mieux un cœur qui bat moins vite, mais qui tient le temps de l'exercice : il pourra progressivement augmenter son effort.

Une autre raison pour commencer doucement, c'est que ce qui compte dans la pratique de l'exercice physique, c'est de le faire sur le long terme. Si vous vous dégoûtez dès le premier essai parce que vous avez voulu outrepasser vos capacités physiques, vous allez vous dégoûter de cet effort et vous préférerez ne rien faire ! La raison principale des échecs de la reprise du sport, ce n'est pas la fainéantise, c'est la volonté de trop vouloir en faire tout de suite alors que l'on n'est plus entraîné ! L'essentiel pour tenir, c'est de s'obliger à courir lentement dès le début.

Les personnes qui sont suivies par un cardiologue pour une maladie cardiaque doivent lui demander de leur définir leur fréquence cardiaque cible.

Les personnes qui voudraient aller au-dessus de leur fréquence cardiaque cible, ou courir une grande distance (de plus de 10 kilomètres), ont intérêt à se faire suivre médicalement et à rejoindre un club de sport pour bénéficier des conseils d'un moniteur. L'intérêt du club est aussi de transmettre la culture du sport pratiqué, ce qui est très important pour maintenir un bon niveau d'envie.

☞ **Si vous souhaitez pratiquer un sport d'endurance, soyez modeste dans vos objectifs au début, puis augmentez très progressivement vos efforts.**

Choisir un sport

Pour demeurer en bonne santé, un adulte devrait faire trente à quarante-cinq minutes par jour (au moins 5 jours par semaine) d'une activité physique modérée à soutenue. L'Institut national de prévention et d'éducation pour la santé préconise pour sa part « au moins l'équivalent de trente minutes de marche rapide chaque jour ».

Ceci n'est pas toujours possible pour diverses raisons, et on peut adapter ce programme de base en faisant de l'exercice physique de 4 à 7 fois par semaine, soit :

— au moins soixante minutes d'activité physique de faible intensité,
— ou de trente à soixante minutes d'activité physique d'intensité moyenne,
— ou de vingt à trente minutes d'activité physique d'intensité très élevée.

Il est possible de fractionner ce total en tranches de dix minutes chacune. Cependant, il ne faut pas oublier que plus la séance est longue, plus elle est bénéfique pour la santé.

Pour tirer pleinement parti des bénéfices liés à l'activité physique, il faut développer son endurance, sa souplesse et sa force musculaire. Voici quelques exemples d'activité physique selon le niveau d'intensité :

Quelles sont les activités de faible intensité ? Soit moins de 4 calories par minute
— Marcher.
— Laver les fenêtres.
— Danser.
— Passer l'aspirateur.
— Faire des exercices d'étirement.
— Faire du tai chi.
— Faire du yoga.

Quelles sont les activités d'intensité moyenne ? Soit 4 à 8 calories par minute
— Marcher rapidement.
— Faire du ski alpin (par plaisir).
— Faire du vélo à 15 km/h.
— Nager (en continu) à une vitesse moyenne.
— Faire de l'aquagym.
— Jardiner intensivement
— Ramasser les feuilles.
— Bricoler avec des charges.
— Jouer au golf sans voiturette électrique.
— Faire de la danse aérobic sans saut, de la danse jazz, folklorique, etc.

Quelles sont les activités d'intensité élevée ? Soit 8 à 12 calories par minute
— Faire des randonnées pédestres muni d'un sac à dos (5 kilos).
— Faire du vélo à 20 km/h.
— Faire du vélo tout-terrain sur un sol pas trop difficile.
— Pratiquer des sports de raquette (tennis, badminton).
— Nager intensivement.
— Faire de la course à pied (8 km/h).
— Faire de la danse aérobic avec sauts.
— Faire de la gymnastique.
— Sauter à la corde.
— Pratiquer les arts martiaux.

Quelles sont les activités d'intensité très élevée ? Soit plus de 12 calories par minute
— Jouer au squash.
— Faire de la randonnée pédestre hors piste avec escalade.
— Faire des cross de plus de 10 kilomètres à bonne vitesse.
— Faire des étapes à fort dénivelé en vélo, etc.

Prévenir par le mental et les émotions

L'effet du stress sur la santé peut être brutal et mortel. Voici un extrait du *Nouvel Observateur* datant du 11 novembre 2004 qui le montre parfaitement !

> Une femme est morte d'un infarctus à la suite d'un « choc émotionnel » consécutif à l'explosion de la bombe qui a détruit l'entrée de l'inspection académique d'Ajaccio dimanche 10 octobre au soir, faisant voler en éclats les vitres de nombreux appartements alentour, a-t-on appris lundi 11 octobre de sources policières.
> Le corps a été découvert tôt lundi matin dans son appartement situé en face de l'inspection académique. Le médecin qui a constaté le décès a conclu à « un infarctus du myocarde consécutif à un choc émotionnel », selon ces sources policières.
> « Cette dame avait contacté un voisin au téléphone quelques minutes après l'attentat, se plaignant d'avoir été choquée par l'explosion et lui disant qu'elle ressentait une douleur dans la poitrine », a expliqué le procureur de la République d'Ajaccio José Thorel. Il a précisé qu'il ne confirmerait cependant le « lien de cause à effet » qu'à l'issue de l'autopsie de la victime. (Extrait du *Nouvel Observateur*, 11 novembre 2004.)

Intuitivement, nous avons donc tendance à penser que notre état mental influence notre santé et notre durée de vie. Si cette impression est partagée par beaucoup, sur le plan scientifique, elle déclenche une grande méfiance ! C'est ainsi que ce procureur de la République ne veut pas, sans avis médical, s'engager sur un lien direct entre le choc psychologique dû à l'explosion et l'infarctus de cette femme. Comme les scientifiques se méfient des intuitions sur cette relation psychisme / risque de mortalité, la prise en charge des difficultés psychiques prend très peu de place dans notre médecine occidentale. Il faut avouer qu'il est plus difficile de mesurer et de comparer des états psychiques qu'une tension artérielle ou un taux de cholestérol. C'est ce qui explique la faiblesse de la prise en charge psychologique. Pourtant, elle serait plus que justifiée ! Voici quelques chiffres des conséquences de difficultés psychologiques sur notre état de santé.

Un impact très important sur notre mode de vie

D'après l'Organisation mondiale de la santé [1], la dépression est la deuxième cause mondiale de décès chez les hommes et les femmes de 15 à 44 ans, juste après le sida. Elle est à l'origine de 8,6 % des décès, loin devant les accidents de la voie publique (4,9 %) et la tuberculose (3,9 %). Et les personnes qui ont présenté un épisode dépressif dans l'année présentent trois fois plus de risque de maladie cardiaque dans les cinq années à suivre [2].

Psychiquement, la dépression n'est pas seule en cause : de manière plus large, les troubles mentaux en général peuvent être mortels : ils augmentent la mortalité de 60 % chez les hommes et de 40 % chez les femmes, comme on a pu le voir en suivant 8 000 personnes en Finlande pendant dix-sept ans [3]. Parmi ces troubles, l'anxiété généralisée multiplie par 1,9 le taux de mortalité chez les hommes entre 65 et 84 ans. Les attaques de panique, quant à elles, le multiplient par 2,2 [4]...

Plus répandu qu'un trouble mental, maladie véritable, l'excès de stress est partout. Or le stress tue lui aussi ! Il explique 32 % des infarctus [5]. La relation avec d'autres maladies a été également retrouvée dans l'aggravation des cancers [6], le diabète, les troubles

1. OMS, *Rapport sur la santé dans le monde*, 2001. Le sida est la cause de 13 % des décès prématurés.
2. *Le Quotidien du médecin*, (formation médicale continue), 16 mai 2005 sur la vulnérabilité dépressive.
3. Joukama M., Heliovaara M., Knekt P. *et al.* « Mental disorders and cause-specific mortality », *British Journal of Psychiatry*, 179, 2001, p. 498-502.
4. Grasbeck A., Rorsman B., Hagnell O. *et al.*, « Mortality of anxiety syndromes in a normal population. The Lundby Study », *Neuropsychobiology*, 1996, 33(3) p. 118-126. C'est ce qu'a montré le suivi de toute une population en Suède dans la zone de Lundby.
5. Yusuf S. *et al.*, « Effect of potentially modifiable risk factors associated with myocardial infarction in 52 countries (the INTERHEART study) : case-control study », www.thelancet.com. Publication en ligne le 3 septembre 2004.
6. Légeron P., *Le Stress au travail*, Éditions Odile Jacob, 2001.

digestifs, les troubles musculo-squelettiques (mal de dos, syndrome du canal carpien, etc.), l'urticaire, l'eczéma et, bien sûr, l'anxiété et la dépression, la fatigue chronique, et même les maladies infectieuses... comme par exemple les rhumes [1] !

Un cas particulier met le doigt sur la relation entre le stress et les cancers. Le travail nocturne, source de stress très important, augmente de 50 % le risque de cancer du sein [2].

Un autre cas de figure [3] met en avant le stress : il montre qu'une pression psychique importante, due à une échéance professionnelle, augmente de six fois le risque d'infarctus entre le jour précédant l'échéance et le jour suivant. Il n'y a pas d'augmentation significative du risque si l'on compare la semaine précédant l'échéance et la semaine suivante. Mais les risques à court terme peuvent s'accumuler : si une personne a une échéance serrée chaque semaine, son risque annuel d'avoir un infarctus augmente de 20 %.

☞ **Le stress, l'anxiété, la dépression et les maladies psychiques sont potentiellement graves : ils augmentent beaucoup la mortalité !**

Le psychisme peut rendre malade, mais l'inverse est-il également vrai ?

Soigner son mental et ses émotions est-ce efficace pour prévenir des maladies graves ?

Les troubles psychiques, l'excès de stress et les personnalités sombres et hostiles rendent malade et raccourcissent la durée de la vie. Mais la question inverse se pose : les traitements psychologiques, les méthodes anti-stress et le travail sur la personnalité sont-ils efficaces en prévention des maladies chroniques ?

La réponse est oui et de manière très impressionnante.

La prise en charge psychologique après un infarctus du myocarde permet de réduire de 34 % la mortalité cardiaque et de

1. Cohen S., Tyrrell D. A., Smith A. P., « Psychological stress and susceptibility to the common cold », *N. Engl. J. Med.*, 325(9), 29 août 1991, p. 606-612.
2. Hansen J., « Increased breast cancer risk among women who work predominantly at night », *Epidemiology*, 12(5), septembre 2001, p. 588-589.
3. Alvarez-Dardet C., Ashton J. R. J., « Ecology, Ecology, Ecology », *J. Epidemiol. Community Health*, 59, 2005, p. 1.

réduire de 29 % le nombre des rechutes [1]. C'est ce qu'a montré l'analyse de 37 études sur le sujet.

Un médecin a même obtenu des résultats impressionnants : il a réussi à diviser le nombre de rechutes d'infarctus par 2,5 ! Il s'agit du professeur Ornish [2]. Son programme préventif est intensif et comprend un suivi diététique, un arrêt du tabac, un entraînement sportif, des cessions de management du stress et la participation à un groupe de soutien psycho-social. Et ce sont les personnes les mieux informées qui bénéficient le plus de ces programmes.

Jacques, patron de société, a dû faire face à un infarctus, mais surtout à ses conséquences.

« J'ai compris que ma santé était une priorité si je voulais continuer à pouvoir diriger mon entreprise. J'avais déjà arrêté de fumer depuis quelques années. J'ai recommencé le sport après avoir suivi un stage de rééducation cardiaque en clinique. Auparavant, j'affirmais toujours que je n'avais pas le temps de faire du sport. Comme je sais que ma vie est en jeu, forcément, le temps n'est plus jamais un problème ! Comme j'ai déprimé après mon pontage coronarien, mon cardiologue m'a vivement conseillé de voir un psy. Il m'a aidé à limiter les conflits avec mes collaborateurs, à déléguer, à revoir mes méthodes de management, à mieux m'organiser et à gérer mon temps... Finalement, je me sens nettement plus en forme qu'avant mon infarctus, même si une pointe d'angoisse persiste. J'apprécie mieux ma vie maintenant que je me suis pris en compte, alors qu'avant, je m'oubliais au profit de mon travail. Je ne mange plus du tout de la même manière, cela doit contribuer aussi à ma forme retrouvée, puisque j'ai aussi laissé quelques kilos s'en aller ! »

Les prises en charge psychologiques sont aussi efficaces à long terme. Un exemple parlant : la méditation transcendantale a pu,

---

1. Dusseldorp E., van Elderen T., Maes S. *et al.*, « A meta-analysis of psycho-educational programs for coronary heart disease patients », *Health Psychol.*, 18(5), septembre 1999, p. 506-515.

2. Ornish D., Scherwitz L. W., Billings J. H. *et al.*, « Intensive lifestyle changes for reversal of coronary heart disease », *JAMA*, 280(23), 1998, 2001-2007. Cette étude a suivi pendant cinq ans deux groupes de personnes après un infarctus du myocarde. Le premier groupe n'avait pas de suivi particulier, et le second groupe suivait un programme intense de changement de style de vie, comprenant outre diététique, arrêt du tabac et entraînement sportif, des sessions de management du stress et la participation à un groupe de soutien psycho-social. Dans ce groupe, après les cinq années de suivi, le nombre de rechute d'infarctus était divisé par 2,5 et, surtout, l'obstruction des artères coronaires (à l'origine de l'infarctus) avait diminué dans le groupe suivi alors qu'elle avait augmenté dans le groupe non suivi.

lors d'une étude [1] d'une durée de sept ans, diminuer la mortalité de 23 %, les événements cardiaques de 30 % et la mortalité par cancer de 49 %.

Des programmes de rééducation à base de yoga ont montré leur efficacité à réduire le taux de sucre dans le sang (glycémie à jeun), le cholestérol, le LDL-cholestérol et les triglycérides, tout en augmentant le bon cholestérol, c'est-à-dire le HDL-cholestérol [2]. Les médecins devraient donc conseiller le yoga aux personnes diabétiques et souffrant d'hypercholestérolémie !

Soigner son mental et ses émotions est-il aussi efficace pour le traitement des cancers ?

Ces études laissent pour certaines entendre que les méthodes psychologiques pourraient avoir un impact sur la mortalité en cancérologie. C'est exact et cela a été démontré en 1989 pour la première fois par le professeur Spiegel dans un article qui a fait date [3] : le taux de survie dans les cancers du sein était multiplié par deux chez des femmes ayant été formées à l'autohypnose par rapport à celles ne bénéficiant d'aucun suivi psychologique.

Aujourd'hui, ces méthodes se sont généralisées et la prise en charge des personnes atteintes de cancer s'est beaucoup améliorée. Mais il reste encore beaucoup à faire !

Comment expliquer une telle efficacité des méthodes psychologiques dans une maladie comme le cancer ? Les traitements anticancéreux tuent les cellules cancéreuses ; on comprend donc leur efficacité. Le stress rend ces traitements nettement moins effi-

---

1. Schneider R. H., Alexander C. N., Staggers F. *et al.*, « Long-term effects of stress reduction on mortality in persons >/=55 years of age with systemic hypertension », *Am. J. Cardiol.*, 95(9), 1er mai 2005, p. 1060-1064. Il s'agit d'un suivi pendant plus de sept ans de 202 patients de plus de 55 ans qui étaient traités pour hypertension artérielle, la moitié d'entre eux suivant un programme de méditation transcendantale. Le groupe entraîné à la méditation a vu sa mortalité toute cause baisser de 23 %, sa mortalité par événements cardiaques être réduite de 30 % et même sa mortalité par cancer diminuer de 49 % (mais ce dernier chiffre n'était pas significatif, vu que ce groupe était surtout à risque pour les maladies cardiovasculaires).

2. Bijlani R. L., Vempati R. P., Yadav R. K. *et al.*, « A brief but comprehensive lifestyle education program based on yoga reduces risk factors for cardiovascular disease and diabetes mellitus », *J. Altern. Complement. Med.*, 11(2), avril 2005, p. 267-274.

3. Spiegel D., Bloom J. R., Kraemer H. C. *et al.* « Effect of psychosocial treatment on survival of patients with metastatic breast cancer », *Lancet*, 2(8673), 18 novembre 1989, p. 1209-1210. 50 femmes victimes d'un cancer métastasique du sein avaient participé à des groupes de soutien hebdomadaire et ont été formées à l'autohypnose pour le vécu de la douleur. Dans le même temps 36 autres femmes, atteintes des mêmes formes de cancer, ne bénéficiaient d'aucune prise en charge psychologique. Résultat, le taux de survie a été le double dans le groupe suivi (soit trois ans) par rapport au groupe contrôle (soit un an et demi).

caces. Une étude expérimentale [1] a montré chez des souris cancéreuses que le stress annulait presque complètement l'effet d'une chimiothérapie. Le stress consistait à leur attacher les pattes à des planches en plastique pendant une heure par jour. La chimiothérapie n'est vraiment efficace que chez les souris non stressées qui vivent alors nettement plus longtemps. Peut-on transposer cela chez l'humain ? Ce n'est pas certain à 100 %, mais pratiquer une méthode antistress est toujours bénéfique et n'a absolument aucun effet secondaire néfaste, contrairement aux diverses chimiothérapies ! Alors, il serait vraiment dommage de ne pas en bénéficier !

☞ **Soigner son psychisme participe très activement à la prévention des maladies graves et abaisse la mortalité.**

Où se situe la médecine dans tout cela ?

Tout cela est donc connu, prouvé, étudié. Est-ce à dire que les médecins vont se précipiter pour vous aider à faire diminuer votre stress ? Vous donner des directives pour le faire diminuer ? Vous prescrire des exercices, vous donner des conseils pour réduire votre stress ? Absolument pas ! C'est même un phénomène étonnant. Certains faits démontrés sont très rapidement intégrés aux pratiques médicales, et d'autres non. La différence est souvent liée à la difficulté de le mettre en place. Il est nettement plus simple d'écrire une ordonnance que de prendre du temps à expliquer à quelqu'un comment faire baisser son stress d'autant que, bien souvent, la Faculté ne leur a jamais appris ce genre de choses ! Et puis, il y a l'argent ! Un laboratoire qui a des intérêts financiers à vendre un médicament en fera la promotion. Une méthode antistress, elle, ne trouvera pas grand monde pour en faire la promotion car elle ne rapportera d'argent qu'à des individus isolés qui n'ont pas les moyens de la faire connaître.

À moins de tomber dans un service d'exception, on peut même parier que votre séjour en unité de soins intensifs sera même l'un des moments les plus stressants de votre vie... Vous déprimez ?

---

1. Zorzet S., Perissin L., Rapozzi V. *et al.*, « Restraint stress reduces the antitumor efficacy of cyclosphosphamide in tumor-bearing mice », *Brain, Behavior, and Immunity*, 12, 1998, p. 23-33. Article n° BI970504. Cette étude a été réalisée en 1998, sur des souris.

Vous êtes le client idéal pour les antidépresseurs. Il vous arrive de souffrir d'attaques de panique ? On vous diagnostiquera une spasmophilie et l'on vous incitera peut-être à suivre des traitements quasi inefficaces (sauf effet placebo) comme du magnésium. Si votre médecin se penche un peu sur votre stress, il vous orientera peut-être vers une psychanalyse qui ne vous sera a priori d'aucune aide et vous laissera seul face à vos crises. Serait-ce une caricature ? Pas vraiment. Ces exemples sont représentatifs de la majorité des pratiques en France.

Il y a quelques années, l'un de nos amis psychologue voulait passer une thèse pour devenir docteur en psychologie. Le sujet qui le passionnait, c'était la psychothérapie dans les cancers du sein. Il a voulu lancer une vaste enquête. Il s'agissait, chez des femmes atteintes de cancer du sein, de comparer l'effet de différentes méthodes de psychothérapie (hypnose, sophrologie, thérapie de soutien, psychanalyse, thérapie de groupe...). Il voulait étudier la mortalité en fonction de la méthode suivie. Il a cherché un service de cancérologie pour lancer cette étude. Il l'a trouvé. Puis, après environ six mois, le professeur agrégé de médecine qui avait accepté cette étude s'est rétracté. « Vous comprenez, a-t-il expliqué, je vais me ridiculiser vis-à-vis de mes collègues. Cela n'a pas l'air sérieux ! » Pourtant, qu'y a-t-il de plus sérieux que de chercher à aider des personnes malades à vivre plus longtemps ? Nous aimerions bien qu'on nous l'explique ! Et même si les résultats avaient été nuls, il aurait été intéressant de le savoir !

☞ **La médecine actuelle ne prend pas assez en compte l'effet nocif des problèmes psychiques sur la santé ; il est du ressort de chacun de s'en occuper.**

Nous ne sommes pas seulement des corps et la prévention ne devrait jamais ignorer nos esprits. Le corps et l'esprit sont un tout et nos émotions comme nos pensées sont essentielles à notre santé. Pensées négatives et émotions négatives rendent malade, ce que nous a très bien rappelé David Servan-Schreiber [1] dans son livre *Guérir*.

Mais comment agir en pratique pour connaître notre propre état de santé mentale ? Comment travailler à améliorer notre propre niveau de santé psychique ?

---

1. Servan-Schreiber D., *Guérir, op. cit.*

Nous avons choisi d'étudier l'état psychique dans trois dimensions différentes :
— celle des **maladies psychiques**,
— celle de l'**excès de stress**,
— et enfin celle de notre **personnalité**, heureuse, triste, hostile...

Cela signifie qu'il y a trois axes à examiner pour trouver une harmonie psychique bénéfique à la santé, donc trois questions à se poser ;
— Est-ce que je souffre d'une maladie psychique ? Et si oui, comment la soigner ?
— Quel est mon niveau de stress et comment le faire baisser ?
— Quelle est ma personnalité, et comment la cultiver pour la faire fructifier dans la bonne direction ?

Ces trois axes sont relativement indépendants. On peut être très stressé, mais avoir une personnalité joyeuse ou ne souffrir d'aucune anxiété et avoir une personnalité plutôt triste... Toutes les possibilités sont représentées.

Les maladies psychiques : En France, elles concernent pratiquement une personne sur quatre dont les principales souffrances sont les suivantes [1] :
1. épisodes dépressifs : 11 % (dont 5,6 % de troubles chroniques),
2. anxiété généralisée : 12,8 %,
3. phobies sociales et agoraphobie : 4,3 %,
4. trouble panique : 4,2 %,
5. psychoses : 2,8 %,
6. etc.

La dépression, tout le monde connaît plus ou moins. Il s'agit d'un trouble de l'humeur qui fait voir la vie en noir, enlève tout intérêt aux plaisirs de la vie, réduit l'énergie dont on dispose et augmente la fatigabilité. On « touche le fond ».

L'anxiété généralisée est très pénible à vivre. Elle entraîne une nervosité permanente, des tremblements, des tensions musculaires, une transpiration excessive, une sensation de « tête vide », des palpitations, des étourdissements, un poids sur l'estomac. Une personne anxieuse passe aussi beaucoup de temps à craindre le pire

---

1. DREES (Direction de la recherche des évaluations et des statistiques), *Études et résultats*, 347. octobre 2004.

pour elle-même ou pour ses proches. C'est l'angoisse ! Les origines de cette angoisse sont très diverses et personnelles.

Michèle s'est découvert un degré d'anxiété important après son infarctus, anxiété néfaste pour son cœur. C'est pourquoi il est essentiel de s'occuper de cette émotion très négative pour sa santé.

« Même si j'ai eu la chance de m'en sortir, après mon infarctus, ma vie a été totalement transformée. Cela fait bientôt trois ans, et je passe encore des nuits blanches. Je revois cette horrible nuit où j'ai failli mourir. Je n'avais pourtant aucun problème particulier qui pouvait laisser penser que, cette nuit-là, je ferais un infarctus. Je fumais un peu, c'est vrai, je prenais la pilule, mais à 36 ans, en pleine forme cela paraît de la science-fiction, non ? Depuis, j'ai peur de m'endormir, j'ai peur que ça recommence. Dans la journée, quand j'ai un moment d'inactivité, mon esprit pense encore à cette expérience et il m'arrive même de transpirer d'angoisse ! J'ai souvent peur que mon cœur s'arrête quand je suis un peu active. Mes rapports avec mon mari ont changé notamment sur le plan amoureux, car je n'ose pas me lâcher. Si je sens mon cœur s'accélérer, ça m'angoisse. Pourtant, après mon infarctus, j'ai fait de la rééducation cardiaque. J'étais bien entourée par une équipe médicale. Mais quand je me suis retrouvée seule, j'ai ressenti un poids dans la poitrine, sans doute dû à l'anxiété, j'en suis consciente, mais depuis, la moindre douleur m'inquiète. Je suis sans doute trop à l'écoute de mon corps, alors que je n'étais pas du tout comme ça auparavant. Si je m'écoutais, il faudrait que je consulte mon cardiologue quasiment toutes les semaines. Vu la brutalité de mon infarctus qui est venu sans prévenir, j'ai l'impression de vivre avec une épée de Damoclès sur la tête. »

Les phobies sociales sont très handicapantes, car on évite les autres de peur d'être dévisagé, mésestimé, ridiculisé ou critiqué. L'image que l'on a de soi est très dévalorisée... L'agoraphobie, c'est la peur de quitter son domicile, de voyager seul en train, en avion, ou en bus. C'est aussi la peur des foules, des magasins, des endroits publics. Certaines phobies nous emmurent à la maison...
Anita souffre de phobie sociale. Jeune, jolie, agréable, elle vit pourtant une solitude terrible qui la rend prisonnière :

« J'ai peur des autres, au point parfois de ne pas oser entrer dans une boulangerie pour acheter du pain. Du coup, je rentre chez moi seule et je mange ce qui reste dans mon frigo. À mon travail, quelquefois, quand quelqu'un vient vers mon bureau, je me cache dans un grand placard pour l'éviter ! Cela paraît aberrant, mais c'est ainsi. Et ce n'est pas moi qui abuse des pauses à la machine à café ! J'évite mes collègues qui me croient hautaine, alors que je suis simplement morte de peur d'être mal jugée, nulle par rapport à eux. Je vis un enfer de solitude et de désespoir. »

Si Anita raconte son histoire, c'est qu'elle a fini par ne plus supporter sa phobie des contacts humains et qu'elle consulte actuellement un psychiatre comportementaliste ! Elle a décidé de se soigner.

Les attaques de panique frappent à tout moment : tout à coup, la mort semble imminente, le cœur galope, on étouffe, la poitrine explose, on va s'évanouir et tout semble irréel. La plupart du temps un individu en proie à ce type de crises file aux urgences en priant le ciel !

Laurent, 22 ans, explique :

« La première fois, j'ai cru que j'avais un infarctus et que j'allais mourir. Je me suis précipité chez mon médecin qui a appelé le Samu. J'étouffais littéralement. Je ressentais une douleur comme un écrasement dans la poitrine. Comme je fumais beaucoup, j'ai vraiment cru ma dernière heure arrivée comme une punition du ciel... Les médecins m'ont fait un électrocardiogramme et je n'avais absolument rien de cardiaque. Un demi-comprimé de Lexomil plus tard, on m'a expliqué qu'il s'agissait d'une crise de panique typique. Je suis sorti hébété de l'hôpital, et il m'a fallu à la fois beaucoup de temps et un médecin ouvert et compréhensif pour comprendre et prendre en charge ces crises de panique qui sont revenues très souvent. »

Les psychoses enfin, dont la schizophrénie, sont des états psychiques caractérisés par la perte du contact avec la réalité, une désorganisation de la personnalité et une transformation délirante du vécu.

Tous ces troubles ont un effet direct sur notre durée de vie et, pour la plupart, ils peuvent être très nettement soulagés... Cela vaut donc la peine de comprendre quel est leur impact et comment se « guérir ».

Et pourtant, on peut se soigner efficacement !

La première chose à faire quand on est victime de tels troubles psychiques est donc de se soigner pour ne plus souffrir. Et ce sera aussi très efficace pour rester en bonne santé. Comment s'y prendre et quelle méthode choisir ?

Le bon sens pousserait à demander l'avis de son médecin traitant. Malheureusement, en France, nous sommes les champions du monde de la prescription de médicaments psychotropes et de psychothérapies longues sur plusieurs années. En cas de dépression, même passagère, vous aurez quatre fois plus de chance d'avoir à prendre tous les jours un antidépresseur qu'un Allemand ou un Anglais [1]. À défaut, ou en parallèle, vous serez orienté vers un psychothérapeute d'obédience psychanalytique et vous partirez pour plusieurs années de divan. Tout cela pour guérir ? Non, même pas, en tout cas d'après l'Inserm !

L'Inserm (Institut national de la santé et de la recherche médicale) a en effet publié fin 2004 [2] les résultats d'un imposant travail. Il a analysé près d'un millier d'études et comparé l'efficacité des trois principales méthodes de prise en charge actuelles dans seize maladies psychiques :
— l'approche psychanalytique ;
— l'approche cognitivo-comportementale ;
— l'approche familiale et de couple.

Les résultats ont fait l'effet d'une bombe ! Pourquoi ? Parce que la psychanalyse, source de formation principale des psys de notre pays, était plutôt perdante dans cette étude !

Les pressions des psys

Une fois publiée, l'étude de l'Inserm a provoqué un tollé chez les psys ! Quoi ? on osait affirmer que certaines psychothérapies étaient plus efficaces que d'autres ? Quelle abomination ! Oser vouloir y voir plus clair parmi ces thérapies, essayer d'aider des personnes en souffrance à trouver ce qui pourra les soigner ? Quelle horreur ! Alors qu'on peut proposer vingt ans d'analyse à quelqu'un qui pourrait être soigné autrement et rapidement. Quel

---

1. Even Ph. et Debré B., *Savoirs et pouvoirs*, document du Cherche Midi, Paris, 2004.
2. Rapport Inserm http://www.inserm.fr/fr/home.html, mars 2005.

manque à gagner, n'est-ce pas ! Nous avons beaucoup de mal à comprendre les psys qui ont fait une pression telle que le ministre de la Santé, M. Philippe Douste-Blazy a annoncé, le 5 février 2005, avoir « fait retirer du site du ministère le rapport contesté de l'Inserm sur les psychothérapies et qu'ils n'en entendraient plus parler » ! Ainsi a-t-il expliqué : « Je sais que vous vous êtes sentis incompris et peu entendus. J'affirme solennellement que cette page est aujourd'hui tournée. » Nous sommes en démocratie ! Si cette étude présente des limites, pourquoi ne pas chercher à faire de nouvelles études plus précises ? On a vraiment l'impression que s'est joué l'intérêt économique d'une profession bien plus que l'intérêt de toutes les personnes qui sont susceptibles d'être psychiquement atteints un jour ou l'autre. Des associations de malades ont d'ailleurs protesté haut et fort sans être entendues !

En réalité, nous ne pensons pas vraiment que le seul intérêt financier ait provoqué ces réactions des professionnels. Il s'agit peut-être, et surtout, d'un dogmatisme qui met la psychanalyse sur un piédestal sans possibilité de la critiquer. Cela s'apparente à une sorte de religion, de foi en la psychanalyse qui en devient intouchable. Le moins qu'on puisse dire, c'est que cette attitude n'est pas scientifique !

Voici un extrait d'une lettre d'Alain Tortosa, président de l'Association d'aide aux personnes avec un état limite (l'AAPEL).

« Pourquoi certains "psys" français refusent-ils l'évaluation de leurs méthodes ? Par un refus de mettre le patient dans une "case" ? Cet argumentaire n'est pas recevable, monsieur le ministre, car ils le font déjà tous les jours, névrose, psychose, état limite, perversion, etc., étant par définition des "cases".
Une telle violence affichée contre l'évaluation pourrait alors me faire imaginer que ces "psys" pensent au fond d'eux-mêmes : "Ma méthode ne fonctionne pas", parce que personnellement, si j'avais la conviction que je suis en mesure de soulager la souffrance psychologique de mes patients, je ne vois pas pourquoi je verrais d'un mauvais œil l'évaluation de mes méthodes, évaluation qui permettrait de conforter mes convictions et de rassurer mes patients (...) !
Les malades ont besoin de savoir que leurs troubles peuvent se traiter mais aussi connaître les méthodes efficaces pour une meilleure alliance thérapeutique, libre à eux de choisir ensuite la méthode qui leur sied le mieux.

Alors pour conclure, monsieur le ministre, nous vous disons que les personnes qui souffrent de maladies mentales ont les mêmes droits que tout être humain et vous n'avez pas à décider pour elles de ce qu'elles ont le droit de savoir ou pas.

Nous serons, nous, associations, présents pour vous rappeler cela à chaque fois que ce sera nécessaire...

J'ose espérer que vous serez de notre avis en pensant que c'est le manque d'informations validées qui nuisent aux malades et non l'excès.

Je vous prie de bien vouloir agréer, monsieur le ministre, l'expression de ma très haute considération

Alain Tortosa, président de l'association AAPEL. »

Les thérapies efficaces

Voici un petit résumé des trois types de thérapies étudiées par l'Inserm.

L'approche psychanalytique (psychanalyse classique ou approche psychodynamique) a été largement décrite et elle s'inspire des ouvrages de Sigmund Freud. Les thérapies sont longues ou brèves selon le cas. Leur objectif est d'aider le patient à prendre conscience des troubles psychiques dont il souffre et à renforcer son moi.

L'approche comportementale et cognitive est plus récente et propose, en de courtes thérapies de 10 à 25 séances, de travailler sur nos pensées (le cognitif) et nos actions (les comportements) pour nous apprendre à nous débarrasser des symptômes qui nous gênent. Ces thérapies comportementales et cognitives (TCC) proposent par exemple à ceux qui souffrent de troubles paniques ou de phobies d'apprendre à se relaxer dans les situations qui les angoissent, de manière à progressivement voir les symptômes s'évanouir. Des personnes gravement perturbées par ces troubles peuvent ainsi retrouver le plaisir d'une vie normale en une douzaine de séances.

L'approche familiale et de couple s'appuie sur la dynamique des groupes pour faire bouger une situation pathologique.

Les résultats de cette étude Inserm sont époustouflants : les thérapies comportementales et cognitives ont démontré leur efficacité dans 15 des 16 maladies étudiées, les approches familiales et de couple dans 5 et les approches psychanalytiques dans une seule !

Concrètement, les thérapies comportementales et cognitives ont démontré leur efficacité dans les situations suivantes :

— anxiété généralisée ;
— phobies sociales ;
— agoraphobie ;
— attaques de panique ;
— stress post-traumatique ;
— trouble obsessionnel compulsif ;
— états dépressifs de faible intensité ;
— états dépressifs d'intensité moyenne ;
— états dépressifs aigus ;
— prévention des rechutes et des récidives des dépressions ambulatoires ;
— dépression où la personne est hospitalisée ;
— réhabilitation sociale de la schizophrénie ;
— personnalité borderline chez les femmes ;
— personnes alcoolo-dépendantes ;
— boulimie.

Les thérapies comportementales et cognitives (TCC) ont montré qu'elles étaient aussi efficaces que les antidépresseurs dans les dépressions modérées ou sévères [1] et qu'elles évitaient tout autant les rechutes que le maintien sous antidépresseurs [2]... Autrement dit on peut se soigner efficacement sans les nombreux inconvénients des antidépresseurs et de manière durable !

Les approches psychanalytiques ont démontré leur efficacité dans une situation : trouble de la personnalité en particulier de la personnalité borderline.

L'approche familiale et de couple a démontré son efficacité dans cinq situations :

— alcoolodépendance : une thérapie comportementale de couple est bénéfique ;
— autisme d'un enfant : un programme éducatif et comportemental intensif administré précocement est utile ;
— prévention des rechutes et des réhospitalisations chez les schizophrènes : la thérapie familiale par psycho-éducation est indiquée ;

---

1. DeRubeis R. J., Hollon S. D., Amsterdam J. D. *et al.*, « Cognitive therapy vs medications in the treatment of moderate to severe depression », *Arch Gen Psychiatry*, avril 2005, p. 409-416, 62(4).
2. Hollon S. D., DeRubeis R. J., Shelton R. C. *et al.*, « Prevention of relapse following cognitive therapy vs medications in moderate to severe depression », *Arch. Gen. Psychiatry*, 62(4), avril 2005, p. 417-422.

— hyperactivité de l'enfant : on peut proposer un traitement multimodal intensif incluant la formation comportementale des parents ;

— troubles des conduites chez l'enfant : un traitement par apprentissage parental est conseillé.

Que retenir en pratique ? Dans la plupart des troubles les plus courants, ce sont les thérapies comportementales et cognitives qui sont efficaces. Autrement dit, si vous souffrez de troubles dépressifs, d'anxiété, d'attaques de panique, de phobies, il est préférable de vous orienter vers ces thérapeutes. Cela ne sera pas toujours facile car ils sont encore très minoritaires en France (au contraire de tous les autres pays occidentaux où ils sont devenus largement majoritaires). Outre les conseils d'orientation de votre médecin généraliste, il ne faut pas hésiter à demander aux psychothérapeutes s'ils sont formés aux thérapies comportementales et cognitives. Pour vous orienter, vous pouvez consulter l'annuaire des membres du site de l'Association française de thérapie comportementale et cognitive, www.aftcc.org, ou demander à votre médecin de famille.

☞ **Si vous souffrez d'une maladie psychique, informez-vous sur la méthode la plus adaptée et la plus efficace pour vous traiter.**

Est-ce à dire que la psychanalyse n'a plus sa place ? Pas du tout, mais elle doit être réservée aux problèmes sur lesquels elle est efficace : d'après l'Inserm, aux traitements des troubles de la personnalité et typiquement dans deux cas : ceux qui sont borderline (ils présentent quelques signes pouvant évoquer une schizophrénie) et ceux qui sont sous-jacents à des toxicomanies (toutes les drogues). L'efficacité des approches psychanalytiques est alors importante car elle permet de rendre, à 30 % des patients, une vie normale bien connectée à la réalité, amélioration qui est toujours présente après un suivi de un à cinq ans. C'est la seule indication démontrée de la psychanalyse dans l'étude de l'Inserm. Il n'est pas impossible que d'autres études puissent élargir les indications de la psychanalyse...

(Notons que la psychanalyse n'est pas forcément une thérapie, mais un chemin de connaissance de soi et que de nombreux adeptes la choisissent pour cette raison et pas spécialement pour guérir un trouble particulier. Elle garde bien évidemment son intérêt dans ce cadre.)

Tout le monde est très mal informé sur les traitements des problèmes psychiques.

La preuve, le cas François Mitterrand ! Il était victime de crises de panique, voire de phobie de l'avion. Il redoutait particulièrement les vols long-courrier (c'est semble-t-il une des raisons pour lesquelles il a voulu un Concorde présidentiel, qui permettait de limiter la durée des vols !). Il est resté pendant toute sa vie sans soins adaptés, y compris pendant ses années à l'Élysée, où il était fortement suivi sur le plan médical pour son cancer. Pourtant les crises de panique se soignent souvent très bien, le traitement efficace de référence étant la thérapie comportementale. À la lecture du livre du docteur Gubler, médecin personnel du président *Le Grand Secret*, on découvre les problèmes psychiques dont souffrait François Mitterrand. Un extrait le montre bien : « Danièle Mitterrand m'avait parlé des angoisses de son mari : "C'est un anxieux qui a des crises nocturnes mais qui refuse de prendre le moindre médicament. C'est un têtu, vous verrez." Il a toujours eu des **crises d'angoisse en avion**, surtout lors de longs vols sans escale. C'est une des raisons qui lui fit préférer très vite les voyages en Concorde. Quand cela arrivait la nuit, ma technique était la suivante : on parlait, on bavardait de n'importe quoi, le plus longtemps possible, puis, de guerre lasse, je sortais de ma trousse un comprimé en lui disant : "Ou vous reprenez seul vos esprits, ou vous avalez ce tranquillisant." Si je voyais que l'équipage commençait à remarquer sa nervosité, je lui proposais une ampoule de Valium qui pouvait l'endormir en trente secondes. »

Quand on connaît l'efficacité des **techniques de thérapies comportementales**, on ne peut qu'être étonné de voir que personne de l'entourage de notre ex-président ne semble avoir eu connaissance du fait que ces angoisses étaient curables facilement et sans médicament !

Alors, vous imaginez sans peine combien M. et Mme Tout-le-monde peuvent avoir des difficultés à trouver une solution à leurs **troubles psychiques**.

Quant aux thérapies familiales et de couples, elles sont efficaces chez les enfants (troubles de la conduite et hyperactivité) et dans la prise en charge de l'alcoolisme.

☞ **Il est donc essentiel de bien choisir son approche thérapeutique en fonction des troubles dont on souffre, et de se soigner. Le jeu en vaut la chandelle pour une vie plus longue et de bien meilleure qualité !**

L'excès de stress

Si les troubles psychiques concernent un quart d'entre nous, le stress nous agresse tous... Dans les entreprises, 60 % des gens se disent stressés.

La maison, la famille [1], la société sont d'autres sources de stress. L'isolement aussi fait de plus en plus de dégâts [2].

Qu'est-ce que le stress ? C'est une réponse normale de l'organisme à une situation stressante. Cette réponse augmente au départ nos moyens de réaction physiques et mentaux pour faire face à cette situation. Mais trop de stress se retourne contre nous. Ces moyens de défense lorsqu'ils sont exacerbés, agressent notre organisme lui-même. Cela se produit quand une situation stressante dure trop longtemps, devient conflictuelle ou quand nous sommes impuissants à régler cette situation : on peut alors parler de stress anormal ou pathologique. Pour la suite du chapitre, nous allons utiliser le mot stress dans ce cadre du sur-stress ou stress pathologique.

Par quels signes se manifeste le stress ?

— des signes physiques : des douleurs comme des coliques, des maux de tête, douleurs musculaires, articulaires, etc. Des troubles du sommeil, des troubles digestifs de l'appétit et de la digestion, des sensations d'essoufflement ou d'oppression, des sueurs inhabituelles, etc. ;

— des signes émotionnels : une sensibilité et une nervosité accrues, des crises de larmes ou de nerfs, des sensations d'angoisse, d'excitation, de tristesse, une sensation de mal-être, etc.

— des signes intellectuels : une perturbation de la concentration à la tâche entraînant des erreurs et des oublis, des difficultés à prendre des initiatives ou des décisions, etc ;

— des signes comportementaux : des comportements violents et agressifs, un isolement social (repli sur soi, difficultés à coopérer), une modification des conduites alimentaires, etc.

---

1. Orth-Gomer K., Wamala S. P., Horsten M. *et al.*, « Marital stress worsens prognosis in women with coronary heart disease : The Stockholm Female Coronary Risk Study », *JAMA*, 284(23), 20 décembre 2001, p. 3008-3014.
2. *European Journal of Cardiovascular Prevention and Rehabilitation*, vol. 10 (suppl. 1), 2003.

Si l'on en arrive à ces signes, c'est que l'organisme ne bénéficie plus d'un peu de bon stress positif et stimulant, mais qu'il est dépassé, débordé par un stress excessif.

Voici les séquences d'apparition et d'évolution du stress : il s'agit du syndrome général d'adaptation [1] :

— Phase 1, c'est la réaction d'alarme. Le cœur et la circulation dans les vaisseaux s'accélèrent, la tension artérielle monte, la vigilance, la concentration augmentent. L'organisme est prêt pour un affrontement. Il a libéré des hormones, de l'adrénaline et de la noradrénaline.

— Phase 2 ou réaction de résistance : Si la situation stressante persiste, la circulation et le cœur s'accélèrent encore, le taux de sucre augmente dans le sang pour apporter plus d'énergie au cœur et au cerveau. Cela se produit grâce à la libération d'hormones dans le sang, les corticoïdes.

— Phase 3 ou épuisement : Les dégâts sur la santé apparaissent. En effet, l'organisme est alors surchargé d'hormones activatrices, adrénaline et corticoïdes.

Gare au tabac !

Le tabac a un rôle très important et sous-estimé dans l'émergence des maladies psychiques. Une étude a suivi 688 jeunes entre 16 ans (en 1985-1986) et 22 ans (en 1991-1993). Il en ressort que les adolescents qui fument plus d'un paquet par jour présentent des risques psychiques beaucoup plus élevés. Leur risque de souffrir d'attaques de panique est ainsi multiplié par 15,6, d'anxiété généralisée par 5,6 et d'agoraphobie par 6,8 [2] ! On peut donc dire que le tabac a un impact extrêmement négatif et très méconnu sur le stress et l'anxiété.

A contrario, ceux qui arrêtent de fumer voient leur anxiété diminuer très rapidement dès la première semaine [3]. Ceux qui fument doivent donc savoir que la meilleure façon de commencer à se soigner psychiquement est d'arrêter de fumer...

---

1. Ces signes sont très bien décrits dans le dossier « Le stress au travail » fait par l'INRS (www.inrs.fr).

2. Johnson J. G., Cohen P., Pine D. S. *et al.*, « Association between cigarette smoking and anxiety disorders during adolescence and early adulthood », *JAMA*, 284(18), 8 novembre 2000, p. 2348-2351.

3. West R., Hajek P., « What happens to anxiety levels on giving up smoking ? », *Am. J. Psychiatry*, 154(11), novembre 1997, p. 1589-1592.

Lorsque l'organisme est en phase d'épuisement, les signes de stress ont des répercussions gênantes qui amènent nombre de personnes à recourir à des produits calmants ou excitants (café, tabac, alcool, somnifères, anxiolytiques, antidépresseurs, etc.) qui aggravent encore la situation : un cercle vicieux se met alors en place.

Si la situation stressante se prolonge longtemps, la cascade de réactions qui s'enclenche sera responsable de maladies chroniques. Les troubles psychiques aboutissent à des dérèglements de notre organisme :

— le système immunitaire [1] s'épuise ;

— la fréquence cardiaque [2] s'accélère et la tension artérielle augmente ;

— le niveau de cholestérol [3] s'élève ;

— les marqueurs de l'inflammation comme le fibrinogène [4] augmentent ;

— les plaquettes sont activées et la coagulation [5] augmentée.

☞ **Ces dérèglements de l'organisme mènent aux maladies cardiovasculaires et aux cancers. Stress et troubles psychiques sont donc des éléments clés à prendre en compte dans un programme de prévention !**

Un des premiers patients que l'un de nous a suivi en hypnose éricksonnienne, Étienne, d'origine réunionnaise, avait moins de 30 ans... et 3 antihypertenseurs. Malgré ces 3 médicaments, sa tension restait toujours extrêmement haute, le plus souvent aux environs de 17 de maxima. C'était un cas, car habituellement, les antihypertenseurs sont vraiment efficaces, surtout si on les associe entre

---

1. Segerstrom S. C., Miler G. E., « Psychological stress and the human immune system : a meta-analytic study of 30 years of inquiry », *Psychol Bull.*, 130(4), juillet 2004, p. 601-630.

2. Carney R. M., Rich M. W., teVelde A. *et al.*, « The relationship between heart rate, heart rate variability and depression in patients with coronary artery disease », *J. Psychosom Res.*, 32(2), 159-164.

3. Peter H., Hand I., Hohagen F. *et al.*, « Serum cholesterol level comparison : control subjetcs, anxiety disorder patients, and obsessive-compulsive disorder patients », *Can. J. Psychiatry.*, 47(6), août 2002, p. 557-561.

4. Steptoe A., Wardle J., Marmot M., « Positive affect and health – related newroendocrine, cardiovascular and inflamatory process », *Proc. Natl. Acad. Sci. USA.*, 102(18), 3 mai 2005, p. 6508-6512. Epub, 19 avril 2005.

5. Berk M., Plein H., « Platelet supersensitivity to thrombin stimulation in depression : a possible mecanism for the association with cardiovascular mortality », *Clinical Pharmacology*, 23(4), juillet-août 2000, p. 182-185.

eux ! Étienne venait au départ consulter pour un manque de confiance en lui qui lui était très préjudiciable dans son travail, puisqu'il était commercial. Après 3 séances d'hypnose seulement, et un peu d'entraînement à l'autohypnose chez lui, sa tension est descendue à des chiffres tout à fait corrects, et le médecin qui le suivait pour cela a diminué progressivement son traitement. Ce jeune homme en est arrivé à ne conserver qu'un seul médicament. Mais son père était décédé à moins de 50 ans d'une hémorragie cérébrale lors d'une sorte de crise d'hypertension. Étienne était donc extrêmement angoissé à l'idée de connaître le même type de mort que son père, d'autant plus qu'il saignait presque tous les jours du nez, exactement comme cela s'était produit chez son père le jour de son décès. D'autre part, ce père le battait régulièrement avec une ceinture, violence qui n'a cessé que lorsque son fils est devenu plus fort que lui et a pu, à son tour, lui donner une raclée ! Il n'était pas étonnant que ce jeune homme souffre d'un stress important ! Avec 3 séances d'hypnose, il a été surprenant de voir les résultats obtenus, quasiment par hasard ! Il ne suffit pas de s'occuper d'une hypertension, même si c'est bien sûr indispensable ! Il faut aussi prendre en compte la dimension de stress, d'angoisse, sinon, on passe à côté d'éléments extrêmement importants, et nous, médecins, ne proposons certainement pas toute l'aide utile à nos patients.

☞ **L'excès de stress est un élément qui participe au déclenchement de maladies graves comme les maladies cardiovasculaires.**

Comment lutter contre le stress ?

Comment se soigner concrètement ou organiser notre prévention psychique ? Les sportifs sont un modèle en ce domaine. Ils ont intégré depuis longtemps les composantes mentales et émotionnelles à leurs entraînements. Le temps où ils se contentaient d'une préparation physique est terminé. Ils sont maintenant entourés de « coachs » qui s'occupent tant de leurs muscles que de leur mental et de leurs émotions.

Leurs méthodes commencent à être enseignées dans des entreprises, des grandes sociétés ou administrations. L'idéal revient à trouver une ou plusieurs méthodes pour vous aider à progresser dans votre fonctionnement psychique personnel. Un psychologue, un coach, ou encore des livres, des séminaires de gestion du stress, des journées de formation...

Un principe intéressant [1] est de considérer que notre énergie dépend de trois batteries, l'une étant mentale, l'autre émotionnelle et la dernière physique. Face au stress quotidien ou exceptionnel il faut donc nous organiser pour renforcer nos batteries, résister, et enfin récupérer. Le tableau suivant permet de se faire une idée synthétique.

Bien se connaître	Renforcer	Résister	Récupérer
Mental	Fixer les priorités	Relativiser et positiver	Sommeil Alimentation
Émotion	Affronter les réalités	Soupapes et rituels	Exercice physique Humour
Physique	Suivre les rythmes physiologiques	Techniques de relaxation	Détente Satisfactions psy Contacts sociaux

Sur le plan mental, plusieurs apprentissages sont utiles :
— se fixer des priorités ;
— savoir relativiser ;
— positiver.

Le stress peut venir du fait que nous nous sentons noyés dans les tâches à accomplir, les rêves à réaliser. Nous avons l'impression de ne pas diriger notre vie, d'être débordés, passifs devant les forces en présence dans notre vie.

Ainsi Jean, 55 ans :

« J'étais très stressé car, n° 2 à mon travail, j'avais beaucoup de responsabilités, mais j'aurais voulu grimper encore plus haut et devenir n° 1. Et je n'y arrivais pas, je devenais carrément infernal, coléreux. J'ai dû voir un psy pour comprendre. Finalement, j'avais envie de faire mieux professionnellement, mais pas tant que ça. C'était une envie légère et je n'investissais pas réellement les moyens pour y parvenir. Quand j'en ai pris conscience, j'ai été très soulagé. J'ai compris que mon travail me convenait très bien et que ma priorité, en fait, c'était ma vie de couple qui était à un tournant.

---

1. D'après Alain Goudsmet, directeur de l'Institut Mentally Fit, auteur de *L'Athlète d'entreprise*, Éditions Kluwer, 2002.

Maintenant que les choses sont claires et énoncées pour moi, je ne me sens plus du tout stressé, mais comme un homme qui a la vie qui lui convient... Rien n'a changé en apparence, mais dans ma tête, tout est très différent. J'apprécie ce que j'ai, je suis bien plus heureux, ma femme, et ma famille aussi ! »

L'apprentissage ne consiste donc pas forcément à tout changer, mais à évoluer vers plus d'équilibre, à mieux se comprendre et à comprendre soi-même les priorités qui nous conviennent et nous permettent de vivre en harmonie.

Sur le plan émotionnel, voici trois axes à cultiver pour se sentir plein d'énergie positive :
— s'entraîner à affronter la réalité ;
— savoir se ménager des soupapes ;
— s'inventer des rituels réconfortants.

Affronter la réalité de manière positive est une bonne chose. Mais « positiver » ne signifie pas voir tout en rose ! Bien au contraire, les personnes qui refusent de voir en face les difficultés risquent de s'y fracasser. Les personnes heureuses et équilibrées sont celles qui, sans voir tout en négatif, anticipent les difficultés pour les éviter. Voir la vie en rose n'est donc pas une recette idéale ! Être réaliste est bien mieux adapté pour trouver un niveau bas de stress. Pour faire face au stress que nous rencontrons il faut des munitions : des soupapes et des rituels réconfortants, un peu comme un enfant peut avoir besoin de son doudou le soir pour bien dormir. Nous sommes de grands enfants et refuser de le voir nous entraînerait à refuser des sources d'énergie émotionnelles vitales.

Eloïse raconte comment elle se recharge en énergie pour lutter contre ses tensions intérieures : « Moi, quand je suis très stressée, quand j'ai des soucis, je jardine un peu. Je plante des fleurs, je taille des rosiers... Cela me vide la tête et j'ai l'impression que cela me rééquilibre. Après une heure de jardinage, je peux mieux réfléchir, plus sereinement pour affronter ce qui arrive. Ce qui m'aide aussi, c'est de téléphoner à une amie, non pour lui parler de mes stress, mais au contraire pour rire un peu ensemble. Cela me redonne de l'énergie. »

Sur le plan physique, deux axes sont à investir pour se sentir bien psychiquement :
— bien se connaître pour suivre ses rythmes physiologiques,
— pratiquer quelques techniques de relaxation.

Les méthodes de relaxation semblent toutes efficaces !

Gilbert a appris à connaître son rythme physiologique :

> « Quand je suis en période de tension intense, explique Gilbert, j'ai besoin de beaucoup dormir. Pourtant, en temps normal, je suis petit dormeur. Ce qui m'aide énormément, c'est une mini sieste de 20-25 minutes environ après le repas de midi. J'ai l'impression que cela me relaxe et que cela me remet les idées en place. C'est une sorte d'hygiène de vie qui me permet de tenir dans les moments difficiles. À plusieurs reprises, j'ai parfois voulu passer outre ce besoin de sommeil, et le résultat a été catastrophique. Je n'étais plus opérationnel et je ressentais une tension nerveuse abominable. J'ai même vu mon médecin qui m'a trouvé 17 de tension. Maintenant que je me connais, je m'écoute sinon je crois que je me rendrais malade. »

Pour récupérer nous disposons de nombreux moyens et il est essentiel d'en avoir bien conscience pour récupérer au mieux. Voici 7 de ces moyens :

— le sommeil : regarder trop tard la télé ou passer la nuit sur son ordinateur sera tôt ou tard préjudiciable ;

— l'alimentation : elle doit être équilibrée ;

— l'exercice physique : quand on est fatigué, il faut faire de l'exercice physique ! C'est la sédentarité qui épuise... ;

— l'humour, le rire ;

— les détentes : il faut les programmer sous peine de toujours les négliger ;

— les satisfactions psychiques : se faire plaisir est essentiel ;

— les contacts sociaux : inversement l'isolement a un effet négatif.

Pour progresser, il faut donc apprendre à bien se connaître et s'entraîner. Pour vous mettre mentalement dans cette optique, considérez-vous comme un sportif dont l'exploit serait de réussir sa vie ! C'est l'exploit le plus intéressant qui soit !

☞ **Bien dormir, bien se nourrir, faire de l'exercice physique, rire, se détendre, se faire plaisir, aller vers les autres sont les meilleurs moyens de récupérer du stress.**

Prenons l'exemple de l'exercice physique. C'est un des meilleurs traitements du stress, de l'anxiété et même de la dépression. Et il a aussi un effet préventif !

En effet, il a été démontré que plus une personne pratique de l'exercice physique, moins elle risque de connaître des moments dépressifs [1], plus son niveau d'anxiété est bas, plus son sentiment de bien-être est important, et plus son humeur est positive. Dans cette étude, les bienfaits du sport sont totalement indépendants du niveau socio-économique ou de l'état de santé et ils sont bien présents quels que soient le sexe et l'âge de la personne concernée. L'un de nous a connu un homme d'une trentaine d'années qui lui a dit un jour : « *Moi, je n'aurai jamais besoin de psychothérapie : je fais beaucoup de sport !* » Cette remarque lui a semblé étonnante, mais finalement, le ressenti de cet homme a depuis été validé ! Les sportifs réguliers le sentent et il est probable que chez certaines personnes le sport soit un rempart contre un mal-être.

> Une jeune étudiante en médecine nous a avoué un jour son emploi du temps :
> « Je fais tous les jours trois heures de sport ! Trois heures, cela nous semblait inimaginable puisqu'elle était en deuxième année de médecine et que chacun sait que la première année demande un effort scolaire très important. Comment avez-vous fait pour tout concilier ? Je n'ai pas le choix a-t-elle répondu. Si je ne fais pas mes trois heures de sport, je me sens mal ! »

Peut-être aurait-elle été angoissée, dépressive et dans ce cas certainement inefficace sur le plan des études si elle avait eu un emploi du temps sédentaire. La dépression est le symptôme psychique sur lequel l'exercice physique semble le plus efficace.

Une autre étude sur les bienfaits préventifs de l'exercice physique [2] observe que les hommes actifs physiquement ont moins de dépression et souffrent moins d'introversion sociale que les hommes sédentaires. De même des individus sportifs qui décident d'arrêter le sport augmentent immédiatement leur risque de

---

1. Stephen T., « Physical activity and mental health in the United States and Canada : evidence from four population surveys », *Prev. Med.*, 17(1), janvier 1988, p. 35-47.
2. Lobstein D. D., Mosbacher B. J., Ismail A. H., « Depression as a powerful discriminator between physically active and sedentary middle-aged men », *J. Psychosom. Res.*, 27(1), 1983, p. 69-76.

dépression de 1,5 par rapport à ceux qui continuent un exercice régulier.

Si le sport préventif est intéressant, il peut aussi soigner et même mieux que des médicaments chers et non dénués d'effets indésirables. Ainsi, une étude [1] a comparé l'efficacité d'un anti-dépresseur (Sertraline chlorhydrate ou Zoloft®) à l'exercice physique. L'effet des deux traitements est comparable. Après 4 mois de traitement à base d'exercice physique régulier ou d'anti-dépresseur, les participants vont tous nettement mieux, qu'ils aient été soignés par médicament ou par le sport. Additionner les deux, sport et antidépresseur n'est pas plus efficace. Puis, 10 mois après la fin du suivi, le groupe qui avait été tiré au sort pour faire de l'exercice va mieux que l'autre. Les bénéfices du traitement par le sport perdurent car la plupart des participants ont continué d'eux-mêmes à se dépenser régulièrement. Finalement, le sport est, à long terme, plus efficace que les médicaments, et moins coûteux pour la société, non seulement en argent, mais aussi en effets indé-sirables ! Peut-être qu'un jour, la Sécurité sociale décidera de prendre en charge le suivi sportif des dépressifs. Ce serait peut-être un excellent investissement !

Quelle est la bonne dose de sport pour lutter contre la dépression ?

Cette question été étudiée : ainsi, la quantité d'activité physique à pra-tiquer pour s'opposer à la dépression est de trente minutes de sport de niveau modéré (footing par exemple), 3 fois par semaine. Cette pra-tique permet de diminuer de 47 % le niveau de dépression en seule-ment huit semaines [2]. Notez que ceux qui pratiquent 5 fois par semaine n'ont pas de meilleurs résultats !

Au final, le sport est excellent pour le mental. Et s'il est démon-tré que faire du sport prévient des maladies, son action n'est sans pas uniquement physique, mais aussi psychique.

(Pour plus de réponses concernant les effets du sport sur la santé et les réponses aux questions suivantes : quelle quantité de sport ?

1. Babyak M., Blumenthal J. A., Herman S. *et al.*, « Exercise treatment for major depression : maintenance of therapeutic benefit at 10 months », *Psychosom. Med.*, 62(5), septembre-octobre 2000, p. 633-638.
2. Dunn A. L., Trivedi M. H., Kampert J. B., *et al.*, « Exercice Treatment for Depres-sion. Efficacy and Dose Response », *Am. J. Prev. Med.*, 28(1), 2005, p. 1-8.

quelle durée? quelle régularité? quel sport? voir chapitre plus détaillé sur le sport.)

La forme de méditation le plus étudiée dans la gestion du stress est le yoga

Le yoga est très efficace dans la gestion du stress, c'est bien connu. Ce qui l'est moins, c'est qu'il a démontré son efficacité dans la prévention des maladies cardiovasculaires. Dans une étude indienne, yoga oblige, cette technique a permis de réduire le taux de LDL-cholestérol de 23,3 % ou d'arrêter la progression des atteintes vasculaires dans 46,5 % des cas. Des résultats très concrets pour une technique essentiellement fondée sur la méditation et le contrôle de la respiration. Ces résultats sont à rapprocher de ceux d'une autre méthode également fondée sur le contrôle de la respiration, la cohérence cardiaque, telle qu'elle a été décrite par David Servan-Schreiber dans son livre *Guérir* [1].

Notre personnalité hostile ou non, heureuse ou triste, est aussi déterminante

Nos troubles psychiques et notre niveau de stress ne sont pas les seuls éléments qui conduisent aux maladies chroniques que nous cherchons à prévenir. Notre personnalité va aussi avoir une influence considérable suivant qu'elle est satisfaite ou insatisfaite, hostile ou accueillante, naturellement heureuse ou triste.

La joie de vivre est bonne pour la santé, c'est prouvé scientifiquement. L'organisme fonctionne mieux quand il est de bonne humeur : cortisol, fibrinogène, rythme cardiaque sont plus bas [2], et les risques cardiovasculaires sont moindres.

La satisfaction ressentie dans la vie a aussi une importante influence sur notre longévité. Une étude [3] a observé la mortalité en fonction d'un score de satisfaction. Ce score intégrait, par exemple, l'existence de centre d'intérêt, de sentiment de joie, de solitude et de sentiment général de bien-être... Les auteurs ont classé les parti-

---

1. Servan-Schreiber D., *Guérir*, *op. cit.*

2. Steptoe A., Wardle J., Marmot M., « Positive affect and health-related neuroendocrine, cardiovascular, and inflammatory processes », *Proceeding of the National Academy of Sciences*, vol. 102, n° 18, 3 mai 2005, p. 6508-6512.

3. Koivumaa-Honkanen H., Honkanen R., Viinamaki H. *et al.*, « Self-reported life satisfaction and 20-year mortality in healthy Finnish adults », *Am. J. Epidemiol.*, 152(10), 15 novembre 2000, p. 983-991.

cipants en trois catégories : les satisfaits, les insatisfaits et les intermédiaires. L'insatisfaction était associée à un accroissement de la mortalité. Plus l'insatisfaction est grande et plus la mortalité est élevée. L'insatisfaction peut aussi servir d'indicateur général de santé. Dans cette étude, ce fait est surtout démontré chez les hommes, plus que chez les femmes. Quel intérêt cela présente-t-il de le savoir ? Simplement qu'il faut apprendre à être satisfait de sa vie ! De quelles manières ? La première, c'est d'apprendre à apprécier ce que l'on a, prendre plaisir aux petites choses de la vie quotidienne. La deuxième, c'est qu'il faut agir pour se fabriquer la vie la plus satisfaisante possible et ne pas rester sur un mode de vie qui nous rend insatisfaits.

Il a aussi été montré que certains d'entre nous sont heureux pratiquement tout le temps et d'autres pratiquement jamais... Toujours dans le même sens, ceux qui ont une vision positive de ce qui leur arrive ont un taux de survie beaucoup plus élevé que ceux qui voient les choses de manière pessimiste [1]. Quant au rire, il est extrêmement bénéfique : le visionnage d'un film comique détend les artères alors que voir un film stressant les contracte. L'écart de dilatation entre les deux états est très important et dépasse les 50 % [2] !

Une étude sur des religieuses a même montré qu'à long terme, **celles qui étaient de nature plus gaies vivaient en moyenne dix ans de plus** que celles ayant trouvé peu de motifs de satisfaction dans leur vie terrestre. Cette observation [3] est le fruit d'une étude de psychologues qui ont analysé les textes écrits par 178 religieuses, au moment de leur entrée au couvent, texte très révélateur des personnalités. Par la suite, il suffisait d'observer la durée de vie de chaque religieuse et de rapprocher les informations.

Un autre trait de notre personnalité est aussi à prendre en compte : sommes-nous de nature hostile ou pas ? Cette question est d'autant plus importante qu'il a été démontré que les compor-

---

1. Maruta T., Colligan R. C., Malinchoc M. *et al.*, « Optimists vs pessimists : survival rate among medical patients over a 30 –year period. » *Mayo Cli. Proc.*, 75(2), février 2000, p. 140-143.
2. Miller M., « Laughter is Ha-Ha-Heart Healthy », 7 mars 2005, presentation American College of Cardiology scientific sessions, Orlando, Fla.
3. Danner D. D., Snowdon D. A., Friesen W. V., « Positive emotions in early life and longevity », *Journal of Personality and Social Psychology*, 80(5), 2001, p. 804-813.

tements hostiles nous menaient directement aux maladies cardio-vasculaires et augmentaient notre mortalité [1]...

☞ **Les personnes de nature joyeuse ou satisfaites de leur sort vivent nettement plus longtemps que les autres.**

Votre nature hostile menace-t-elle vos artères ?

Pour les troubles du caractère tels que l'hostilité nous ne sommes pas toujours conscients de ce que nous vivons. C'est pourquoi des échelles scientifiquement validées ont été conçues.

Ainsi, certains types de personnalités entraînent plus de risques de maladies que d'autres, en particulier celles que l'on appelle scientifiquement les personnalités de type D [2].

Une personnalité de type D est celle de quelqu'un qui ressent des émotions négatives et une inhibition sociale.

Les émotions négatives sont des variations d'humeur, une irritabilité, une vision négative de soi et du monde en général. Globalement il s'agit d'une personne négative, qui voit la bouteille demi-remplie à moitié vide et non pas à moitié pleine.

L'inhibition sociale correspond à l'évitement des autres et de leur jugement, à la sensation d'être inhibé, tendu, et mal à l'aise avec l'entourage.

Pour vous situer par rapport à ces personnalités à risque vous proposons de faire vous-même un test paru dans *Psychosomatic Medicine* en 2005, test validé scientifiquement.

Test de personnalité

Voici une série d'affirmations souvent formulées pour se décrire soi-même. Après les avoir lues, choisissez votre réponse en entourant le chiffre compris entre 0 et 4 correspondant le mieux à ce que vous ressentez. Il n'y a pas de bonne ou de mauvaise réponse. La seule chose qui compte est votre impression.

0 : Tout à fait faux.

---

1. *European Journal of Cardiovascular Prevention and Rehabilitation.* 2003, vol 10 (suppl. 1), 2003 ; Miller T. Q., Smith T. W., Turner C. W. *et al.*, « A meta-analytic review of research on hostility and physical health », *Psychol Bull.* 119(2), mars 1996, p. 327-348 ; Shekelle R. B., Gale M., Ostfeld A. M. *et al.*, « Hostility, risk of coronary heart disease, and mortality », *Psychosom-Med.*, 45(2), mai 1983, p. 109-114.

2. Denollet J., « DS14 : Standard Assessment of Negative Affectivity, Social Inhibition, and Type D Personality », *Psychosomatic Medicine*, 67, 2005, 89-97.

1 : Plutôt faux.
2 : Neutre.
3 : Plutôt vrai.
4 : Tout à fait vrai.

1 – J'établis facilement le contact quand je rencontre quelqu'un de nouveau. (0-1-2-3-4)

2 – Je fais souvent des histoires pour des choses sans importance. (0-1-2-3-4)

3 – Je parle souvent à des étrangers. (0-1-2-3-4)

4 – Je me sens souvent malheureux. (0-1-2-3-4)

5 – Je suis souvent irrité. (0-1-2-3-4)

6 – Je me sens souvent inhibé avec les autres. (0-1-2-3-4)

7 – J'ai généralement une vision sombre des choses. (0-1-2-3-4)

8 – Je trouve qu'il est difficile de commencer une conversation. (0-1-2-3-4)

9 – Je suis souvent de mauvaise humeur. (0-1-2-3-4)

10 – Je suis une personne renfermée. (0-1-2-3-4)

11 – Je préfère garder mes distances avec les autres. (0-1-2-3-4)

12 – Je m'inquiète facilement pour quelque chose. (0-1-2-3-4)

13 – J'ai souvent le cafard. (0-1-2-3-4)

14 – Avec les autres, je ne sais pas de quoi parler. (0-1-2-3-4)

Additionnez vos points pour les questions 2, 4, 5, 7, 9, 12 et 13. Il s'agit des points concernant vos émotions négatives.

Additionnez vos points pour les questions 1 (inverser les points : 4 compte 0, 3 compte 1, 0 compte 4, 1 compte 3 et 2 ne change pas), 3 (inverser les points de la même manière), 6, 8 10 11 et 14. Il s'agit des points concernant votre inhibition sociale.

Vous avez une personnalité D si votre score d'émotions négatives est supérieur à 10 et votre score d'inhibition sociale est supérieur à 10. Dans ce cas, vous êtes très exposé. Il semble donc important de vous occuper à travailler positivement votre caractère.

Olivier :

« Quand j'ai lu la description de la personnalité D, j'ai tout de suite reconnu ma femme. Elle est renfermée, négative, elle craint les contacts humains. Elle est aussi plutôt angoissée. À force de rester sur le qui-vive, elle est devenue asociale, et en s'éloignant des autres, elle a perdu tout humour. C'est dommage car elle a des tas d'idées intéressantes et c'est une personne de valeur sur qui on peut compter. Je lui ai fait lire cette description, non pour l'accabler, mais parce que sa mère, qui a le même caractère a fait un infarctus à 56 ans. Et j'ai un peu peur de ça pour elle ! Je me suis d'ailleurs demandé si l'hérédité dans les infarctus ne venait pas autant d'un caractère dont on hérite que d'artères plus ou moins fragiles. Peut-être que les deux peuvent entrer en ligne de compte. J'espère donc que ma femme va accepter de pratiquer le yoga ou la méditation, ou d'autres méthodes pour s'ouvrir aux autres et à elle-même, se trouver plus détendue, plus joyeuse. Cela serait bon non seulement pour sa santé, mais pour nous deux aussi ! »

Comment lutter contre mes traits négatifs de personnalité ?

Il nous semble que travailler à être non hostile et positif s'apprend par la volonté et le désir de toujours progresser, afin de devenir à l'opposé des gens pessimistes, aigris ou agressifs. Savoir apprécier ce que vous avez et agir pour vous créer une vie satisfaisante est important, non seulement pour votre bonheur, mais aussi pour votre santé !

Il existe ainsi une hygiène de vie qui n'est pas seulement physique, mais aussi psychique. L'un de nous suit un patient à la fois ordinaire et cependant extraordinaire par sa façon d'appréhender la vie. Tous les soirs, avant de s'endormir cet homme de 62 ans se pose quelques questions : « Qu'ai-je appris aujourd'hui d'intéressant ? Qu'ai-je découvert de beau ? » Cet homme a une vie difficile, il n'a pas d'enfants, sa femme souffre d'une très grave maladie, il n'a pas de qualification professionnelle et vit de « petits boulots ». Malgré tout cela, sa philosophie de vie lui en fait savourer chaque instant et son sens du contact qui lui fait rencontrer des gens très différents qui deviennent souvent des amis. Il a par exemple une amie japonaise qu'il a connue parce qu'elle lui avait demandé son chemin dans Paris. Plusieurs années après, ils continuent à s'écrire régulièrement. Cet homme a choisi la voie de l'ouverture vers les autres, le contraire de l'hostilité et de la méfiance systématique ! Inutile de préciser qu'il est en excellente santé, et nous lui souhaitons que cela continue !

Les violences de l'enfance font le lit de l'infarctus

Une étude réalisée auprès de 17 000 adultes indique que les personnes ayant subi des violences affectives, physiques ou sexuelles dans l'enfance ont un risque augmenté de 30 à 70 % plus grand d'avoir un infarctus que les autres [1]. Cela justifie tout l'intérêt d'une technique comme l'EMDR qui permet d'effacer la cicatrice émotionnelle de tels traumatismes. À noter, dans cette étude, le divorce des parents était sans conséquence pour le cœur plus tard. C'est heureux vu le nombre d'enfants concernés...

Panorama des méthodes pour renforcer le mental

Les sept méthodes pour guérir de David Servan-Schreiber

Son livre *Guérir* est devenu un best-seller, preuve que nous sommes nombreux à attendre de nouvelles réponses face à nos problèmes psychiques. En plus des Thérapies comportementales et cognitives évoquées ci-dessus, David Servan-Schreiber nous propose sept méthodes pour guérir. Passons-les rapidement en revue en conseillant à ceux qui veulent aller plus loin de lire son livre :

1. La cohérence cardiaque. Apprendre à faire rentrer son rythme cardiaque en cohérence est une méthode qui permet d'apprendre à se relaxer en observant l'effet direct de la relaxation sur son propre cœur.

2. L'EMDR (intégration neuro-émotionnelle par les mouvements oculaires) permet de cicatriser d'un stress traumatique.

3. L'énergie de la lumière est une méthode naturelle pour régulariser son sommeil.

4. Le contrôle du Qi est possible grâce à l'acupuncture. Les effets sur le cerveau émotionnel sont visibles en imagerie cérébrale.

5. Les acides gras oméga-3 participent à l'équilibre psychique. Ils constituent aussi un excellent traitement de la dépression.

---

1. Dong M., Giles W. H., Felitti V. J. *et al.*, « Insights into causal pathways for ischemic heart disease : adverse childhood experiences study », *Circulation*, 110(13), 28 septembre 2004, p. 1761-1766.

6. L'activité physique est plus efficace que tous les anti-dépresseurs. Il faut préférer Adidas à Prozac !

7. La communication émotionnelle est essentielle car l'amour est un besoin biologique.

Les autres méthodes efficaces pour le mental

De nombreuses autres méthodes sont efficaces pour apprendre à se relaxer, à méditer, échanger. Elles seront donc bénéfiques pour tous ceux qui veulent vivre en harmonie avec leur mental et leurs émotions pour une meilleure qualité de vie et une meilleure prévention des maladies. Elles ne disposent pas toujours d'études démontrant leur efficacité, mais nous pouvons considérer qu'elles sont aussi efficaces que les méthodes que nous vous avons présentées dans ce chapitre. En voici la liste :

— relaxation : yoga, hypnose, auto-hypnose, sophrologie, visualisation, training autogène, biosynergie, tai ji quan, qi gong ;

— intériorisation : méditation, réponse de relaxation, approche ECHO, prière ;

— biofeedback dont la cohérence cardiaque ;

— approches psychosociales : groupes d'entraide, support social, amis, etc.

Conclusion

En conclusion nous pouvons dire que le mental et les émotions sont tellement importants dans nos vies que l'on peut s'étonner de deux choses :

— leur très faible place dans la médecine occidentale. Espérons que les pionniers comme Ornish, Spiegel, Servan-Schreiber seront de plus en plus suivis ;

— leur très faible place dans nos sociétés occidentales. Espérons que, dès l'école primaire, un jour nous apprendrons à nos enfants que se relaxer c'est essentiel, pour leur santé future, mais aussi pour prendre les bonnes décisions et pour se trouver satisfaits de leur vie.

Le mental et les émotions sont à prendre en considération de manière prioritaire pour la prévention. C'est peut-être toute notre façon de vivre qu'il faut améliorer, voire changer. En prendre conscience constitue une étape clé. Il faut ensuite agir pour améliorer concrètement sa qualité de vie et vivre plus longtemps en forme !

Que faire pour vous personnellement ?

Commencez par vous poser quelques questions

Ai-je un problème psychique qui me gâche la vie ?

Une phobie, un manque de confiance, un souvenir de traumatisme douloureux, une tendance dépressive, des idées obsessionnelles, etc.

Si la réponse est : « Oui, j'ai un problème tellement énorme que je ne peux pas vivre », il y a des chances que vous soyez en thérapie. Posez-vous alors une autre question : « Suis-je suivi par le bon thérapeute ? »

Si la réponse est : « Oui, j'ai un problème psychique, mais pas si important et je peux supporter mes problèmes », avez-vous vraiment raison ? Quelques séances de thérapie sont souvent d'autant plus efficaces que votre problème n'est pas si énorme et que vous avez les ressources nécessaires pour l'affronter. Vous avez peut-être beaucoup à y gagner (et pas grand-chose à perdre !). Sachant qu'un stress chronique pourrait vous mener à l'infarctus ou accélérer l'apparition d'un cancer, cela vaut peut-être la peine de vous occuper de votre psychisme !

En plus d'une thérapie, qu'est-ce qui pourrait m'aider
à aller mieux ?

Pratiquer du sport, améliorer mon alimentation (oméga-3...), mieux respecter mes rythmes biologiques, essayer l'acupuncture...

Quel est mon niveau de stress ?

Si vous n'avez aucun problème psychique évident, vous occuper de votre mental sera cependant extrêmement bénéfique. Pratiquer la relaxation, le yoga, la sophrologie ou autres méthodes relaxantes contribuera à vous donner un niveau de stress plus bas, et plus bénéfique en prévention des maladies cardiovasculaires et des cancers.

Quels sont les traits négatifs de ma personnalité ?

Ceux qui sont néfastes pour ma santé.

Travailler sur votre personnalité est aussi une voie dans laquelle vous pouvez vous investir. Apprendre à être plus positif, rire plus souvent...

Qu'est-ce qui fait du bien à mon mental ?

Au-delà des recettes toutes faites, pensez à ce qui vous fait psychiquement du bien : pour certains ce sera jardiner et voir pousser des fleurs, pour d'autres bricoler, ou encore lire des romans policiers, peindre, promener son chien, faire de la randonnée, cuisiner, chanter, danser, regarder un film comique... Le plaisir est l'antidote de la dépression. En effet, une des caractéristiques de l'état dépressif, c'est l'absence de plaisir. Le plaisir que vous ressentez donc lors d'une activité est tout simplement le signe qu'elle vous fait du bien. Et ce bien va beaucoup plus loin qu'un simple ressenti. Nul doute que cela soit bon pour votre santé !

Vieillissement et stress oxydatif

Trop de sédentarité, de graisses animales, de calories (surpoids), de viandes rouges et de fer, trop de tension artérielle, de cholestérol, de sucres, d'inflammation, de stress font vieillir notre corps... Quand notre organisme tourne en surrégime, il le paie en cancers, infarctus, Alzheimer et autres maladies chroniques. Cela ressort clairement des chapitres précédents. Inversement, l'activité physique, la sérénité, l'équilibre diététique, les vitamines, la restriction calorique, les statines et les anti-inflammatoires nous permettent d'éviter nombre de ces maladies... Pourquoi ? Par quel mécanisme ?

Toutes ces maladies sont des formes accélérées du vieillissement et elles ont un mécanisme commun : le stress oxydatif, une sorte d'agression par l'oxygène.

L'oxygène, nous en avons tous besoin : il est indispensable à la vie car il sert à produire notre énergie interne. Sans lui, notre cerveau ne peut pas tenir plus de trois minutes ! Cet oxygène participe donc aux réactions chimiques sources de notre énergie vitale. Mais ces réactions indispensables sont également dangereuses car elles produisent des déchets qui nous agressent. Autrement dit, d'un côté l'oxygène nous fait vivre et de l'autre il nous tue à petit feu en nous faisant vieillir.

☞ **L'oxygène est vital pour nos réactions énergétiques, mais il nous tue en oxydant nos cellules.**

Une histoire d'oxygène

Ces réactions qui nous font vivre correspondent à la respiration cellulaire. Elles utilisent l'oxygène que nous respirons et les aliments que nous ingérons, les sucres, graisses ou les protéines qui sont « cassés » puis transformés, grâce à l'oxygène, en énergie, eau et gaz carbonique. Cette réaction ressemble à ce qui se passe dans une chaudière. D'un côté vous mettez du bois et de l'oxygène, de l'autre vous obtenez de la chaleur (l'énergie) et des gaz (vapeur d'eau et gaz carbonique principalement). Le gaz carbonique et la vapeur d'eau sont éliminés par la respiration lors de nos expirations et la boucle est bouclée...

La « chaudière interne » de chacune de nos cellules, siège de ces réactions chimiques, est un petit organite, la mitochondrie. Elle vient de la nuit des temps, du temps où nos ancêtres n'étaient encore qu'un attroupement de cellules. L'une de ces cellules a intégré en elle une bactérie, qui est devenue la mitochondrie de nos cellules. C'est une réussite, car cette bactérie transformée en usine à énergie est capable de multiplier par 18 la récupération d'énergie ! Leur particularité est que, depuis la nuit des temps, ces mitochondries se transmettent de la mère à l'enfant par la cellule de l'ovocyte. Cette transmission ne passe jamais par le père !

Notre organisme contient 10 000 milliards de mitochondries qui fabriquent chaque jour 50 kilogrammes d'une petite molécule bourrée d'énergie, l'Adénosine Triphosphate ou ATP. Elle va servir en permanence à toutes nos autres réactions chimiques ! 50 kilos, cela vous donne une idée de la taille globale de la chaudière ! Eh bien outre toute l'énergie dont nous avons besoin, outre l'eau et le gaz carbonique, qui seront éliminés ou recyclés, les mitochondries fabriquent chaque jour 5 grammes de déchets. Pas grand-chose ? Non mais...

☞ **Nous produisons chaque jour 50 kilos d'ATP : cette petite molécule est un concentré d'énergie pour nos cellules.**

Les radicaux libres ou espèces activées de l'oxygène

Ces 5 grammes, ce sont les fameux radicaux libres (aujourd'hui appelées « espèces activées de l'oxygène » car tous les radicaux libres ne sont pas toxiques. Pour la suite nous garderons malgré tout le terme de radicaux libres qui est plus connu) ! Ces cinq petits grammes sont de la dynamite ! Ils peuvent faire beaucoup de dégâts à commencer dans les mitochondries elles-mêmes qui sont les premières à en subir les conséquences. Ces radicaux libres ont la propriété d'arracher leurs électrons aux molécules qu'ils approchent. Autrement dit, ils les oxydent, tout comme le fait l'oxygène au contact d'autres composés chimiques. Sauf que là, il ne s'agit pas de bois, ou de fer, mais de glucides, lipides et protéines qui sont « passées au feu » pour nous procurer de l'énergie. Il s'agit aussi de nos propres molécules, de la matière même de nos propres cellules. Nos mitochondries s'oxydent, nos membranes cellulaires s'oxydent et nos gènes s'oxydent également... Cancers, dégénérescences diverses et maladies métaboliques sont au rendez-vous...

☞ **Les radicaux libres, issus de l'oxygène, sont responsables de dégâts oxydatifs contre nos cellules, dégâts responsables des cancers et autres maladies dégénératives.**

Mais heureusement, si nous sommes agressés par ces déchets que sont les radicaux libres, nous sommes aussi équipés pour nous en débarrasser. Et contre l'oxydation, nous utilisons des antioxydants :

— que nous produisons nous-mêmes en utilisant du sélénium, du zinc ou du manganèse, ce sont des protéines :

• des enzymes (superoxyde dismutase (SOD), catalase, gluta-thion peroxydase),
• et de l'albumine ;

— ou des antioxydants que nous ingérons. Ce sont les vitamines antioxydantes (les vitamines E, C, et les provitamines A comme les bêta-carotènes).

Nous possédons un autre antioxydant spécifique aux primates : l'acide urique... Fruit de la dégradation de nos gènes, il est capable de neutraliser des radicaux libres dans tous nos tissus. Mais pourquoi uniquement chez les primates ? Parce que chez les autres espèces, l'acide urique est dégradé par une enzyme, l'uricase, enzyme que nous avons perdue avec les primates et pour notre plus grand bien. Cette simple perte est en effet un vrai cadeau de l'évolution : à elle seule, elle a permis le doublement de la durée de vie des singes et par la suite des humains !

☞ **Pour lutter contre l'oxydation, notre organisme utilise des antioxydants : des enzymes (surperoxyde dismutase, glutathion peroxydase, catalase, uricase), l'albumine et des vitamines (C, E, bêta-carotène).**

L'utilisation de l'oxygène à l'intérieur de nos cellules, la respiration cellulaire, est donc à l'origine de la production des radicaux libres qui sont responsables des dommages liés au vieillissement.

Mais il existe d'autres sources de radicaux libres : les agressions externes et les agressions internes :

— les agressions externes : les rayons ultraviolets, les radiations radioactives (Tchernobyl), la pollution (l'ozone est un radical libre, O_3)... Et, d'une manière générale, toutes les agressions envers notre corps aboutissent à la formation de radicaux libres : les infections virales, bactériennes ou parasitaires, le contact avec des corps étrangers allergisants, les blessures et toutes les maladies en général, et tous les stress aboutissent à la production de radicaux libres ;

— les agressions internes : elles sont provoquées par des radicaux libres fabriqués par nos cellules pour se défendre. En effet, comme ce sont des produits toxiques, l'organisme s'en sert comme armes. Quand les globules blancs vont attaquer des ennemis (virus, bactéries, substances étrangères), ils contiennent des réservoirs de radicaux libres (les lysosomes) et ils s'en servent pour détruire l'ennemi. De même, les radicaux libres servent à attaquer les produits toxiques pour les détoxifier. Ainsi, au niveau du foie, quand une substance toxique arrive, des radicaux libres vont s'y attaquer afin de l'abîmer, de la casser en molécules plus petites de manière à ce qu'elle ne soit plus toxique et qu'elle soit facilement éliminée par l'organisme dans la bile ou dans les urines.

Mais cette fabrication interne et utile a un revers ! En effet, la quantité de radicaux libres dépasse souvent les stricts besoins du corps. Et l'excès de radicaux libres entraîne un phénomène d'inflammation (rougeur, chaleur et gonflement) qui est un dommage collatéral. Les armes que constituent les radicaux libres d'origine internes font des dégâts aux alentours.

Outre les maladies, la pire source de radicaux libres reste l'excès de nourriture : en alimentant en excès notre chaudière interne, nos mitochondries, il va produire un excès proportionnel de radicaux libres ! Il faut donc manger pour vivre et non vivre pour manger comme le disait justement l'Harpagon de Molière...

Peu mais bien, juste ce qu'il faut mais avec un maximum de plaisir et un minimum de radicaux libres !

☞ **Les sources de radicaux libres ne manquent pas ! UV, radiations, pollution, stress, infections, allergies, cancers, autres maladies inflammatoires et la plus courante de nos jours : l'excès de nourriture.**

Avec l'âge nos moyens de défense sont moins bons

Cette théorie du vieillissement, la théorie des radicaux libres proposée par Harman en 1956 [1], est maintenant largement vérifiée, et les arguments sont nombreux :

— On sait tout d'abord que nos mitochondries s'abîment avec le temps pour produire de moins en moins d'énergie et de plus en plus de radicaux libres [2].

— Le stress oxydatif augmente avec l'âge. Par exemple, le système glutathion s'oxyde de plus en plus à partir de 45 ans pour être de moins en moins efficace dans le temps [3].

— Une relation directe entre des déficits d'antioxydants et certaines maladies a été retrouvée, comme un déficit en SOD dans les cancers de la prostate ou en vitamine C et en glutathion dans la maladie de Parkinson [4].

— On sait enfin que l'élévation du taux de fer dans le sang augmente par un facteur 1,6 les cancers, augmentation qui passe à 2,6 quand elle est associée à une élévation des triglycérides [5]. Autrement dit viande rouge (le fer) et graisses animales ou excès d'alcool (les triglycérides) sont des grands pourvoyeurs de radicaux libres. Cela est dû à l'effet pro-oxydant du fer.

---

1. Harman D., « Aging : a theory based on free radical and radiation chemistry », *J. Gerontol*, 11(3), juillet 1956, p. 298-300.
2. Edeas M., *3e Journée nationale de la Société française de médecine et de physiologie du vieillissement*, 18 juin 2005.
3. Jones D. P., Mody V. C. Jr, Carlson J. L. *et al.*, « Redox analysis of human plasma allows separation of pro-oxidant events of aging from decline in antioxidant defenses », *Free Radic. Biol. Med.*, 33(9), 1er novembre 2002, p. 1290-1300.
4. Sato S., Mizuno Y., Hattori N., « Urinary 8-hydroxydeoxyguanosine levels as a biomarker for progression of Parkinson disease », *Neurology*, 64(6), 22 mars 2005, p. 1081-1083.
5. Mainous A. G. 3rd, Wells B. J., Koopman R. J. *et al.*, « Iron, lipids, and risk of cancer in the framingham offspring cohort », *Am. J. Epidemiol.*, 161(12), 15 juin 2005, p. 1115-1122.

Les preuves ne manquent pas et la liste pourrait être très longue, tant les radicaux libres intéressent les chercheurs qui publient chaque année des milliers d'articles sur eux.

Il nous faut aussi citer les travaux sur l'animal. Grâce à eux, il a été possible d'observer directement l'effet de la lutte contre les radicaux libres sur la longévité. On a ainsi pu augmenter la longévité de certaines souris de cinq mois (soit 20 % de leur durée de vie en plus), par une manipulation génétique permettant de produire davantage d'antioxydants (catalases) au niveau de leurs mitochondries [1].

☞ **Avec l'âge nos moyens de défense contre les radicaux libres sont de moins en moins performants : c'est le vieillissement.**

Vers une nouvelle médecine anti-âge

Outre que notre connaissance des radicaux libres nous aide à mieux comprendre ce qui est bon pour nous en matière de prévention, elle nous permet aussi d'entrevoir une nouvelle médecine qui en est à son tout début, la médecine anti-âge.

Puisque les radicaux libres sont directement responsables de nombre de maladies chroniques, la mesure du stress oxydatif au sein de notre organisme permettrait de mettre au point des traitements antioxydants sur mesure, adaptés au cas de chacun. C'est la piste de demain que l'on commence à explorer en dosant, de manière de plus en plus précise, les antioxydants et des marqueurs du stress oxydatif. Autrement dit, on mesurerait notre capital antioxydant, pour le reconstituer si nécessaire [2].

Nous sommes au tout début de la médecine anti-âge. Si les spécialistes comprennent aujourd'hui les mécanismes du vieillissement, on ne sait pas encore très bien comment utiliser ces connaissances en pratique médicale. Des examens sous forme de prise de sang pour doser différents composants (les radicaux libres et/ou les antioxydants) existent, mais on ne sait pas encore très

---

1. Schriner S. E., Linford N. J., Martin J. M. *et al.*, « Extension of Murine Life Span by Overexpression of Catalase Targeted to Mitochondria », *Science*, 308(5730), 24 juin 2005, p. 1909-1911.

2. C'est toute cette recherche qui motive la création de nouvelles associations comme la Société française de médecine et de physiologie du vieillissement ou l'Association française d'antiaging.

bien ce que l'on pourrait dépister comme maladie ou prescrire comme traitement à partir de ces prises de sang. Autrement dit, on commence à être bon pour la théorie, mais pour la pratique clinique et les applications concrètes, nous n'en sommes qu'aux balbutiements ! De plus, il est difficile de fabriquer des enzymes antioxydantes efficaces en comprimés. Car il faudrait qu'elles soient absorbées par le système digestif. En effet, ce sont des protéines, naturellement digérées par l'organisme, ce qui les rend inactives. Il reste donc encore du travail pour les chercheurs !

☞ **La médecine anti-âge mesure notamment notre niveau de stress oxydatif et nos taux d'antioxydants pour apporter les correctifs nécessaires.**

Dosage des antioxydants et du stress oxydatif

Aujourd'hui aucun examen de laboratoire n'est standardisé et aucun n'est pris en charge par la Sécurité sociale. Les examens disponibles sont le fait de laboratoires pionniers, dont on peut saluer les capacités et la volonté de recherche.

Que dose-t-on aujourd'hui ?

— les antioxydants, soit dans le sérum, soit dans les globules rouges (les cellules du sang : pour voir si les antioxydants disponibles rentrent bien dans les cellules) :

• Vitamine C
• Vitamine E
• Rapport Vitamine C/Vitamine E
• Vitamine A
• Bêta-carotène
• Glutathion réduit (GSH)
• Glutathion oxydé (GSSG)
• Rapport GSH/GSSG
• Glutathion peroxydase (GPx)
• Superoxyde dismutase (SOD)
• Protéines thiols
• Ubiquinone (Coenzyme Q10)
• Sélénium
• Zinc
• Cuivre
• Rapport Cuivre/Zinc
• Fer sérique, ferritine, transferrine
• Acide urique

— le stress oxydatif :

• mesure du pouvoir antioxydant du sang (lyse des globules rouges après agression radicalaire) : intéressant car ce test (test KRL) ne coûte que 30 euros et permet de se faire une idée des « réserves antioxydantes »,

• capacité antioxydante du plasma (analyse contestée par les experts, car elle ne concerne pas les cellules),

• dosage des marqueurs du dommage oxydatif :
  ■ dommage oxydatif de l'ADN : le 8-hydroxy-desoxyguanosine urinaire (8ohdG urinaire) et l'ADN oxydée,
  ■ dommage oxydatif des membranes cellulaires : l'isoprostane F2α,
  ■ dommage oxydatif de l'exercice physique : l'Allantoïne,
  ■ dommage oxydatif sur les lipides : LDL cholestérol oxydées (LDLox), peroxydes lipidiques, Anticorps anti LDL oxydées (aLDLox).

À noter : une échelle, conçue par l'INSERM et dénommée oxyscale, permet, à partir d'un bilan type, d'évaluer le niveau de stress oxydatif. Elle a été mise au point sur une série de 800 patients [1].

Et nous, que pouvons-nous faire pour aider notre corps à ne pas s'abîmer et à se réparer au mieux ?

Manger moins !

Un régime hypocalorique augmente la durée de vie. C'est prouvé chez les animaux et probable chez l'humain. Le surpoids entraîne quantité de problèmes de santé qui ont un impact évident sur la durée de vie.

Pourquoi ?

Pour vivre, nous avons besoin d'énergie. C'est pour produire cette énergie que nous mangeons. La nourriture constitue notre carburant. Elle subit plusieurs réactions chimiques :

— Elle va être transformée en constituants des cellules, pour que l'organisme grandisse, se répare ou se renouvelle.

— Elle va être transformée en action, nous permettant de bouger, de penser, etc.

— Elle va être transformée en chaleur.

---

1. Conférence de presse INSERM du 1er décembre 2005. Une échelle d'évaluation du stress oxydatif, l'oxyscale.

— Elle va être stockée sous forme de graisses (bourrelets, sur-poids) ou de glycogène (réserve d'énergie des muscles).

— Elle va être éliminée.

Toute calorie ingérée a donc un destin qui est d'être assimilée, brûlée, stockée ou éliminée. Or l'élimination est toujours source de problème : soit elle est réussie – mais une production de radicaux libres qui a été nécessaire a entraîné quelques dégâts collatéraux –, soit elle est ratée, et les cellules deviennent progressivement de véritables poubelles. Petit à petit, les mécanismes réparateurs sont dépassés et c'est la « sénescence réplicative » : les cellules, plus vieilles et abîmées, n'arrivent plus à se dupliquer... Les organes usés ont un pourcentage de cellules sénescentes devenu trop important pour pouvoir continuer à fonctionner normalement.

Ainsi, tout ce que vous mangez en trop a tendance à faire vieillir vos cellules en leur occasionnant un travail supplémentaire inutile et potentiellement toxique. Pour aller dans ce sens, l'excès de poids s'accompagne d'une augmentation du degré d'inflammation dans l'organisme [1], inflammation qui est à l'origine d'une augmentation du stress oxydatif.

S'activer plus

L'activité physique augmente la longévité. Elle réduit les témoins biologiques de l'inflammation. En réduisant l'inflammation, elle diminue le largage d'oxydants en grande quantité.

Mais attention, s'activer physiquement ne veut pas dire faire du sport à outrance. En effet, le sport de compétition, intense et en quantité très importante augmente plutôt le stress oxydatif. Donc, c'est une bonne nouvelle pour les paresseux : un peu d'effort physique régulier est bénéfique, mais cela ne sert à rien d'en faire trop !

---

1. Halle M., Korsten-Reck U., Wolfarth B. *et al.*, « Low-grade systemic inflammation in overweight children : impact of physical fitness », *Exerc Immunol Rev.*, 10, 2004, p. 66-74.

Diminuer ce que nous avons en trop et qui fait « flamber » toutes les réactions d'oxydation

Le poids, mais aussi le cholestérol, le sucre, la tension artérielle, la fréquence cardiaque, le stress... La plupart des médicaments que nous prenons pour des maladies chroniques ont pour rôle de diminuer tous ces surplus : anticholestérolémiants, antidiabétiques, antihypertenseurs... Quand nous vivons en surrégime, nous multiplions notre fabrication de radicaux libres. Et nous sommes obligés d'utiliser des médicaments pour éteindre en partie ce surrégime.

Lutter contre l'inflammation

Tout emballement des réactions de l'organisme produit un surplus de radicaux libres, donc des agressions supplémentaires contre notre organisme. Ainsi, les anti-inflammatoires prescrits en cas de maladies rhumatismales chroniques ou d'états inflammatoires de diverses origines luttent-ils contre les dégradations de nos cellules. Idem pour les antibiotiques, les antiviraux, les antiparasitaires et les vaccins.

Se protéger contre les agressions de toutes sortes

Les radiations solaires, radioactives, les substances toxiques (en premier lieu le tabac !) ou l'alcool en excès... tous ces agresseurs sont source de stress oxydatif, donc de vieillissement des tissus. D'ailleurs, une étude a montré que les fumeurs paraissaient faire quatre ans de plus que leur âge alors que les non-fumeurs paraissent deux ans de moins que leur âge réel. L'esthétique est une chose, mais pensez que l'intérieur de votre corps est à l'image de la peau, seul organe sur lequel les dégâts sont visibles à l'œil nu !

Prendre des antioxydants

Si vous mangez de manière équilibrée sans fumer et en buvant peu d'alcool, vous apportez naturellement des antioxydants à votre corps par votre alimentation. Mais certaines personnes choisissent de prendre des suppléments à dose nutritionnelle pour être certains de ne pas en manquer. D'autres savent pertinemment ne pas manger de manière idéale et peuvent ainsi compenser des erreurs ou des déséquilibres alimentaires.

Si vous fumez et/ou buvez avec excès, les antioxydants ont du mal à lutter contre les oxydants que vous leur imposez. Il est bon de vous supplémenter.

Un verre de vin 1 à 6 fois par semaine est aussi un bon antioxydant, mais pas au-delà de cette dose !

☞ **À savoir : 80 % d'entre nous manquent de vitamine C, même ceux qui mangent régulièrement des fruits et légumes. C'est la vitamine qu'il faut prendre régulièrement.**

Signalons enfin la place particulière du cerveau qui à lui tout seul consomme plus de 20 % de l'oxygène de l'organisme... C'est dire s'il est fragile et exposé ! C'est donc cet organe qui peut souffrir le premier du stress oxydatif.

En synthèse, nous comprenons pourquoi le cumul des stress oxydatifs subis tout au long de la vie va jouer un rôle déterminant dans notre durée de vie. On pourrait ainsi mettre la durée de notre vie en équation : elle est égale à la longévité liée à la durée de vie proliférative de nos cellules déduction faite de la somme des stress oxydatifs vécus. Alors, autant faire pencher la balance aussi loin que possible du bon côté, celui de la lutte contre l'oxydation.

Il existe d'autres théories du vieillissement, mais celle que nous venons de vous présenter est maintenant très largement dominante.

☞ **Agir pour être en forme et agir pour vivre plus longtemps revient au même. Moins nous agressons notre corps et plus nous le protégeons, meilleure est notre forme, et plus longue sera notre vie en bonne santé.**

Quels sont les compléments
ou les médicaments efficaces pour prévenir ?

Certains médicaments ou compléments alimentaires ont des propriétés très intéressantes en prévention. Voici donc des informations pratiques qui ne sont pas toujours claires ou simplement pas disponibles sur les notices ou dans le dictionnaire des médicaments, le Vidal.

Naturellement, l'alimentation, l'activité physique, l'absence de stress, la force du mental et des émotions, l'évitement des effets néfastes du tabac et de l'alcool ont eux aussi une importance essentielle en prévention...

Les oméga-3

Depuis quelques années, les oméga-3 ont gagné leurs lettres de noblesse. Dans le même temps, il a été démontré que la prise régulière de poisson (contenant beaucoup d'oméga-3) est bénéfique pour les cancers, pour le cœur, et même contre la maladie d'Alzheimer. Ces compléments alimentaires n'ont pas d'effet secondaire néfaste. On peut donc les conseiller aux personnes qui mangent peu de poisson ou même simplement à celles qui sont prêtes à prendre des compléments efficaces pour prévenir ces maladies graves.

Il n'existe pas d'étude permettant de différencier les différentes présentations d'oméga-3 entre elles. On ne sait donc pas exactement quelle en est la dose idéale à prendre chaque jour. Elle se situe probablement entre 1 et 2 grammes. Ce qui est certain, c'est qu'il ne faut pas dépasser 2 grammes par jour et choisir une forme qui vous convient. Les capsules sont souvent très grosses, celles à 500 milligrammes étant plus faciles à avaler que d'énormes obus à 1 000 milligrammes. Elles contiennent toutes de l'huile de poisson, ce qui favorise les relents ! Il faut aussi tenir compte de leur prix car en prendre tous les jours finit par revenir cher !

Prendre des oméga-3, c'est bien, mais des gélules ne remplaceront jamais un bon équilibre de vie. Il reste essentiel de continuer à manger du poisson, de cuisiner avec de l'huile de colza, de manger des fruits et légumes et de se dépenser physiquement ! Un complément, comme son nom l'indique, doit rester un complément.

Si vous n'aimez pas le poisson ni les gélules, l'utilisation d'huile de colza pour assaisonner ou cuisiner est d'autant plus indispensable. Elle vous apporte elle aussi ces oméga-3. Vous pourriez aussi manger tous les jours 3 ou 4 cuillerées à soupe de graines de lin (vendues en magasin bio) à condition de bien les mâcher, ou de les moudre et de ne pas craindre une accélération de votre transit. Il est aussi possible de panacher ces possibilités : manger un peu de graines de lin et diminuer le nombre de gélules quotidiennes...

Un tableau comparatif des produits contenant des oméga-3 est disponible sur le site www.guerir.fr.

☞ **Prendre 2 grammes d'oméga-3 par jour en capsules est bénéfique contre les cancers, la maladie d'Alzheimer, le cœur et toutes les artères.**

Les vitamines et oligoéléments de l'étude SU.VI.MAX

Réduire de 31 % de la mortalité par cancer et de 37 % de la mortalité globale chez les hommes en France [1], c'est ce qu'ont permis les compléments pris lors de l'étude SU.VI.MAX (voir chapitre sur les cancers). Cette étude est certainement la plus importante étude de complémentation réalisée à ce jour et ses résultats sont formidables !

---

1. Hercberg C. *et al.*, « A randomized, placebo-controlled trial of the health effects of antioxidants vitamins and minerals », *Arch. Intern. Med.*, 164, 2004, p. 2335-2342.

Les suppléments donnés dans cette étude sont les suivants :
— vitamine C : 120 milligrammes,
— vitamine E : 30 milligrammes,
— bêta-carotène : 6 milligrammes,
— sélénium : 100 microgrammes,
— zinc : 20 milligrammes.

Il n'existe pas de médicament proposant ce dosage en 1 seule prise par jour. La réglementation actuelle oblige les compléments (qui ne sont pas des médicaments) à rester en dessous des doses journalières conseillées officiellement, tant pour les vitamines que pour les oligoéléments. Et ces doses sont basses, 2 à 3 fois inférieures utilisées dans l'étude SU.VI.MAX. Il faudrait que la réglementation sur les vitamines change de manière à pouvoir fabriquer un produit à doses plus élevées. On peut regretter que l'État cofinance l'étude SU.VI.MAX, mais ne donne pas les moyens aux Français de bénéficier des résultats de l'étude qu'ils ont payée avec leurs impôts !

☞ **Prenez régulièrement des vitamines et compléments à dose SU.VI.MAX. Cela réduit de manière très importante la mortalité chez toutes les personnes qui fument ou qui boivent plus d'un verre d'alcool par jour ou qui consomment très peu de fruits et légumes.**

Pour vous y retrouver parmi tous les produits proposant les 3 vitamines et les 2 sels minéraux de l'étude SU.VI.MAX, nous les avons répertoriés puis classés selon leur proximité aux posologies de l'étude SU.VI.MAX. Le produit qui obtiendrait 100 % serait celui qui apporterait 100 % des posologies recommandées par l'étude. Chacun des 5 composants est ainsi noté sur 20, ce qui donne au total une note sur 100, d'où le pourcentage. Par exemple, un produit qui apporte 15 milligrammes par jour de zinc, au lieu des 20 milligrammes quotidiens de l'étude SU.VI.MAX, aura 15/20 pour le zinc, etc [1, 2].

Le tableau que nous vous proposons ci-dessous a été établi en fonction des derniers résultats disponibles à ce jour. Ceux-ci sont

---

1. Autres marques de polyvitamines (avec des dosages proches de ceux de SU.VI.MAX) utilisées au Québec : Centrum select et Centrum forte, Stresstabs avec zinc et Stresstabs plus.

2. Autres marques de poly-vitamines (avec des dosages proches de ceux de SU.VI.MAX) utilisées en Belgique : Biocure, Omnibionta, Supradyn, ...

susceptibles d'évoluer car, en matière de prévention, les choses bougent très vite [1].

Produit	Fabricant	Poso Max	% Suvimax
Maxiprev gélules végétales [2]	Doliage	2	100 %
Dialim anti-âge comprimés	Rivadis	2	85 %
Pantonic senior capsules d'origine marine	Delta Pharm	3	85 %
Bconcept nutri antioxydant gélules végétales	Plus pharmacie	1	80 %
Suveal antioxydant gélules végétales	Densmore	2	80 %
Azinc optimal gélules	Arkopharma	2	75 %
Bioptimum ARL comprimés	Boiron	2	75 %
Complexe Lero DNV capsules d'origine marine 30	Lero	1	75 %
Iloptil capsules	Ilapharm	3	75 %
Vie et santé 10 vitamines et 4 oligoéléments comprimés effervescents	Vie et santé	2	75 %
Azinc complexe gélules	Arkopharma	2	70 %
Bionutratech Oxyprol comprimés	Bio nutratech	1	70 %
Dermorelle excellence marine gélules d'origine marine	Iprad santé	1	70 %
Energy Q10 spektrum comprimés	LRN Walmark	2	70 %

---

1. Choisir de préférence les produits contenant des vitamines E et des bêtacarotènes naturels, nettement plus efficaces selon de nombreux auteurs.

2. Ce produit est très complet car il apporte en plus des vitamines B1, B2, B3, B6, B9, B12 qui protègent également des radicaux libres et abaissent l'homocystéine, facteur de risque cardiovasculaire important.

Optimal nutrition antioxydant gélules végétales	Arkomedika	3	70 %
Antiox gélules	Institut Jerodia	2	65 %
Biofar Ace sélénium zinc comprimés effervescents	Biofar	1	65 %
Bioptimum senior équilibre quotidien comprimés	Boiron	2	65 %
Isoxan senior comprimés	Menarini France	3	65 %
Lero Derm capsules végétales (leroderm)	Lero	1	65 %
Megatone 50+ comprimés	Gifrer Barbezat	1	65 %
Multi AJR tonus vitamines capsules d'origine marine	Erjean Nuthera	3	65 %
Nutrisélénium comprimés	Nutriclem	2	65 %
Isoxan endurance comprimés	Menarini France	2	60 %
Agevit antiaging femme capsules d'origine marine	Sorin maxim	1	60 %
Bio antioxydant comprimés	Pharma Nord	1	60 %
Cell-protect comprimés	Ineldea	2	60 %
Complete VM antioxydant capsules	Scientec nutrition	3	60 %
Isoxan croissance comprimés à croquer	Menarini France	2	60 %
Isoxan forme comprimés	Menarini France	3	60 %
Lero superoxylase antiradicaux libres	Lero	1	60 %
Megatone tonus comprimés	Gifrer Barbezat	1	60 %
Pharma Nord sélénium + zinc comprimés enrobés	Pharma Nord	1	60 %

Radicopene capsules	Medicaps	1	60 %
Vitabional seniors dynamiques comprimés	Bional	1	60 %
Z'TOV6 capsules d'origine marine (ZTOV6)	Bryssica	1	60 %
Biotanica régénérance comprimés	Plantes et nutriments	2	55 %
Biotechnie complexe antioxydant gélules	Cosmediet	1	55 %
Vie et santé sélénium + zinc ace gélules	Vie et santé	1	55 %
Actymine capsules d'origine marine	Codifra	1	50 %
Oxyprev gélules végétales	Doliage	1	50 %
Bioes sélénium + (plus) antiradicalaire comprimés	Bioes	1	50 %
Sérum de vie antiâge capsules d'origine marine	Forte pharma	2	50 %
Vital santé senior antiâge oculaire	Vital santé senior	1	50 %
Isoxan force comprimés	Menarini France	1	45 %
Actypral gélules végétales	Codifra	1	40 %
Dietaroma complexe antioxydant duo 222 comprimés	Dietaroma	1	40 %
Oxybiane sélénium gélules végétales	Pileje	1	40 %
Vitenium antiâge comprimés	Vibior international	2	40 %
Vivance complexe antioxydant comprimés	Vivance SA	1	40 %

Si vous voulez plus de précisions sur les vitamines et oligoéléments utilisés dans l'étude SU.VI.MAX, lisez ce qui suit...

Les vitamines C et E

La vitamine C et la vitamine E sont indissociables et, dans tous les nouveaux essais cliniques, les scientifiques proposent de les prendre ensemble. Pourquoi ? C'est que toutes deux sont des substances anti-oxydantes. La dose de vitamine C doit être suffisamment élevée par rapport à celle de la vitamine E. Car la vitamine E elle-même se fait facilement oxyder et c'est la vitamine C qui la répare.

Notre organisme ne peut pas stocker de vitamine C. Il faut donc en prendre constamment. Sans vitamine C pendant vingt jours apparaît une maladie, le scorbut, très répandue autrefois chez les marins qui manquaient de fruits et légumes lors de leurs longues traversées. Ils saignaient des gencives et perdaient leurs dents... On trouve cette vitamine C dans tous les fruits et légumes. Il faut donc en manger beaucoup. Nombreuses sont les personnes n'en consommant pas suffisamment : 20 % des Français ne prennent même pas les deux tiers des apports nutritionnels conseillés chaque jour [1]. Il est donc utile d'en prendre régulièrement sous forme de complément, par cures ou lors des agressions pathologiques comme les grippes, maladies infectieuses ou autres maladies, bronzage intensif, etc.

☞ **Beaucoup de Français ne reçoivent pas assez de vitamine C dans leur alimentation et devraient augmenter leur ration de fruits et légumes ou prendre régulièrement des compléments alimentaires : 500 à 1 000 milligrammes par jour par cure.**

La vitamine E se présente sous plusieurs formes comme l'alpha-tocophérol ou le gamma-tocophérol. Dans la nature, les différentes formes sont mélangées. Dans les compléments alimentaires, c'est très rarement le cas et, le plus souvent, ils sont fabriqués uniquement à base d'alpha-tocophérol. C'est un problème car les experts pensent que ce sont les autres formes de tocophérol qui sont les plus actives, notamment le gamma-tocophérol.

Par ailleurs, la plupart des Français ne présentent pas de carence en vitamine E que l'on retrouve dans de très nombreux aliments

---

1. Rapport pour une politique nutritionnelle de santé publique en France. Texte intégral : www.sante.gouv.fr/htm/actu/nutri2000/sommaire.htm

comme les produits laitiers et les oléagineux. Le gamma-toco-phérol, plus actif, est davantage présent dans les oléagineux : huiles végétales, amandes, noix, etc., qu'il faut donc apprendre à consommer régulièrement.

☞ **Pour enrichir votre alimentation en vitamine E, mangez des fruits oléagineux comme les noix, les amandes, les noisettes... Ou prenez des compléments en vitamine E contenant du gamma-tocophérol.**

En pratique, on se trouve devant quatre cas de figure :
— Vous souhaitez faire des cures régulières de vitamines pour entretenir votre santé. Dans ce cas prenez très régulièrement de la vitamine C à forte dose entre 500 et 1000 milligrammes par jour, ou encore des complexes multivitaminiques faiblement dosés que vous pouvez compléter par de la vitamine C.
— Vous voulez bénéficier des effets préventifs des vitamines C et E en prévention des cancers (et aussi de la maladie d'Alzheimer). Dans ce cas, prenez des doses proches de celles de l'étude SU.VI.MAX (voir plus haut).
— Vous envisagez de faire réaliser un bilan de votre stress oxydatif et dans ce cas l'idéal est d'adapter les doses en fonction de vos besoins réels.

Le bêta-carotène

Le bêta-carotène ou plutôt les bêta-carotènes, car il en existe beaucoup, sont des précurseurs de la vitamine A. Cela signifie que cette vitamine A est fabriquée à partir de ces bêta-carotènes. Les bêta-carotènes ont des propriétés antioxydantes très puissantes, ce qui explique qu'ils aient été étudiés en prévention, notamment des cancers.

La carence en bêta-carotène existe en France chez 11 à 20 % des femmes et chez 3 à 11 % des hommes. On en trouve dans les fruits et légumes qu'il colore (carottes, melons, abricots, mangues, poivrons rouges, épinards, etc.). Il sert d'additif alimentaire dans de nombreuses préparations (couleur orange, antioxydant...).

Deux études ont montré que des doses élevées de bêta-carotènes (20 à 30 mg par jour) pouvaient augmenter la mortalité globale chez les fumeurs [1]. Dans une autre étude avec des populations plus larges comprenant une minorité de fumeurs (11 %), une dose quotidienne supérieure de bêta-carotène (50 mg / jour) n'a eu aucun effet positif ou négatif [2].

Autrement dit, la supplémentation en doses élevées de bêta-carotène n'a pas d'intérêt. Elle peut même être dangereuse chez les fumeurs.

Il faut donc se contenter, soit de son apport alimentaire normal, soit des doses faibles qui sont contenues dans les compléments multivitaminiques, sans dépasser 10 milligrammes par jour.

☞ **Ne dépassez pas 10 milligrammes par jour de bêta-carotène dans un complément alimentaire.**

Le sélénium

Le sélénium est un constituant fondamental de la glutathion-peroxydase, enzyme antioxydante essentielle pour nos cellules. Les besoins quotidiens sont de 30 à 100 microgrammes par jour. Les carences concernent 30 % des gens en France.

On trouve du sélénium dans le germe de blé, la levure de bière, les viandes, les œufs, les abats, les oignons, l'ail, le choux, etc. De nombreux compléments en proposent.

Le zinc

Le zinc est impliqué dans la formation de la superoxyde dismutase (SOD) enzyme antioxydante très importante. Il joue un rôle essentiel dans la fabrication des acides nucléiques, protéines qui sont des composants de nos gènes. Les besoins quotidiens sont de 12 milligrammes chez l'adulte et de 20 à 25 milligrammes chez la

---

1. Albanes D., Heinonen O. P., Taylor P. R., *et al.*, « Alpha-Tocopherol and beta-carotene supplements and lung cancer incidence in the alpha-tocopherol, beta-carotene cancer prevention study : effects of base-line characteristics and study compliance », *J. Natl. Cancer Inst.*, 88(21), 1996, p. 1560-1570. Omenn G. S., Goodman G. E., Thornquist M. D., *et al.*, « Effects of a combination of beta carotene and vitamin A on lung cancer and cardiovascular disease », *N. Engl. J. Med.*, 334(18), 1996, p. 1150-1155.

2. Hennekens C. H., Buring J. E., Manson J. E., *et al.*, « Lack of effect of long-term supplementation with beta carotene on the incidence of malignant neoplasms and cardiovascular disease », *N. Engl. J. Med.*, 334(18), 1996, p. 1145-1149.

femme enceinte. Il faut noter que 57 à 79 % des femmes prennent moins des deux tiers des apports nutritionnels recommandés par jour.

On trouve du zinc notamment dans les poissons, les viandes et les céréales complètes.

☞ **Le bêta-carotène, le sélénium et le zinc sont des anti-oxydants (ou composants d'antioxydants) bénéfiques pour le corps. Il est intéressant d'en faire de petites cures ou de choisir des compléments multivitaminés où ils sont présents à petites doses.**

L'Alcar

L'Alcar ou l'acétyl-L-carnitine est un acide aminé qui participe à la régulation des mitochondries, les petites usines énergétiques de nos cellules. Associé à un puissant anti-oxydant, l'acide R-alpha-lipoïque, l'Alcar a montré chez des rats âgés qu'il leur permettait de retrouver de la vigueur et de marcher plus longtemps [1]. Ce mélange vendu sous le nom de « Juvénon formula® » est disponible sur Internet. L'Alcar est prescrit chez les gens âgés et fatigués aux États-Unis, en Angleterre, en Suisse et en Allemagne. En France, ce produit n'est pas autorisé faute d'étude chez l'homme, ce qui nous semble une attitude prudente, car on ne connaît pas l'effet à long terme de ce mélange, même s'il est composé de produits naturels.

L'aspirine

C'est le plus connu des médicaments, et en prévention il est efficace contre l'infarctus du myocarde, les attaques cérébrales, les cancers du côlon, peut-être même du sein.

Ce médicament possède au moins quatre propriétés qui expliquent ses nombreux effets :
— Il fait baisser la fièvre (effet antipyrétique).
— Il est antidouleur (antalgique).

---

1. Hagen T. M., Ingersoll R. T., Wehr C. M. *et al.*, « Acetyl-L-carnitine fed to old rats partially restores mitochondrial function and ambulatory activity », *Proc. Natl. Acad. Sci. USA*, vol. 95, août 1998, p. 9562-9566.

— Il a une action anti-inflammatoire.

— Il est antiagrégant plaquettaire [1].

C'est par cette dernière propriété qu'il prévient efficacement l'infarctus du myocarde et les attaques cérébrales.

C'est parce qu'il est anti-inflammatoire qu'il prévient certains cancers.

Cependant, l'aspirine ne peut pas être pris de manière systématique en dehors d'une prescription médicale du fait de ses propriétés antiagrégantes. L'aspirine peut en effet entraîner des hémorragies digestives potentiellement très graves. Le médecin doit donc mettre en balance l'effet positif attendu avec le risque hémorragique pour décider si oui ou non il sera bénéfique.

Prendre de l'aspirine est bénéfique dans au moins trois circonstances :

— après un infarctus du myocarde,

— quand on a des polypes dans l'intestin en prévention des cancers du côlon,

— en cas d'inflammation aiguë, comme un mal de tête, une angine, une grippe, etc. Traiter les épisodes aigus est toujours bénéfique en prévention.

Quand il est prescrit au long cours pour une autre raison, on peut se réjouir de savoir qu'il prévient certains cancers, infarctus et accidents vasculaires cérébraux !

☞ **L'aspirine est bénéfique pour prévenir cancers et infarctus. Mais il est déconseillé d'en prendre dans ce but unique de prévention à cause des effets indésirables. En revanche, si vous devez en prendre pour une autre raison, vous bénéficiez de cet effet préventif.**

Les anti-inflammatoires

D'autres médicaments que l'aspirine ont des propriétés anti-inflammatoires. Ce sont les anti-inflammatoires non stéroïdiens ou

---

1. L'aspirine est antiagrégant plaquettaire : il empêche les plaquettes, petits éléments présents dans le sang, de s'agglutiner et de former une sorte de bouchon. Ce phénomène précède la coagulation du sang, proprement dite, c'est-à-dire la formation d'un caillot. C'est pourquoi empêcher les plaquettes de s'agglutiner peut permettre d'éviter la formation d'un caillot.

AINS (c'est-à-dire des anti-inflammatoires qui ne sont pas dérivés de la cortisone).

Ils ont montré, dans certaines études, un effet préventif sur la maladie d'Alzheimer et les cancers. Est-il intéressant d'en prendre régulièrement?

La réponse est très claire : non, absolument non!

Parce que tous les anti-inflammatoires augmentent à peu près dans les mêmes proportions le risque de faire un infarctus du myocarde quand ils sont pris de manière chronique.

La classe des Coxibs a été la première à le mettre en évidence. Le Vioxx® a été retiré du marché par le laboratoire Merck début 2005. Pourquoi? Parce qu'il augmentait le nombre des accidents cardiaques chez ceux qui en prenaient au long cours. Cela a fait beaucoup de bruit et des procès sont en cours. D'autres médicaments de la même classe ont immédiatement été mis en cause :
— Célécoxib : Celebrex®.
— Parécoxib : Dynastat®.

Puis, une étude plus vaste a été lancée [1], prouvant que tous les anti-inflammatoires pris de manière chronique augmentaient le risque d'infarctus du myocarde.

Il existe de nombreux anti-inflammatoires non stéroïdiens (AINS) qui sont susceptibles de présenter le même danger. En voici la liste [2, 3] :
— Acide méfénamique (Ponstyl®).
— Acide nuflumique (Nifluril®).
— Acide Tiaprofénique : Surgam®, Flanid®, Acide tiaprofénique®.
— Aclofénac : Cartex®.
— Alminoprofène : Minalfène®.

---

1. Hippisley-Cox J., Coupland C., « Risk of myocardial infarction in patients taking cyclo-oxygenase-2 inhibitors or conventional non-steroidal anti-inflammatory drugs : population based nested case-control analysis », *BMJ*, vol. 330, 11 juin 2005.

2. Autres marques d'anti-inflammatoires utilisées au Québec : Ibuprofène (Motrin®); Acide méfénamique (Ponstan®); Naproxène (Naprosyn®, Anaprox®); Sulindac (Clinoril®).

3. Autres marques d'anti-inflammatoires utilisées en Belgique : Ibuprofène (Brufen®, Spidifen®, Junifen; Kétoprofène (Rofenid®); Diclofénac (Voltaren®, Motifene®), Indométacine. (Dolcidium®).

— Diclofénac : Diclofénac®, Voltarène®, Voldal®, Xenid®. Flector®, Artotec®.

— Etodolac : Lodine®.

— Fenbufène (Cinopal®).

— Fénoprofène (Nalgesic®).

— Flurbiprofène : Cébutid®, Antadys®.

— Ibuprofène : Advil®, Ibuprofène®, Antarene®, Expanfen®. Nureflex®, Nurofen®, Upfen®, Brufen®.

— Indométacine : Indocid®, Chrono-Indocid®, Dolcidium®.

— Kétoprofène : Profénid®, Ketum®, Topfena®, Ketoprofene®, Toprec®.

— Méloxicam : Mobic®.

— Nabumétone : Nabucox®.

— Naproxène : Apranax®, Naprosyne®.

— Nimésulide (Nexen®).

— Phénylbutazone : Butazolidine®.

— Piroxicam : Brexin®, Cycladol®, Feldene®, Piroxicam®, Proxalyoc®.

— Sulindac : Arthrocine®.

— Tenoxicam : Tilcotil®.

Il faut donc se méfier de ces produits et il ne faut pas les prendre sans avis médical. Les anti-inflammatoires sont utiles en cas de maladie inflammatoire avérée, prescrits sous contrôle médical, et ils ne doivent pas être prescrits en prévention.

Comme l'aspirine, les AINS peuvent provoquer des ulcères d'estomac avec des hémorragies qui peuvent être très graves. Il faut donc signaler la moindre douleur gastrique à son médecin. Enfin, en cas de prise prolongée, faire des bilans réguliers est nécessaire pour s'assurer que le foie et les reins les supportent bien.

Prise dans les trois mois précédant l'étude	Augmentation infarctus en %
Rofécoxib	32 %
Célécoxib	21 %
Ibuprofène	24 %
Diclofénac	55 %
Naproxen	27 %

☞ **Les anti-inflammatoires ne doivent pas être considérés comme des médicaments en prévention, même s'ils ont montré un effet préventif dans les cancers et la maladie d'Alzheimer. En effet, ils augmentent les risques d'infarctus.**

Les statines

Nos connaissances augmentent toujours sur cette classe de médicaments qui existe depuis maintenant une vingtaine d'années. Au début, leur seule propriété connue était de faire baisser le cholestérol. Ils ont alors été classés dans les « hypocholestérolémiants ». Depuis, la liste de leurs propriétés ne cesse de s'allonger et ils sont indiqués et remboursés par la Sécurité sociale dans les cas suivants, même lorsque le cholestérol est normal :

— prévention de l'infarctus du myocarde chez les personnes présentant plusieurs facteurs de risque ;

— prévention de l'infarctus du myocarde chez les personnes diabétiques ;

— prévention de la rechute en cas d'infarctus du myocarde ;

— suites de transplantation cardiaque.

Les statines protègent le cœur, quel que soit le niveau du cholestérol, probablement grâce à leur léger effet anti-inflammatoire propre. C'est aussi sûrement pour cette raison qu'elles se révèlent efficaces en prévention d'autres maladies chroniques comme la maladie d'Alzheimer et les cancers (côlon, poumon, sein, prostate, pancréas, œsophage), mais aussi dans :

— l'ostéoporose [1],

— la polyarthrite rhumatoïde [2],

— La sclérose en plaques [3].

Cependant, prendre des statines dans ces cas-là n'est pas pour l'instant entré dans l'usage ni pris en charge par la Sécurité sociale. Nous manquons encore de données.

---

1. Schoffs M. W., Sturkenboom M. C., van der Klift M. *et al.*, « HMG-CoA reductase inhibitors and the risk of vertebral fracture », *J. Bone Miner Res.*, 19(9), septembre 2004, p. 1525-1530. Epub 21 juin 2004.

2. McCarey D. W., McInnes I. B., Mahdok R. *et al.*, « Trial of Atorvastatin in Rheumatoid Arthritis (TARA) : double-blind, randomised placebo-controlled trial », *Lancet*, 363(9426), 19 juin 2004, p. 2015-2021.

3. Vollmer T., Key L., Durkalski V., Tyor W. *et al.*, « Oral simvastatine treatment in relapsing-remitting multiple sclerosis », *Lancet*, 363(9421), 15 mai 2004, p. 1607-1608.

Paul :

« Je suis médecin, et personnellement, si j'avais une sclérose en plaques ou des rhumatismes articulaires, je me précipiterais sur une statine, en complément des traitements classiques. Les arguments sur leurs effets favorables sont convaincants, et les effets secondaires semblent vraiment modérés. Je trouve les avantages largement supérieurs aux inconvénients. Il faut simplement bien se suivre. En plus, les statines, soit on les supporte bien et l'on n'a pas de problème, soit on ne les supporte pas et on les arrête. Le hic quand même, c'est que ça n'est pas remboursé dans ces cas non prévus par la Sécurité sociale et qu'il faut trouver un médecin qui accepte de vous les prescrire. En tant que médecin, je pourrais me l'« autoprescrire », mais quelqu'un qui ne serait pas de la partie ne pourrait pas en prendre sans trouver un médecin qui a la même position que moi vis-à-vis de ces médicaments ».

Il existe 5 statines sur le marché. Chacune correspond à une molécule différente [1, 2] :

— la simvastatine vendue sous les noms de Lodales® ou de Zocor® ;

— la pravastatine dont les noms commerciaux sont Elisor® ou Vasten® ;

— l'atorvastatine ou Tahor® ;

— la fluvastatine qui est le Fractal® ou le Lescol® ;

— la rosuvastatine ou Crestor®.

Celles dont les dossiers de recherche clinique sont les plus complets, celles qui ont fait le plus leurs preuves, sont les trois premières, la simvastatine, la pravastatine et l'atorvastatine.

C'est parmi celles-ci qu'il vaut mieux choisir en priorité. La fluvastatine est aussi intéressante car elle est très bien tolérée. Quant à la cinquième, on ne dispose pas assez de recul pour en faire une statine de première intention.

Des différences importantes existent entre les trois premières statines :

— La pravastatine est la mieux tolérée de toutes, car elle a la propriété de s'éliminer tant par le foie que par les reins. C'est une qualité très importante, car si vos reins ne fonctionnent pas très

---

1. Autres marques de statines utilisées au Québec : Pravachol® (pravastatine), Lipitor® (atorvastatine), Probucol® (fluvastatine).

2. Autres marques de statines utilisées en Belgique : Pravasine®, Prareduct® (pravastatine), Lipitor® (atorvastatine).

bien, elle s'éliminera par votre foie, et si votre foie a une insuffisance, elle sera éliminée par vos reins. Vous ne risquez pas, par exemple, un surdosage pour défaut d'élimination !

— La simvastatine est la moins chère et elle est disponible sous forme générique. C'est un avantage ! Elle est très bien tolérée, mais elle s'élimine seulement par le foie. Comme de nombreux produits chimiques sont éliminés de cette manière par le corps, la simvastatine peut se retrouver en compétition avec d'autres médicaments ou produits ne passant également que par le foie. Elle est ainsi contre-indiquée avec des médicaments contre les mycoses (itraconazole, kétoconazole), des médicaments contre le virus du sida (antiprotéases [amprénavir, fosamprénavir, indinavir, nelfinavir, ritonavir, saquinavir], délavirdine), des antibiotiques de la classe des macrolides (télithromycine, érythromycine, clarithromycine), le jus de pamplemousse (et oui, il mobilise également activement le foie !), des anticoagulants oraux et certains médicaments pour le cœur (vérapamil, amiodarone).

— L'atorvastatine est la plus puissante des trois et présente les mêmes contre-indications que la simvastatine.

Les statines sont très bien tolérées. Néanmoins, elles présentent un inconvénient qui nécessite une surveillance : elles peuvent entraîner des atteintes musculaires, encore appelées rhabdomyolyses. Une autre statine, la cérivastatine, a été retirée du marché en raison de rhabodomyolyses graves, parfois mortelles. C'est la raison pour laquelle il faut clairement préférer les statines qui sont commercialisées depuis longtemps, car on a alors beaucoup plus de recul pour juger de leur innocuité.

Karol :

« Quelques jours à peine après avoir commencé le Lescol®, j'avais du mal à marcher ! Des douleurs atroces dans les mollets. Mon médecin a dû arrêter mon traitement puis il m'a prescrit de l'Elisor®. Quelques mois plus tard, il semble que je le supporte tout à fait bien. Heureusement, car les douleurs que j'ai éprouvées m'ont fait vraiment peur. Je me suis informé et j'ai entendu parler des décès avec un autre médicament de la même famille. J'ai l'impression que les douleurs musculaires sont plus fréquentes, plus qu'on ne le dit. Mais bon, ma mère est décédée très jeune d'un infarctus (à moins de 50 ans) et mon père a toujours eu une hypertension et du cholestérol, alors je préfère nettement me traiter tout en m'informant que de faire l'autruche ! »

Note des auteurs : il ne s'agit pas ici de critiquer particulièrement le Lescol®, car cet effet négatif sur les muscles est relativement imprévisible et peut se produire avec n'importe quelle statine !

Quelles sont les précautions à prendre en cas de traitement par une statine ?

La prise de statine nécessite un suivi médical qui garantit leur parfaite innocuité

Si vous ressentez des douleurs dans vos muscles, votre médecin vous prescrira une prise de sang pour doser la créatine-phosphokinase ou CPK. Si le taux est 5 fois supérieur à la normale, il faut arrêter le traitement.

Toujours par prise de sang, il vérifiera vos transaminases pour savoir si votre foie fonctionne bien.

Il faut aussi commencer avec des doses faibles et les augmenter progressivement en fonction des résultats sur le taux de cholestérol.

Les risques d'atteintes musculaires avec les forts dosages de statine

Les risques d'atteintes musculaires ont été très mal étudiés parce qu'ils sont rares. Une étude française a permis de se faire une idée plus précise et elle obtient les chiffres suivants [1] : 10,5 % des patients ont présenté des atteintes musculaires sous statines à forte dose, les chiffres détaillés étant les suivants : simvastatine 40-80 m (18,2 %), atorvastatine 40-80 milligrammes (14,9 %), pravastatine 40 milligrammes (10,9 %), fluvastatine 80 milligrammes (5,1 %). Cette étude confirme l'intérêt de commencer par les faibles dosages et d'augmenter progressivement si nécessaire. Par exemple avec 20 milligrammes de simvastatine, ou 10 milligrammes d'atorvastatine ou 20 milligrammes de pravastatine ou 20 milligrammes de fluvastatine.

Il est contre-indiqué de prendre une statine si vous prenez déjà un autre médicament contre le cholestérol de la famille des fibrates. Ces médicaments qu'il ne faut pas associer à une statine s'appellent Lipur®, Lipanthyl®, Fenofibrate®, Fegenor®, Seca-

---

1. Bruckert E., Hayem G., Dejager S. *et al.*, « Risk of muscular symptoms with high dosage statin therapy in 7,924 hyperlipidemic patients in french clinical practice », 54e congrès de l'ACC – Orlando (Floride), 8 mars 2005.

lip®, Befizal® ou encore Lipanor®. Ils augmenteraient le risque d'atteinte musculaire.

Notons que ces fibrates ne diminuent pas la mortalité globale comme le font les statines. Quand on a trop de cholestérol, il est donc préférable de prendre une statine.

Il faut aussi adapter les doses des statines en cas de prise de ciclosporine (immunosuppresseur prescrit pour éviter les rejets des greffes d'organe).

Il est enfin une information peu connue des médecins : les statines ont tendance à diminuer le taux du coenzyme Q10, qui est un antioxydant très important au niveau de nos cellules. Les spécialistes du stress oxydatif préconisent donc de systématiquement associer la prise de Coenzyme Q10 (30 mg/jour) à la prise de statine.

☞ **Les statines, médicaments anti-cholestérol, ont aussi un effet de prévention sur les maladies cardiovasculaires, la maladie d'Alzheimer et certains cancers. En cas de cholestérol élevé, elles doivent être prises scrupuleusement. En cas de haut risque de maladie grave sans cholestérol élevé, le cas est à discuter avec votre médecin traitant.**

Les antihypertenseurs

Les antihypertenseurs sont des médicaments clefs pour protéger le cœur des infarctus et la tête des attaques cérébrales ou de la maladie d'Alzheimer. Se soigner quand on est hypertendu est vraiment essentiel.

En prévention de l'infarctus, deux sortes d'antihypertenseurs sont souvent associés, les inhibiteurs de l'enzyme de conversion (IEC) et les bêtabloquants.

En prévention des démences, les IEC et les inhibiteurs calciques ont montré leur efficacité.

Les médicaments de ces classes sont les suivants :

Les inhibiteurs de l'enzyme de conversion ou IEC [1, 2] :

— Captopril : Captopril®, Lopril®.
— Enalapril : Renitec®, Enalapril®.
— Ramipril : Triatec®.
— Périndopril : Coversyl®.
— Lisinopril : Prinivil®, Zestril®.
— Cilazapril : Justor®.
— Quinapril : Acuitel®, Korec®.
— Bénazépril : Briem®, Cibacene®.
— Fosinopril : Fozitec®.
— Trandolapril : Gopten®, Odrik®.
— Moexipril : Moex®.
— Imidapril : Tanatril®.
— Zofénopril : Zofénil®.

Cette liste est extrêmement longue ! Elle prouve que l'industrie pharmaceutique sait investir en recherche quand un marché est rentable... Pourtant, les 5 premières molécules auraient largement suffi à soigner toutes les personnes hypertendues ! Ce sont celles que l'on retrouve dans les études de prévention.

Ces médicaments sont très bien tolérés mais nécessitent un suivi médical régulier. Leur effet secondaire le plus gênant est l'apparition d'une toux sèche. Il faut alors arrêter le traitement et changer de classe d'antihypertenseurs.

Une autre famille d'antihypertenseurs, assez proche des IEC, a été découverte plus récemment. Il s'agit des Sartans sous le nom de Cozaar®, Nisis®, Tareg®, Atacand®, Kenzen®, Pritor®, Micardis®, Teveten®, Alteis®, ou Olmetec®. Ces médicaments n'ont fait la preuve d'aucune supériorité en prévention et ils coûtent beaucoup plus cher.

L'inhibiteur de l'enzyme de conversion qui a été étudié a démontré un effet préventif dans **les démences est le périndopril** (Coversyl®).

---

1. Autres marques d'IEC utilisées au Québec : Capoten® (captopril), Vasotec® (enalapril), Altace® (ramipril).

2. Autres marques d'IEC utilisées en Belgique : Capoten® (captopril), Ramace®, tritace® (ramipril), Inhibace® (cilazapril), Accupril® (quinapril), Cibacen® (bénazépril), Foside® (fosinopril).

Les bêtabloquants [1, 2] :

— Acebutol : Sectral®, Acebutol®.
— Nevibolol : Nebelox®, Temerit®.
— Metoprolol : Lopressor®, Seloken®, Metoprolol®.
— Celiprolol : Celectol®, Celiprolol®.
— Atenolol : Atenolol®, Tenormine®, Betatop®.
— Betaxolol : Kerlone®.
— Bisoprolol : Detensiel®, Soprol®, Bisoprolol®.
— Propanolol : Avlocardyl®, Propanolol®, Hemipralon®, Adrexan®.
— Tertatolol : Artex®.
— Nadolol : Corgard®.
— Timolol : Timacor®.
— Sotalol : Sotalex®.
— Pindolol : Visken.
— Carteolol : Mikelan®.
— Oxyprenolol : Trasicor®.
— Labétalol : Trandate®.
— Carvelidol : Kredex®.

Là encore, les molécules sont très nombreuses ! Et l'on peut comprendre la perplexité des médecins qui doivent faire un choix pour leurs patients...

Les bêtabloquants ralentissent le cœur, qui du coup fournit moins de travail et éjecte le sang avec moins de pression. Ils sont très efficaces et protègent bien le cœur contre les rechutes d'infarctus. Mais ils sont à manier avec précision car ils comportent de nombreuses précautions d'emploi, notamment en cas de gros cœur, de spasme des bronches, de diabète, de certains troubles du rythme cardiaque, etc. Ils doivent donc impérativement être prescrits sous surveillance médicale.

---

1. Autres marques de bêtabloquants utilisées au Québec : Monocor® (bisoprolol), Inderal® (propanolol).
2. Autres marques de bêtabloquants utilisées en Belgique : Selozok® (metoprolol), Selectol® (celiprolol), Tenormin® (atenolol), Emconcor®, Isoten® (bisoprolol), Inderal® (propanolol), Dimitone® (carvelidol).

Les inhibiteurs calciques [1, 2] :

La liste des inhibiteurs calciques est aussi longue :
— Diltiazem : Tildiem®, Diltiazem®, Diacor®, Diltiazem®.
— Vérapamil : Isoptine®, Vérapamil®, Ocadrik®, Tarka®.
— Amlodipine : Amlor®.
— Félodipine : Flodil®, Logimax®.
— Isradipine : Icaz®.
— Lacidipine : Caldine®.
— Nicardipine : Loxen®.
— Nitredipine : Baypress®, Nidrel®, Nitrendipine®.
— Lercanipidine : Lercan®, Zanidip®.
— Manidipine : Iperten®.
— Nidédipine : Adalate®, Chronoadalate®, Ténordate®.
— Béprinil : Unicordium®.
Celui qui a fait ses preuves dans la prévention de la maladie d'Alzheimer : la nitrendipine (Baypress®, Nidrel®, Nitrendipine®).
Là encore ce sont des médicaments qui nécessitent une surveillance médicale, même s'ils sont en général très bien tolérés.

☞ **Prenez scrupuleusement votre traitement antihypertenseur si votre médecin vous le prescrit. Les antihypertenseurs sont tous efficaces pour prévenir les risques cardiovasculaires, infarctus ou accident vasculaire cérébral. Et des études récentes montrent qu'ils préviennent aussi les maladies d'Alzheimer.**

L'Alzhemed

L'Alzhemed, un nouveau médicament à l'étude. Il sera peut-être l'un des premiers traitements curatifs de la maladie d'Alzheimer, car il a pour propriété de se fixer sur les protéines amyloïdes empêchant leur agrégation qui conduit à la formation des plaques amyloïdes à l'origine des dégâts neurologiques de la maladie. Autrement dit, l'Alzhemed favorise l'élimination du pep-

---

1. Autre marque d'inhibiteur calcique utilisée au Québec : Cardizem® (diltiazem).
2. Autres marques d'inhibiteurs calciques utilisées en Belgique : Adalat® (Nifedipine).

tide bêta amyloïde et de ce fait, il stoppe ou ralentit l'évolution de la maladie. Dans la première étude chez l'homme, qui a porté sur 40 personnes pendant deux ans, l'Alzhemed a stoppé l'évolution de la maladie dans les cas les plus légers, et ralenti nettement cette évolution dans les cas plus lourds, les personnes atteintes devenant ce que l'on a appelé des « déclineurs lents »[1]. Une étude à grande échelle sera lancée en 2006 portant sur 1 000 personnes aux États-Unis et 900 en Europe. Ce nouveau médicament est développé par le laboratoire canadien Neurochem.

Les substituts nicotiniques

Ces médicaments à base de nicotine ont été inventés pour se substituer au tabac. Il s'agit d'apporter aux personnes dépendantes leur dose de nicotine, substance peu toxique, sans que cette nicotine soit associée aux produits très toxiques contenus dans le tabac (goudrons...).

Très utiles pour arrêter de fumer et très efficaces, ils font pourtant l'objet d'idées fausses tenaces qui limitent leur utilisation :

— La nicotine est dangereuse pour le cœur. **C'est faux**, c'est le monoxyde de carbone, fruit de la combustion du tabac, qui prive le cœur et tous les organes d'oxygène. Sous forme de patch ou de gommes à mâcher, la nicotine ne donne ni infarctus, ni cancer, ni bronchopneumopathie, et elle est même inoffensive. C'est uniquement quand elle est inhalée sous forme de cigarette qu'elle présente des effets négatifs : elle arrive alors en flash dans le cœur et le cerveau en moins de sept secondes, et peut parfois provoquer des spasmes des artères coronaires ou cérébrales.

— La nicotine ne peut être donnée à celui qui vient de faire un infarctus ou à celle qui est enceinte. **C'est faux**. Sous forme de substitut, elle est 1 000 fois moins nocive que la moindre cigarette,

— Fumer une cigarette quand on porte un patch est dangereux. **C'est faux**. C'est la plus grave des idées fausses. Nous la devons au génie marketing des industriels du tabac. Ils l'ont inventée pour que les nombreuses personnes qui craquent une fois pour une cigarette arrêtent le patch ! C'est tout bénéfice pour l'industrie du tabac qui réussit à empêcher ses clients d'arrêter de fumer !

---

1. *Le Quotidien du médecin*, 7856, lundi 5 décembre 2005. Dans la maladie d'Alzheimer, essai européen d'une nouvelle classe thérapeutique.

— Il faut prendre le moins possible de substituts nicotiniques : **C'est faux**. Il faut au contraire en prendre le plus possible de manière à saturer les récepteurs à la nicotine dans notre cerveau et à éliminer le manque. C'est quand le manque n'est plus là que l'on lutte mieux contre l'envie de fumer ou contre l'envie de vider le réfrigérateur !

Une fois que l'on a décidé d'arrêter, le plus simple est de choisir sa stratégie :

— l'arrêt progressif ;

— l'arrêt définitif d'emblée.

Dans les deux cas, il faut prendre une dose suffisante de nicotine pour réussir. En pratique, le plus simple est de procéder ainsi :

— Prendre un patch de 20 cm^2 pour un demi-paquet fumé, puis un patch de 30 cm^2 pour chaque paquet fumé :

• ½ paquet : 1 patch de 20 cm^2 ou 1 de 30 cm^2 si cela semble insuffisant,

• 1 paquet : 1 patch de 30 cm^2,

• Plus d'un paquet : 2 patchs de 30 cm^2,

• Plus de deux paquets : 3 patchs de 30 cm^2.

— Il faut garder le patch toute la journée, nuit comprise, quand vous avez envie de fumer votre première cigarette dans la première heure après le lever ou bien l'enlever le soir au coucher quand vous pouvez attendre le matin plus d'une heure avant que l'envie de fumer ne devienne trop forte.

— En plus des patchs, prendre des gommes ou tablettes chaque fois que l'envie de fumer sera là. Attention, les gommes ne se mâchent pas comme des chewing-gums, elles se mastiquent légèrement, puis se placent contre la joue pour laisser la nicotine diffuser contre la muqueuse. Sinon leur goût est rapidement mauvais ! Choisissez les dosages qui vous suppriment le plus efficacement le manque. Autrement dit, n'ayez pas peur des forts dosages.

— Enfin, il faut prendre des patchs suffisamment longtemps et tant que l'on sent que l'on en a besoin. De nombreux médecins ou pharmaciens poussent à ne les prendre que trois mois. Les tabacologues n'hésitent pas à les prescrire pendant un an ou plus s'il le faut. Ce qui compte, c'est d'arrêter : les cigarettes sont infiniment plus toxiques que les substituts nicotiniques.

■ **Patchs grands, moyens, petits**	Nicopatch		21 mg/24 h (30 cm^2) 14 mg/24 h (20 cm^2)
	Nicotinell		7 mg/24 h (10 cm^2)
	Niquitin		21 mg/24 h (22 cm^2)
	Niquitin Clear		14 mg/24 h (15 cm^2) 7 mg/24 h (7 cm^2)
	Nicorette	Découpable	15 mg/16 h (30 cm^2) 10 mg/16 h (20 cm^2) 5 mg/16 h (10 cm^2)
■ **Gommes (2-4 mg)**	Nicorette	Normal, menthe, orange	À la demande
	Nicotinell	Menthe, fruit	À la demande
	Nicogum (2 mg)	Normal	À la demande
■ **Inhalateur 10 mg**	Nicorette	Menthol	À la demande
■ **Tablettes sublinguales**	Nicorette Microtab		À la demande
■ **Comprimés à sucer 2-4 mg**	Niquitin		À la demande
■ **Pastilles à sucer 1,5 mg**	Nicopass	Menthe fraîcheur Réglisse menthe	À la demande

À noter : les patchs Nicorette® peuvent être gardés vingt-quatre heures si nécessaire (ne pas tenir compte de leur indication seize heures écrite sur la boîte). Ils sont intéressants car ils peuvent se découper, la dose obtenue étant proportionnelle à la surface découpée. Ceci est impossible avec les autres patchs. En outre, ils sont discrets et transparents.

Les gommes normales et les comprimés à sucer ont un fort goût de tabac. Cela ne plaît pas à tout le monde !

Les gommes, comprimés à sucer et pastilles aromatisées sont en général plus appréciées. Il faut essayer pour choisir celles qui vous conviennent le mieux.

Ces bases étant décrites, il convient de préciser quelques informations importantes :

— La meilleure façon de ne pas grossir est de prendre des substituts nicotiniques pendant longtemps.

— En cas d'expérience antérieure de sevrage difficile, consultez un tabacologue pour vous faire aider.

— En cas de dépendance forte, il est fortement conseillé de consulter un médecin tabacologue. Car il décidera peut-être de prescrire du bupropion (Zyban®), antidépresseur qui a surtout pour intérêt de détourner du tabac.

— La cause principale d'échec est la dépression. Si vous sentez que votre humeur baisse ou que les idées noires vous guettent, foncez chez votre médecin : les antidépresseurs trouvent ici toute leur place le temps du sevrage.

☞ **Arrêter de fumer diminue beaucoup le risque de maladies graves. Les substituts nicotiniques sont très efficaces sans présenter la toxicité du tabac.**

Les médicaments favorisant le sevrage tabagique en cours de développement

Le rimonabant

Le rimonabant (Acomplia®) est une nouvelle molécule encore au stade de la recherche qui devrait être commercialisée en 2006 ou 2007 par les laboratoires Sanofi-Aventis. Il s'agit d'un tout nouveau médicament apparemment prometteur. Il agit au niveau du cerveau sur des récepteurs endocannabinoïdes qu'il inhibe (et oui, nous avons des récepteurs au cannabis, comme nous en avons pour la morphine !). Cette action a trois effets notables :

— diminuer l'envie de fumer ;

— réduire le poids ;

— améliorer les personnes souffrant de syndrome métabolique : ce médicament normaliserait les paramètres perturbés dans le syndrome métabolique. Ce syndrome associe 3 critères parmi les 5 suivants :

• tension artérielle élevée,

• tour de taille de plus de 102 centimètres chez les hommes et de 88 centimètres chez les femmes,

• taux de sucre dans le sang (glycémie) au-dessus de 1,10 g/l,

• HDL-cholestérol au-dessous de 0,50 g/l,

• triglycérides au-dessus de 1,5 g/l. En l'absence de mesures spécifiques le syndrome métabolique mène au diabète et aux complications cardiovasculaires.

Autrement dit, ce médicament porte de nombreux espoirs et, s'il tient ses promesses, il sera utile pour :

— arrêter de fumer ;

— maigrir ;

— diminuer les risques cardiovasculaires.

Les études à grande échelle disponibles chez l'homme confirment pour l'instant les bons résultats après deux années de traitement [1] :

— 60 % des patients ont perdu plus de 5 % de leur poids et 23 % plus de 10 % ;

— augmentation du HDL cholestérol (bon cholestérol) chez 28 % des patients ;

— baisse des triglycérides dans 9 % des cas ;

— diminution de moitié des cas de syndrome métabolique.

La tolérance est globalement bonne, le rimonabant étant bien supporté par 81 % des gens : 19 % arrêtent pour nausées, vomissements, vertiges, diarrhées.

La varenicline

La varenicline (Champix®) est une autre molécule au stade de recherche. Elle a pour propriété de prendre partiellement la place de la nicotine au niveau des récepteurs nicotiniques dans le cerveau. Du coup, ceux qui en prennent ont beaucoup moins envie de fumer ce qui aide pour s'arrêter ! Les résultats d'une étude présentée en 2005 à l'American Heart Association sont très prometteurs : chez 2 000 fumeurs suivis pendant trois mois, 44 % de ceux qui prenaient de la varenicline avaient arrêté de fumer contre 30 % de ceux qui prenaient du bupropion (Zyban®) et 18 % de ceux qui étaient sous placebo. Mieux, parmi les personnes qui avaient arrêté

---

1. Essai de phase III RIO-Europe présentée au 54ᵉ congrès de l'ACC – Orlando (Floride), mars 2005. Les autres essais en cours sont RIO North America, RIO lipids et RIO Diabetes.

de fumer, ceux qui ont pris pendant six mois supplémentaires de la varenicline ont été 71 % à rester non fumeurs contre 50 % de ceux qui ont continué leur traitement en prenant un placebo [1]. La varenicline développée par les laboratoires Pfizer devrait arriver sur le marché en 2007.

Le vaccin NicVax

NicVax est un vaccin contre la nicotine. Les anticorps antinicotine se fixent sur la nicotine et empêchent le complexe nicotine-anticorps de rejoindre le cerveau. Le stimulus positif de la nicotine est ainsi éliminé, ce qui accélère le sevrage. Les premières études ont montré que 30 % des personnes qui prenaient du NicVax restaient non fumeuses 1 mois plus tard. Sans NicVax, seules 9 % continuaient à ne pas fumer [2].

Le laboratoire développant le NicVax, Nabi Pharmaceuticals, a obtenu, en octobre 2005, 4,1 millions de dollars de l'Institut national américain contre l'abus de drogue (NIDA : National Institute on Drug Abuse). Ce financement permettra la poursuite des études.

Le raloxifène

Le raloxifène (Evista® ou Optruma®) est un médicament indiqué pour prévenir l'ostéoporose. Il permet de diminuer de moitié la survenue d'un cancer du sein, ce qui en fait un médicament potentiellement majeur en prévention de ces cancers chez les femmes à risque élevé. Cette indication de prévention n'est pas encore reconnue en France et la prescription ne sera pas remboursée par la Sécurité sociale. Contrairement aux États-Unis, peu de médecins français pratiquent ce type de prévention pour l'instant. Si cela vous concerne, il faut donc commencer par en parler avec votre médecin car ces médicaments commencent à être pris en charge par quelques assureurs complémentaires.

Le raloxifène se prend à raison d'un comprimé par jour à 60 milligrammes. Il est contre-indiqué en cas de problèmes veineux importants (accident thrombo-embolique), d'insuffisance hépa-

---

1. Communiqué des laboratoires Pfizer, 15 novembre 2005.
2. Nabipharmaceutical, site web : www.nabi.com.

tique ou rénale sévère, de cancer de l'utérus ou d'hémorragie génitale inexpliquée. Il est réservé à la femme qui n'est plus en âge de procréer (ou en cas de ménopause précoce).

☞ **Si vous prenez du raloxifène contre l'ostéoporose, vous êtes plus protégée contre le cancer du sein. Si vous êtes à haut risque de cancer du sein, parlez de ce médicament avec votre médecin.**

Comment organiser
mon dépistage personnel ?

Prévenir, c'est s'occuper de notre bien le plus précieux, notre corps. Nous pouvons donc prendre soin de lui, l'entretenir de toutes sortes de manières. Il faut aussi le surveiller. C'est un peu comme pour une voiture : bien conduire est important pour la sécurité, mais il faut aussi prévoir des contrôles techniques. La médecine moderne nous fournit deux sortes d'armes pour lutter contre les grandes maladies : des moyens de dépistage de plus en plus performants et des traitements de plus en plus efficaces. Pour retirer de ces connaissances le maximum de bénéfices, il faut être bien informé ! C'est particulièrement vrai en ce qui concerne la prévention. Les médecins traitants, débordés par les soins, ont fort peu de temps à consacrer à la prévention. Chacun doit donc se prendre en charge.

Le dépistage, cela s'organise

Pour surveiller sa santé, l'idéal est de s'organiser afin de faire ce qu'il faut au bon moment avec son médecin. Actuellement, le dépistage des principales maladies est bien codifié en fonction de votre âge, de votre sexe et des risques propres à chacun. Vous pouvez donc vous établir un programme de dépistage personnalisé. Vous pouvez ainsi savoir, chaque année, ce qu'il faut faire pour votre santé.

Pour les enfants, les choses sont simples car ils disposent d'un carnet de santé et d'une maman ! Tout ce qui doit être fait est indiqué et la maman n'a plus qu'à organiser les rendez-vous avec le médecin de famille ou le pédiatre. Pour les adultes, cela se corse...

Alors, prenez un carnet qui vous servira de carnet de santé, ou en attendant une feuille blanche. Puis, au fur et à mesure que vous lirez ce chapitre, notez-y tous les dépistages que vous devez faire et la date à laquelle vous devez les pratiquer.

☞ **Pour bien prévenir les maladies graves, chacun doit prendre en charge sa propre prévention et l'organiser.**

Est-ce que je cours des risques particuliers ?

Pour savoir si vous présentez un risque particulier nécessitant l'organisation d'un dépistage spécifique, répondez au questionnaire suivant :

Facteurs de risques pour le dépistage des maladies cardiovasculaires ou des démences (maladie d'Alzheimer notamment) :

— Fumez-vous, même modérément ? Oui/Non.
— Prenez-vous un contraceptif oral ? Oui/Non.
— Êtes-vous en surpoids ? (Indice de masse corporelle > 25. Rappelons que l'IMC se calcule en divisant 2 fois le poids en kg par la taille en m. Exemple : 70 kg/ 1,68 m / 1,68 m = 24,89) Oui/ Non.
— Avez-vous une hypertension artérielle ? (Pour le savoir, faites contrôler votre tension artérielle par votre médecin lors d'une consultation. Valeurs normales < 13,5 pour la maxima et < 8,5 pour la minima.) Oui/Non.
— Avez-vous un cholestérol ou des triglycérides trop élevés ? Taux normal du LDL cholestérol (< 1,3 g/l) ou des triglycérides (< 2 g/l). Oui/Non.
— Êtes-vous diabétique ? Oui/Non.
— Est-ce que l'un de vos parents proches (parents, grands-parents, oncles et tantes, frères et sœurs) a fait un accident cardiaque, ou une mort subite ou une artériopathie, avant 55 ans pour un homme et avant 65 ans pour une femme ? Oui/Non.

— Avez-vous déjà fait un infarctus du myocarde, un accident vasculaire cérébral ou une artérite des membres inférieurs ? Oui/ Non.

— Est-ce que l'un de vos parents proche (parents, grands-parents, oncles et tantes, frères et sœurs) a fait une maladie d'Alzheimer avant l'âge de 70 ans ? Oui/Non.

Facteurs de risque pour le dépistage des cancers :
— Êtes-vous un ancien fumeur ? Oui/Non.

— Avez-vous des risques d'être séropositif pour l'hépatite B ou C (transfusion sanguine avant 1992, hospitalisation avant cette date, expérience de drogue injectable, sexualité avec des personnes séropositives ou à la sérologie inconnue) ? Oui/Non.

— Dans votre famille en ligne directe (parents, grands-parents, oncles et tantes, frères et sœurs) existe-t-il deux cas de cancer du côlon (ou plus) ou un cas de cancer du côlon avant l'âge de 60 ans ? Oui/Non.

— Avez-vous déjà eu un adénome du côlon ou un cancer colorectal ? Oui/Non.

— Avez-vous une maladie inflammatoire de l'intestin (rectocolite ulcéro-hémorragique (RCUH) ou une maladie de Crohn) ? Oui/Non.

— Dans votre famille (parents, grands-parents, oncles et tantes, frères et sœurs,) existe-t-il une des maladies suivantes : une polypose adénomateuse familiale (PAF) ou un cancer colorectal héréditaire sans polypose (HNPCC) ? Oui/Non.

Si vous êtes un homme :
— Dans votre famille (père, grands-pères, oncles, frères), existe-t-il un cas de cancer de la prostate ? Oui/Non.

Si vous êtes une femme :
— Dans votre famille en ligne directe (mère, grands-mères, tantes, sœurs ou filles) existe-t-il trois cas de cancer du sein ou de l'ovaire ? Ou bien existe-t-il deux cas de cancers du sein dont un survenu avant 40 ans et/ou un concernant les deux seins ? Oui/ Non.

— Votre vie sexuelle comporte-t-elle de nombreux partenaires ? Oui/Non.

Facteurs de risque d'ostéoporose (si femme) :
Avez-vous déjà eu au moins une fracture ? Oui/Non.

	À quel âge commencer le dépistage ?	Comment dépister ?	À quel rythme ?	Recommandé officiellement jusqu'à
Cancer du col de l'utérus	Dans l'année qui suit le 1er rapport sexuel	Frottis du col	Tous les 2-3 ans	70 ans
Cancer du sein	20 ans	Autopalpation des seins	Tous les 3 mois	Toute la vie
	50 ans	Mammographie	Tous les 2 ans	Jusqu'à 74 ans
Cancer de la prostate	50 ans	Toucher rectal Dosage PSA	Tous les ans	75 ans
Cancer du côlon	50 ans	Hemoccult (recherche sang dans les selles)	Tous les 2 ans	74 ans
Cancer du testicule	Dès l'adolescence	Autopalpation	Tous les 3 ans	Toute la vie
Cancer de la peau	Dès l'enfance	Inspection	Tous les ans	Toute la vie
Maladies cardiovasculaires	Avant 20 ans	Dosage sanguin du cholestérol et autres lipides, glycémie et prise tension artérielle	1 fois avant 20 ans, 1 fois entre 20 et 45 ans. Tous les 3 ans après 45 ans pour les hommes et 55 ans pour les femmes	70 ans
Santé dentaire	Dès l'enfance	Consultation dentaire	Tous les ans	Tout le temps
Ostéoporose	65 ans	Ostéodensitométrie	1 fois ou pour contrôler l'efficacité d'un traitement	Selon le cas
Mémoire	60 ans si troubles de la mémoire	Test de mémoire	À la demande	Selon le cas

Dans votre famille proche y a-t-il des personnes souffrant d'ostéoporose? Oui/Non.

Suivez-vous un traitement par corticoïdes depuis plus de trois mois? Oui/Non.

— Êtes-vous atteinte par l'une des maladies suivantes : hyper-thyroïdie ou malabsorption intestinale? Oui/Non.

Note : nous prenons en compte le risque d'ostéoporose car il s'agit d'un risque très important de dépendance, voire de décès.

Si toutes vos réponses sont négatives, vous ne présentez pas de risque particulier et votre dépistage est simple.

Si vous répondez positivement à quelques questions, vous devez vous reporter aux mesures spécifiques selon votre cas.

Si vous ne connaissez pas la réponse à une ou plusieurs questions clés, allez voir votre médecin pour faire le point.

Les bases générales du dépistage

Ces bases correspondent au programme de dépistage minimum pour une personne n'ayant aucun facteur de risque particulier. Si c'est votre cas, vous avez répondu non à toutes les questions du test.

Si vous avez des facteurs de risques, selon vos risques, vous devrez ajouter des mesures en plus (voir plus loin). Mais ces bases générales restent valables pour vous.

Quelques précisions

Ce tableau est établi à partir de recommandations officielles. Néanmoins ces indications ne font pas toujours l'unanimité.

Odile, gynécologue :

> « Je ne comprends pas pourquoi on conseille d'arrêter les mammographies après 74 ans car les cancers du sein sont de plus en plus nombreux avec l'âge. J'ai l'impression que les personnes qui ont établi ces règles pensent : à 74 ans, et plus, on peut bien mourir, ce n'est pas grave. Ou encore, ça coûterait trop cher de soigner les personnes de cet âge! Moi, je conseille vraiment à mes patientes de continuer leur dépistage. Aujourd'hui, on peut vivre à plus de 90 ans, je ne vois pas pourquoi on ne devrait plus se dépister après 75 ans! »

Un frottis cervico-vaginal, c'est quoi ?

Cet examen sert à dépister les cancers de l'utérus. Pour cela il faut recueillir des cellules au niveau de l'entrée de l'utérus. Ces cellules seront examinées au microscope par un spécialiste qui détectera s'il s'agit ou non de cellules cancéreuses.

Pendant la consultation, le médecin met en place un spéculum dans le vagin, pour pouvoir atteindre le col de l'utérus, sorte de boule située tout au fond du vagin.

Il frotte ensuite très doucement le col de l'utérus avec une petite spatule de bois arrondie pour décoller quelques cellules. Puis, le médecin pose ensuite ces cellules sur une petite plaque de verre et les fixe avec un produit spécial. Il envoie cette lame de verre au laboratoire pour qu'elle soit examinée au microscope.

Attention, il existe parfois des frottis douteux. Soit les cellules ne sont pas assez nombreuses pour donner un avis, soit il existe de petits signes d'irritation locale qui modifient l'aspect des cellules. Dans ce cas, on doit refaire rapidement un frottis de manière à en obtenir un qui soit plus lisible. Ce cas est fréquent, et il n'y a pas lieu de s'inquiéter !

À propos de frottis, un médecin généraliste raconte : « Il y a quelque temps, je reçois une de mes patientes, Mme Y. en consultation. Elle a pris rendez-vous en urgence. Comme je sais qu'elle devait perdre quelques kilos, je lui demande en souriant. Alors, votre régime ? Elle se met à pleurer en disant : "C'est le cadet de mes soucis, je pense que j'ai un cancer !" Et elle pleure, effondrée. Je lui demande de m'expliquer. Lors d'une consultation de routine, son gynécologue lui a fait un frottis. Quelques jours plus tard, il fait téléphoner sa secrétaire pour demander à cette dame de revenir en consultation en urgence, son frottis étant anormal. La secrétaire propose un rendez-vous quinze jours plus tard. Cette dame est alors persuadée qu'elle a un cancer et vit dans l'angoisse. Lors du rendez-vous, le gynécologue lui dit : votre frottis n'est pas normal, je dois le refaire, sans plus d'explications. Elle pense que c'est d'autant plus grave qu'il ne lui dit rien de plus. C'est ainsi que cette dame vient me voir, dans un état épouvantable. En réalité, son frottis était simplement difficile à lire, avec des cellules inflammatoires. Et elle a passé un mois dans une horrible angoisse, sans que le gynécologue se rende compte que sa manière de procéder était totalement abominable ! »

De nombreux médecins pensent exactement la même chose pour les hommes en ce qui concerne le cancer de la prostate !

Cancer du col de l'utérus

Faites un frottis dans l'année qui suit vos premiers rapports sexuels, et renouvelez-le un an plus tard. Refaites-le tous les deux-trois ans si les résultats sont normaux. Si vos résultats montrent des anomalies, votre programme de dépistage sera dicté par votre médecin.

Cancer du sein

Demandez à votre médecin de vous apprendre à palper vous-même vos seins et faites-le régulièrement. Faites également palper vos seins par votre médecin lors de chaque visite annuelle, par exemple pour votre contraception. À partir de 50 ans, faites une mammographie tous les deux ans (en plus de l'examen clinique annuel avec palpation des seins). Certains radiologues participent à un dépistage gratuit organisé au niveau départemental. Vous pouvez peut-être en bénéficier.

Parfois, le radiologue a du mal à lire votre mammographie, si vos seins sont trop denses par exemple. Il vous proposera alors peut-être une échographie.

Le dépistage du cancer du sein est très efficace, et il a sauvé de nombreuses vies. Aux États-Unis, il participe pour 46 % à la baisse de la mortalité observée dans les cancers du sein depuis vingt-cinq ans [1]. Le reste de la diminution de mortalité est attribuable aux améliorations des traitements.

Un tiers des cancers du sein survient avant 50 ans. Les femmes qui ont des cancers du sein dans leur famille doivent donc commencer le dépistage bien avant 50 ans.

Les femmes qui ont commencé la pilule contraceptive jeune, entre 15 et 20 ans et celles qui ont fumé tôt ou bu trop d'alcool tôt devraient, d'après certains cancérologues, pratiquer une échographie mammaire de dépistage annuelle à partir de 30 ans. En effet, les agents cancérigènes se révèlent d'autant plus toxiques que l'organisme est jeune. C'est ce qui a été montré avec les radiations et les cancers qui ont suivi les bombardements d'Hiroshima et de Nagasaki.

1. Berry D. A., Cronin K. A., Plevritis S. K. *et al.*, « Effect of screening and adjuvant therapy on mortality of breast cancer », *N. Engl. J. Med.*, 353(17), 27 octobre 2005, p. 1784-1792.

Comment se pratique l'autopalpation des seins ?

Il se pratique dans le but de dépister le cancer du sein.
— Faites cet examen tous les trois à six mois.
— Le meilleur moment pour le faire, c'est en début de cycle, juste vers la fin des règles. Pourquoi ? Parce que, juste avant les règles, les seins sont souvent gonflés, granuleux, et donc plus difficiles à examiner.
— Cet examen se fait torse nu.
— Observez vos seins. Faites-le debout devant un miroir.
La peau doit être plane. Elle ne doit pas présenter de creux par endroit, ni de zones bombées.
Après un examen en position debout, observez vos seins en vous penchant en avant. S'il y a une anomalie, elle peut parfois se voir plus facilement.
— Ensuite, palpez. Pour bien le faire, allongez-vous sur le dos. Dans cette position, le sein s'aplatit et s'étale. Posez votre main à plat, les doigts collés les uns contre les autres. La main droite examine le sein gauche, puis la main gauche le sein droit. Palpez avec le plat des doigts, jamais avec le bout ni avec les doigts en crochets. Appuyez le plat des doigts contre les côtes en tournant. S'il y a une tumeur (ça peut être un kyste, un adénome bénin ou un cancer), vous la sentirez rouler entre les doigts et les côtes. Pour cela, il faut faire des ronds en palpant. Ne pincez donc jamais le sein entre le pouce et les autres doigts.
Attention, quand on n'a pas l'habitude, on confond souvent une côte avec une tumeur ! Mais si vous suivez cette fausse tumeur, vous vous apercevez qu'elle est en longueur et très dure car c'est un os.
Pensez aussi à bien palper le côté extérieur du sein qui va jusque sous l'aisselle.
Consultez un médecin généraliste ou un gynécologue si vous constatez une anomalie, et surtout si vous observez un changement, une différence...
Pensez toujours qu'il vaut mieux consulter pour rien que de laisser passer quelque chose qui peut être grave.

Cancer de la prostate

Il faut surveiller sa prostate à partir de 50 ans en effectuant chaque année un toucher rectal et un dosage sanguin des PSA (Antigène prostatique spécifique). Le toucher rectal permet de palper la prostate avec le doigt et d'apprécier son volume, sa forme et sa consistance. Si cet examen vous semble insupportable, surtout ne vous privez pas de dépistage : demandez au moins à votre médecin d'effectuer le dosage des PSA. Cet examen permet déjà un dépistage efficace.

La polémique sur le dépistage sanguin du cancer de la prostate, le dosage des PSA (Antigènes spécifiques de la prostate)

L'utilité du dosage systématique des PSA est contestée par les autorités publiques, mais il est recommandé par l'Association française des urologues (AFU). Qui croire ? À notre avis, plutôt les médecins urologues ! D'autres personnes opposées à ce dosage considèrent que le cancer de la prostate est une maladie qui évolue le plus souvent lentement, en une dizaine d'années ou plus et que cela ne sert à rien de la traiter. Les urologues considèrent au contraire qu'il s'agit d'une vraie perte de chance car les traitements (chirurgie, radiothérapie, chimiothérapie) ont considérablement évolué. Nous concluons pour notre part qu'il est préférable de faire un dosage annuel des PSA, qui est pris en charge par la Sécurité sociale.

Cancer du côlon

Son dépistage consiste à rechercher du sang dans les selles (Hémoccult). Cela permet ensuite de proposer une coloscopie aux

---

Hémoccult, ça se passe comment ?

Son but est de détecter du sang dans les selles, signe possible d'un cancer du côlon.

Avant de faire le test, il faut trois jours de régime alimentaire. En effet, certains aliments pourraient fausser les résultats. Il s'agit d'un régime sans viande, sans aspirine, sans fer, et sans préparation contenant de la vitamine C. Il faut disposer du kit contenant des spatules et des plaquettes.

Le jour J, il faut recueillir des selles. L'idéal est de les faire dans un pot ou équivalent. Avec une spatule en bois, on prélève un peu de selles que l'on dispose à l'endroit prévu sur la plaquette.

Ce test se pratique trois jours d'affilée pour que le dépistage soit efficace.

---

personnes concernées. La coloscopie recherche les polypes intestinaux pour pouvoir les enlever avant qu'ils ne dégénèrent en cancer. En cas de changement dans votre transit intestinal (constipation inhabituelle et persistante, saignements, alternance constipation, diarrhée), consultez votre médecin pour qu'il vous prescrive une coloscopie.

Cancer du testicule

Ce cancer se soigne très bien s'il est pris à temps. Donc, au moindre changement de volume, allez voir votre médecin.

Cancer de la peau

Consultez un dermatologue si vous constatez un grain de beauté ou bouton noir suspect. Un grain de beauté est suspect s'il dépasse 6 millimètres de diamètre et/ou s'épaissit, change de couleur (nuances noires, bleuâtres ou rougeâtres), s'enflamme, rougit, gonfle, démange ou saigne sans avoir été blessé, ou encore apparaît après la puberté sur une peau saine. Attention, le mélanome malin est mortel s'il n'est pas soigné à temps. C'est un cancer très grave.

Maladies cardiovasculaires

Il faut faire un dépistage avant l'âge de 20 ans et, si tout va bien, en faire un autre avant 45 ans chez les hommes et 55 ans chez les femmes. Il faut également faire prendre sa tension artérielle à chaque visite médicale et effectuer un bilan spécifique en cas de début ou de reprise d'un sport (*cf.* chapitre sur l'activité physique).

Santé dentaire

La santé dentaire est essentielle tant pour prévenir des maladies cardiovasculaires que des cancers. En effet caries et gencives infectées représentent une source de microbes et d'inflammation à la porte de l'organisme. Or cancer, infarctus et Alzheimer sont accélérés par l'inflammation.

Ostéodensitométrie

Cet examen sert à savoir si vos os sont suffisamment denses en calcium. Il sera prochainement remboursé par la Sécurité sociale. De nombreuses assurances complémentaires le prennent en charge car il est très utile.

Tests de mémoire

Il faut absolument aller consulter en cas d'impression d'avoir la mémoire qui flanche. Dans plus de 80 % des cas, un simple test (Mini mental test) permettra de vous rassurer. Sinon, le bilan vous permettra de prendre des mesures de prévention encore plus efficaces, voire de commencer un traitement qui sera d'autant plus efficace qu'il sera pris tôt.

Avez-vous un risque élevé de maladie cardiovasculaire? Si oui, comment organiser votre dépistage?

Votre dépistage doit s'adapter au nombre de vos facteurs de risque [1] (vous les avez notés en répondant au test au début de ce chapitre).

Si vous présentez un seul facteur de risque, effectuez un bilan tous les trois ans. Il comportera une prise de tension artérielle, un bilan lipidique (cholestérol total, des triglycérides, HDL-cholestérol et calcul du LDL-cholestérol), un bilan glucidique (glycémie à jeun), ainsi qu'un dosage de la créatinine en cas d'hypertension artérielle. À partir de 45 ans chez les hommes et 55 ans chez les femmes, ce bilan devra être effectué tous les ans.

Si vous présentez deux facteurs de risque, faites ce bilan tous les ans. Idem si vous êtes diabétique ou avez déjà fait un infarctus du myocarde, un accident vasculaire cérébral ou une artérite des membres inférieurs.

---

1. ANAES, *Modalités de dépistage et de diagnostic biologique des dyslipidémies en prévention primaire*, octobre 2000; *id.*, *Principes de dépistage du diabète de type 2*, février 2003; *id.*, *Diagnostic de l'insuffisance rénale chronique chez l'adulte*, septembre 2002.

Note : La pilule contraceptive (ou un patch ou un anneau vaginal) est aussi un facteur de risque pour les maladies cardiovasculaires. Cependant comme les femmes sous contraception sont relativement jeunes, leur risque est moins facile à apprécier. Certains médecins sont très prudents avec ces femmes et les suivent de près. Alain, médecin généraliste : « Quand une femme fume et prend la pilule, je lui prescris un bilan de dépistage avec une prise de sang tous les ans, même si elle est jeune. Je considère qu'elle a deux facteurs de risque. De plus, depuis mon installation ici en campagne il y a treize ans, j'ai déjà vu 2 accidents vasculaires cérébraux chez de très jeunes femmes, alors je suis très méfiant pour l'association tabac pilule. J'essaye bien sûr de les dissuader de fumer, mais cela reste souvent sans effet ! »

Si vous fumez et prenez la pilule ou si vous fumez et êtes en surpoids, vous présentez deux facteurs de risque et votre surveillance doit se faire chaque année.

Les appareils d'automesure tensionnelle sont très efficaces

Grâce à eux, vous pouvez prendre votre tension artérielle de manière fiable et sans médecin. Ils permettent de suivre facilement sa tension artérielle de près. C'est important pour les personnes hypertendues car elles peuvent vérifier régulièrement l'efficacité de leur traitement. C'est aussi important pour ceux qui veulent prendre un maximum de précautions pour leur cœur : la tension artérielle est un facteur de risque majeur. Pour choisir votre appareil consultez la liste de matériels validés disponible sur le site de l'Agence Française de Sécurité Sanitaire des Produits de Santé (AFSSAPS) [1].

Avez-vous un risque élevé de maladie d'Alzheimer ? Si oui, comment organiser votre dépistage ?

Si vous jugez votre mémoire vraiment moins bonne, faites un test de la mémoire auprès d'un spécialiste (médecin neurologue), surtout si vous vous trouvez dans un des cas suivants où les risques sont augmentés :

• Dans votre famille, il existe un ou plusieurs cas de maladie d'Alzheimer survenus avant l'âge de 70 ans.

---

1. http://afssaps.sante.fr/htm/5/tensio.htm.

• Vous présentez des risques de maladie cardiovasculaire et votre mémoire vous semble baisser.

Selon les résultats du test, un dépistage plus poussé pourra vous être proposé par votre médecin. Ce dépistage peut comprendre une IRM cérébrale à la recherche de signes d'atteinte du cerveau, ou encore, une recherche génétique, en cas de risque familial.

Avez-vous un risque élevé de cancer du col de l'utérus ? Si oui, comment organiser votre dépistage ?

Un virus transmissible par voie sexuelle, le *Papilloma virus*, est à l'origine des cancers du col de l'utérus. Ce virus passe la plupart du temps inaperçu, même si, parfois, il provoque des lésions génitales, des crêtes de coq (ou condylomes acuminés) qui peuvent se soigner. Si vous êtes porteuse du *Papilloma virus*, votre risque de cancer du col de l'utérus est élevé.

Le cancer du col de l'utérus est donc un cancer sexuellement transmissible. Il se dépiste traditionnellement en pratiquant régulièrement des frottis à la recherche d'anomalies des cellules du col utérin.

Maintenant, il existe aussi un test permettant de détecter le *Papilloma virus* au niveau du col. En France, on préconise de faire ce test seulement en cas d'anomalie du frottis du col [1]. Aux États-Unis, on préconise de coupler systématiquement le frottis et la recherche du virus car, dans ce cas, on peut être sûr à 100 % du résultat de ces examens. Quand ils sont négatifs, l'absence de cancer est certaine, et l'on peut attendre trois ans pour pratiquer à nouveau ces examens.

En pratique, votre médecin peut vous conseiller sur le dépistage le mieux adapté pour vous. La recherche du *Papilloma virus* n'est pas remboursée par la Sécurité sociale si le frottis est normal. Certaines assurances maladie complémentaires le prennent cependant en charge. Il coûte environ 150 euros.

L'arrivée du vaccin contre le *Papilloma virus* devrait très prochainement révolutionner la prévention du cancer du col de l'utérus.

---

1. ANAES, *Évaluation de l'intérêt de la recherche des papilloma virus humains (HPV) dans le dépistage des lésions précancéreuses et cancéreuses du col de l'utérus*, mai 2004.

Comment vous dépister si vous avez des risques de cancer du foie ?

Le dépistage du cancer du foie passe par celui du dépistage des hépatites B et C. Car un grand nombre de cancers du foie apparaissent sous l'action du virus de l'hépatite B ou C. Ces cancers sont redoutables, et en pleine expansion dans le monde. Ces virus de l'hépatite B et C sont tous deux transmissibles par le sang, et l'hépatite B est également transmissible sexuellement.

La prévention existe contre l'hépatite B sous forme d'un vaccin. Il peut se faire dans l'enfance pour protéger contre ce virus cancérigène dès l'adolescence et les premières expériences sexuelles.

La deuxième prévention est l'utilisation de préservatif lors des relations sexuelles.

Et la troisième prévention est la sécurité sanitaire qui permet une sécurité dans les transfusions sanguines. Elle doit s'associer à des règles d'hygiène pour ne jamais se contaminer par le sang de quelqu'un d'autre. Pas de partage de rasoirs, de brosses à dents, pas de piercing ou tatouage dans des conditions douteuses (c'est plus que fréquent !) ni bien sûr d'échange de seringues pour les personnes utilisant des substances injectables.

Si vous avez pu être exposé à l'un de ces deux virus, le dépistage consiste à faire une prise de sang pour détecter le virus de l'hépatite B et le virus de l'hépatite C. Si un test de dépistage est positif, un traitement antiviral pourra vous être proposé, si vous souffrez d'une hépatite chronique.

Comment vous dépister si vous êtes à risque pour le cancer du sein ?

Le cancer du sein est parfois familial. Si dans votre famille, il en existe plusieurs cas, parlez-en avec votre médecin. Il vous orientera peut-être vers une consultation génétique pour détecter des mutations à risque sur un de vos gènes. Ces mutations sont appelées BRCA1 et BRCA2 [1].

---

1. ANAES, *Le dépistage du cancer du sein par mammographie dans la population générale*, mars 1999.

Si vous présentez ces gènes à risque, un examen clinique chez votre médecin est nécessaire tous les six mois ainsi qu'une mammographie chaque année associée à une échographie. Tout ce dépistage doit s'organiser quand vous avez cinq ans de moins que l'âge le plus jeune de survenue d'un cancer du sein dans votre famille, et au plus tard à 35 ans.

Votre médecin doit aussi vous proposer de pratiquer une échographie pelvienne pour dépister un cancer de l'ovaire. En effet, les gènes qui augmentent le risque de cancer du sein augmentent aussi le risque de cancer de l'ovaire.

Comment vous dépister si vous avez des risques de cancer de la prostate?

En cas de cancers de prostate dans la famille, parlez-en à votre médecin. Il vous dira s'il convient de surveiller vos PSA et votre prostate par un toucher rectal avant l'âge de 50 ans. C'est souvent le cas chez les personnes d'origine africaine ou antillaise chez qui il est souvent préconisé de commencer le dépistage à partir de 45 ans.

Comment vous dépister si vous avez des risques de cancer du côlon [1]?

En cas d'antécédents familiaux de cancers du côlon dans votre famille, une coloscopie de dépistage doit être réalisée cinq ans avant le plus jeune âge de survenue d'un cancer dans votre famille ou au plus tard à 45 ans. Si votre coloscopie est normale, vous devez la renouveler tous les cinq ans pour vous surveiller.

Si vous avez déjà eu un cancer du côlon ou un adénome du côlon, faites une coloscopie de contrôle trois ans après le traitement et, si elle est normale, cinq ans après.

Si vous souffrez de rectocolite ulcéro hémorragique (RCUH) ou maladie de Crohn, il faut faire une coloscopie tous les deux ans après quinze ou vingt ans d'évolution de la maladie.

---

1. ANAES, *Prévention, dépistage et prise en charge des cancers du côlon*, janvier 1998.

S'il existe dans votre famille des cas de polypes dans le côlon (Polypose Adénomateuse Familiale ou PAF) ou de cancer colorectal héréditaire sans polypose (HNPCC), programmez une consultation génétique spécialisée en cancérologie :

Si votre test génétique est normal, il vous suffira de faire une recherche de sang dans les selles (hémoccult) tous les deux ans à partir de 50 ans.

Si votre test génétique confirme une polypose adénomateuse familiale (PAF) il faut faire une coloscopie longue tous les ans à partir de la puberté. Dès que la croissance est terminée, on programme généralement une exérèse du côlon, car le risque de cancer est très important.

Si le test génétique confirme un risque de cancer colorectal héréditaire sans polypose (HNPCC), il faut faire une coloscopie totale tous les deux ans dès l'âge de vingt-cinq ans ou cinq ans avant le plus jeune âge de survenue du cas le plus précoce dans la famille.

Comment dépister les cancers du poumon et les cancers ORL chez les fumeurs et anciens fumeurs ?

Il n'existe pas aujourd'hui de règle bien établie pour le dépistage des cancers du poumon et ORL liés au tabac. Car les radios de poumon systématiques ne sont pas très efficaces. Lorsqu'elles détectent un cancer, il est déjà volumineux et souvent à un stade avancé.

Or, depuis l'année 2004 on sait que le scanner des poumons permet de diagnostiquer les tumeurs quand elles sont de la taille d'un grain de riz. Dans ce cas, la survie est élevée, de 76-78 % [1] ! Il est donc très important que chaque fumeur détermine avec son médecin la stratégie de dépistage qui sera adaptée à son cas. Faire un scanner régulier occasionne une irradiation importante en rayons X. C'est pourquoi ces scanners de dépistage doivent se faire avec de faibles doses de rayons pour ne pas trop accumuler de radioactivité et uniquement chez les personnes à risque.

Pour les anciens fumeurs, ceux qui ont arrêté depuis une vingtaine d'années, on leur conseille de faire un scanner pulmonaire, à faible dose de radiation, pour tourner la page et être tranquille.

---

1. Henschke C. I., « Lung Cancer Study CT screening may cut death », *American College of Radiology*, www.acr.org.

Le tabac peut aussi donner des cancers des voies aériennes et digestives supérieures (ORL). C'est pourquoi un fumeur devrait régulièrement regarder l'intérieur de sa bouche pour vérifier que tout va bien et foncer chez un médecin ORL au moindre changement de voix suspect. En cas de cancer, le pronostic dépend beaucoup du délai de l'intervention.

En pratique, retenons que le cancer du poumon peut aujourd'hui être diagnostiqué à un stade précoce et qu'il faut donc y penser pour en bénéficier.

Comment dépister les cancers de la vessie chez les fumeurs et anciens fumeurs?

Le tabac est la cause n° 1 des cancers de la vessie (la deuxième cause étant les produits chimiques industriels). Ce cancer se dépiste en réalisant régulièrement (tous les ans ou tous les deux ans), à partir de 50 ans chez les fumeurs ou anciens fumeurs, un frottis urinaire (ou cytologie urinaire). En pratique les cellules cancéreuses sont recherchées dans le premier jet d'urine du matin. Ce test reste assez peu sensible et des études sont en cours en France et au Canada pour dépister ces cancers de la vessie en combinant la cytologie urinaire avec une recherche de marqueur tumoral (uCyst+ ou Immunocyst). Quand les deux tests sont négatifs, on peut dire qu'il n'y a pas de cancer de la vessie avec 95 % de certitude [1].

Comment vous dépister si vous avez des risques élevés d'ostéoporose?

Il s'agit d'une altération de la matière osseuse qui rend les os très fragiles. L'ostéoporose se rencontre chez les femmes après la ménopause, et elle entraîne souvent des fractures. Elle peut abréger la durée de vie chez des personnes qui seraient autrement bien portantes.

L'idéal est de pratiquer à 50 ans une ostéodensitométrie si vous présentez un des facteurs de risque suivants :

---

1. Pfister C., « Quelle place et quels outils pour le dépistage du cancer de la vessie aujourd'hui ? », *Progrès en urologie*, 13, (2003), p. 1225-1226.

• Vous avez déjà eu une fracture.

• Dans votre famille, des personnes proches souffrent d'ostéo-porose.

• Vous suivez un traitement par corticoïdes depuis plus de trois mois.

• Vous souffrez d'hyperthyroïdie ou de malabsorption intesti-nale.

• Vous fumez beaucoup.

Cette ostéodensitométrie recherche et mesure une déminéralisa-tion. En fonction des résultats, votre médecin décide ou non de vous prescrire un traitement préventif [1]. En cas de ménopause avant cet âge, l'ostéodensitométrie peut être pratiquée plus tôt.

Conclusion

Pour chacun d'entre nous, organiser son dépistage est essentiel pour prévenir des maladies graves. Cela permet, la plupart du temps, de diagnostiquer précocement une maladie que l'on va pouvoir guérir ou soigner pour éviter les complications. Les pro-grès en la matière ont été considérables ces dernières années. Il ne faut donc pas s'en priver !

Ce qui compte, ce n'est pas seulement d'être au courant, mais c'est de bien s'organiser pour planifier son dépistage et celui de ses proches si on est amené(e) à s'occuper de la santé des autres. C'est en effet la régularité du dépistage qui en fait son efficacité.

Pour les cancers, en cas de dépistage positif, il convient de se faire soigner rapidement. Cette notion est essentielle car la guéri-son dépend le plus souvent de deux facteurs :

— la rapidité avec laquelle l'opération chirurgicale est pro-grammée, si elle est nécessaire ;

— l'expérience de l'équipe médicale.

L'expérience de l'équipe médicale et son organisation en réseau de praticiens sont essentielles pour avoir un maximum de chances quand on est soigné. Il est fondamental de bien se renseigner et ne pas hésiter à aller voir une équipe distante de son lieu d'habitation. Il faut en effet toujours confier sa santé à une équipe qui traite de nombreux cas similaires, une équipe organisée pour suivre les der-

---

1. Cumming S. R., Bates D., Black D. M., « Clinical Use of Bone Densitometry : Scientific Review », *JAMA*, 288(15) 16 octobre 2002, p. 1889-1897.

niers protocoles thérapeutiques. En France, comme partout dans le monde, les meilleures équipes côtoient les pires. Le professeur David Khayat, président de l'Institut national du cancer, le dit lui-même : « En France, la mortalité par cancer varie de 1 à 6 selon les endroits [1] », ou encore : « J'estime qu'environ 10 % des professionnels qui interviennent sur le cancer n'auront plus le droit de le faire » (une fois les nouvelles normes mises en place).

Bien se renseigner, c'est demander l'avis de votre médecin de famille et les avis d'autres médecins s'il le faut. Vous pouvez aussi appeler Cancer Info Service au 0810 810 821. Il s'agit d'un service d'information de l'Institut national du cancer.

Pour les maladies cardiovasculaires, la qualité de l'équipe médico-chirurgicale est là aussi essentielle. Surtout, informez-vous bien.

---

1. *Le Parisien*, 19 avril 2005.

Commencer à prévenir pour nos enfants

Tout commence à se jouer très tôt, y compris en matière de prévention ! Obésité, sédentarité, tabagisme sont très influencés par les premières années de la vie. Le mode de vie dès l'enfance a un impact sur les maladies de l'adulte, notamment les cancers.

Cinq facteurs présents avant l'âge de 3 ans sont associés à une obésité à l'âge de 7 ans [1] :
— l'obésité des parents ;
— le poids de naissance : plus l'enfant est gros, plus le risque est élevé ;
— l'importance de la prise de poids et de la croissance pendant la première année ;
— une durée de sommeil trop courte, de moins de dix heures et demie ;
— plus de huit heures par semaine passées devant la télévision.
La survenue des cancers est directement proportionnelle aux quantités de calories ingérées pendant l'enfance... Plus on mange dans l'enfance, et plus on s'expose au risque de cancer plus tard.
Les études sur le sujet sont rares mais claires. En voici deux :
— Les femmes norvégiennes qui ont fait leur puberté pendant la Deuxième Guerre mondiale, et étaient donc moins bien ali-

---

1. Reilly J. J., Armstrong J., Dorosty A. R., Emmett P. M., *et al.*, « Early life risk factors for obesity in childhood : cohort study », *BMJ*, 330, 2005, p. 1357 s. publication en ligne 20 mai 2005.

mentées, ont fait 13 % de cancers du sein en moins que celles qui les avaient précédées [1].

— Une autre étude a enregistré juste avant la guerre (1937-39) le poids et les habitudes alimentaires de 3 834 enfants de moins de 16 ans. À partir de 1948, ils ont tous été suivis jusqu'en 1996, ce qui a permis de connaître leur taux de décès par cancer en fonction de leur alimentation pendant leur enfance. Résultat : plus la quantité de calories ingérées était importante, plus le nombre de cancers l'était également, et ce pour toutes les formes de cancers [2].

Ce n'est pas une raison pour être totalement obsédé par le poids de ses enfants et les mettre au régime ! Il vaut mieux laisser faire les enfants, au moins en matière de quantités.

Manger bien et à sa faim

Les enfants sont plus doués que les adultes pour apprécier la quantité de nourriture dont ils ont naturellement besoin. S'ils se bourrent en apéritif de cacahuètes ou gâteaux salés, comme par réflexe, ils mangent moins à table. Cela n'est pas le cas des adultes [3] qui peuvent augmenter énormément leur ration calorique sans en avoir vraiment conscience. Les enfants, eux, ont une tendance spontanée à rester à une ration énergétique constante à 10 % près.

Autrement dit, les enfants sont sensibles à la satiété qui régule leur faim, alors que les adultes ont intégré des comportements plus sociaux, leur permettant de manger plus que de besoin. Il faut donc respecter chez l'enfant cette tendance naturelle à adapter ses prises alimentaires à ses besoins et ne pas l'obliger à finir systématiquement son assiette.

Certaines mères contrôlent de très près les prises alimentaires de leurs enfants [4] : elles les obligent à manger exclusivement à table plutôt qu'en réponse à la faim, elles les obligent à finir leurs assiettes. Ces mères « fabriquent » des enfants moins sensibles à

---

1. Tretli S., Gaard M., « Lifestyle changes during adolescence and risk of breast cancer : an ecologic study of the effect of World War II in Norway », *Cancer Causes Control*, 7(5) septembre 1996, p. 507-512.

2. Reilly J. J., Armstrong J., Dorosty A. R. *et al.*, « Early life risk factors for obesity in childhood : cohort study », *BMJ*, 330(7504) 11 juin 2005, p. 1339-1340.

3. Leann Birch, université du Michigan, étude sur 21 enfants âgés de 2 à 5 ans et sur 26 adultes citée par *Cerveau & Psycho*, n° 9.

4. Leann Birch, psychologue, université du Michigan.

leur satiété, les entraînent à manger plus que leurs besoins, et les incitent à ne pas écouter leur corps. Ils seront donc par la suite, au fil des années, plus sujets à l'obésité et à toutes les maladies qui en découlent.

Ne pas forcer sur les quantités est donc essentiel, même si l'enfant ne vous paraît pas assez gros ! Inversement, il faut savoir repérer les débuts de l'obésité chez un enfant pour commencer à prendre des mesures. Dans un cas comme dans l'autre, les parents ne sont pas toujours les mieux placés pour apprécier la corpulence de leurs enfants. Il a été ainsi montré que les parents obèses avaient tendance à sous-estimer l'obésité de leurs propres enfants [1] !

Il est extrêmement important d'initier un enfant à la variété et là, ce n'est pas du tout naturel pour nos enfants. Une étude réalisée auprès de 321 enfants de 4 à 18 ans indique qu'ils préfèrent de loin les aliments gras, sucrés, de texture molle et nourrissants comme le chocolat, le beurre ou la banane et qu'ils apprécient peu les aliments croquants et moins nourrissants comme les légumes. Et de toute évidence, ils préfèrent les pâtes et les laitages aux légumes et fruits, ce qui donne une idée du chemin à parcourir !

En pratique, quelques règles simples vont permettre d'instituer en douceur un bon apprentissage alimentaire :

— **Ne forcez pas l'enfant à manger** quelque chose qu'il n'aime pas, mais **incitez-le à goûter de tout**, même un tout petit peu s'il n'en a pas envie.

— **Répétez les expériences de nouveauté** régulièrement. Il a été démontré que la répétition augmente le goût pour le produit. Une nutritionniste affirme qu'il faut goûter au moins douze fois quelque chose avant de décider si on l'aime ou pas. Car certains aliments ne se font pas aimer d'emblée !

— **Respectez ses dégoûts**. Chacun en a quelques-uns !

— **Expliquez les aliments** de manière élaborée : d'où vient ce légume, ce fruit, cette épice, etc., comment il se cultive, se cuisine, etc. Ne vous contentez pas du « c'est bon », ou « c'est bon pour la santé »).

— **Faites cuisiner votre enfant**. Il mangera plus volontiers s'il a participé à la préparation du repas.

---

1. Jeffery A. N., Voss L. D., Metcalf B. S. *et al.*, « Parents' awareness of overweight in themselves and their children : cross sectional study within a cohort (EarlyBird 21) », *BMJ*, 330, 2005, p. 23-24 ; publication en ligne 26 novembre 2004.

— **Associez les légumes à des féculents**, plus rassasiants. Un plat d'épinards, c'est difficile à apprécier, alors qu'un peu d'épinards dans des spaghettis, ça passe tout seul.

— **Partagez le plaisir de manger ensemble** et associez les plaisirs à chaque plat. Les repas doivent être des moments chaleureux, poussant l'enfant à être bien en faisant comme les autres.

Comme les enfants sont curieux et avides d'explications, expliquez-leur pourquoi les aliments sont bons pour bien grandir et pour leur santé. Expliquez aussi comment choisir un bon produit et ce qui peut être mauvais dans un autre. C'est d'autant plus important que la culture alimentaire nous vient de plus en plus de la publicité de l'industrie alimentaire : il est bon de contrecarrer les idées fausses qui peuvent en découler.

☞ **Pour que nos enfants mangent bien, ne pas les forcer sur les quantités, varier leur alimentation et les pousser à goûter de tout. Partagez avec eux le plaisir de la table.**

Activité physique, sédentarité et sommeil

L'activité physique et le sommeil sont des clés d'une bonne prévention. Là aussi tout peut se jouer tôt. Des parents qui aiment la marche, bricolent, jardinent, font du sport, aiment les sorties en plein air, préparent à une vie active pour plus tard.

Organisez pour vos enfants des vacances dynamiques dont ils se souviendront toute la vie, randonnées, camping, voyages... Idem pour les week-ends. Privilégiez les marches en forêt, sorties en vélo, courses de patin ou de trottinettes, parties de piscine, ou initiation à de nouveaux sports. Autrement dit, être actif physiquement cela s'apprend et devient un plaisir quand on commence tôt.

Il est frappant de constater à quel point en France l'éducation physique est déficiente dans notre système scolaire où l'essentiel de l'apprentissage se fait autour de l'athlétisme ou de la gymnastique. Dans un pays comme la Grande-Bretagne, les enfants sont beaucoup mieux formés aux jeux collectifs, ce qui les aide plus tard à garder une activité physique sociale.

Marianne :

« Mes enfants détestent le sport à l'école. C'est vrai qu'ils font beaucoup d'athlétisme et ils sont souvent les derniers en course par exemple. À la piscine ils ont réussi à dégoûter ma fille qui adorait nager en l'obligeant à passer sous l'eau dans des tuyaux très étroits. Cela lui faisait très peur, elle se faisait apparemment gronder sévèrement. Elle revenait en pleurs. Elle s'angoissait à l'idée d'y retourner. Pourtant, en vacances, elle demandait des cours de natation et elle adorait ça, y compris les cours de perfectionnement et d'apprentissage du crawl et de la plongée ! C'est vraiment dommage de ne penser qu'à une performance et pas à donner aux enfants le plaisir du sport. Heureusement, tous les enseignants en sport ne sont pas comme ça. Néanmoins les cours de sport de mon enfance étaient un peu pareils. Tout le monde rêvait de se faire dispenser. C'est le signe que la méthode n'est franchement pas au point. Le sport devrait, à mon avis, être un plaisir ! Le but du sport à l'école, ça devrait être de faire aimer ça pour que l'on ait tous envie de continuer une fois dans la vie active ! »

Mais le plus grand piège est aujourd'hui la sédentarité qui scotche les enfants devant des écrans de télévision, d'ordinateur ou de jeux vidéo. C'est l'une des principales causes d'obésité de l'enfant qui prend l'habitude de ne plus bouger, tout en grignotant diverses « cochonneries » grasses et sucrées. Soyons clairs : ces activités peuvent devenir aussi toxiques que des drogues dures et l'enfant n'est pas capable de s'en sortir seul.

Il est essentiel que les parents en prennent conscience et limitent d'autorité le temps d'exposition à ces activités. Concrètement cela signifie :

— La télévision n'a pas sa place dans les chambres, la cuisine ou la salle à manger.

— D'autres activités de loisir, dont la discussion et la lecture doivent être pratiquées par tous, adultes compris.

— Les programmes doivent être sélectionnés à l'avance et non pas, sauf rare exception, être choisis par hasard.

— Les temps de jeux doivent être très limités.

C'est contraignant pour les parents ! L'enfant moins passif a besoin qu'on s'occupe de lui. Si on l'empêche de rester devant un écran, il demande plus d'attention. C'est la difficulté des parents débordés qui rêvent de tranquillité !

Cela vaut pourtant la peine de faire des efforts car tout est lié. Plus de temps devant les écrans, c'est plus d'obésité, mais aussi des résultats scolaires moins bons. Et puis, un enfant qui doit trouver comment s'occuper autrement, invente de nouveaux jeux et finit même par laisser un peu d'espace à ses parents. Le temps du sevrage est difficile. Habitué à vivre en consommateur de programmes, de jeux, l'enfant ne sait plus comment passer le temps et met ses parents à contribution : « Je ne sais pas quoi faire, je m'ennuie... »

Marielle :

> « Mère de trois garçons et une fille, j'avais décidé d'interdire totalement les jeux vidéo, car je sentais qu'ils grignotaient de plus en plus de temps. J'ai essayé de fixer des règles, mais les enfants dépassaient toujours, systématiquement, leur temps imparti. Ils se levaient plus tôt pour jouer et mentaient effrontément en prétendant qu'ils venaient de se lever. C'est vraiment comme une drogue. Résultat, l'interdiction totale a été proclamée. Le premier week-end, au début, c'était l'enfer. Ils râlaient abominablement, surtout les garçons. Ils geignaient : "On s'ennuie, on ne sait pas quoi faire..." J'en ai eu ras le bol et j'ai fini par dire : "Il paraît que c'est très bon pour des enfants de s'ennuyer. C'est dans ces moments-là qu'ils inventent des jeux extraordinaires qui développent leur imagination." Ces paroles ont eu un résultat incroyable. Ils ont cherché à quoi jouer. Tout l'après-midi, ils ont fabriqué des avions géants en papier, en scotchant quatre ou huit grandes feuilles. Ils les lançaient par les fenêtres du deuxième étage. Bien sûr, j'ai eu la course dans l'escalier, et du papier un peu partout, mais au moins, ils se sont dépensés et ont inventé. Et ils avaient les joues roses et les yeux qui brillaient de fierté devant les exploits de leurs avions. Jamais ils n'ont cette mine réjouie après avoir joué sur leur console ! Du coup, je vais continuer l'expérience "Interdiction totale" de jouer devant un écran. J'ai l'impression que c'est bien plus facile d'interdire que de contrôler ! Ces jeux, c'est peut-être un peu comme les drogues effectivement. C'est plus facile d'arrêter de fumer que de s'efforcer de réduire ! »

Il n'y a pas de recette miracle. Certains suppriment totalement les écrans à la maison, d'autres en limitent l'accès. Il faut décider pour l'enfant et s'en tenir à la même règle pour les parents. Vous ne pouvez pas interdire totalement la Playstation si vous y restez collé vous-même tout le week-end !

En revanche, il est un énorme avantage à cette politique restrictive : les enfants sont souvent beaucoup plus calmes, studieux et se disputent moins entre eux : les écrans finissent par rendre nerveux et agressif, notamment quand il y a compétition pour un jeu, un programme ou quand tout simplement il faut bien arrêter.

Le sommeil doit faire l'objet de la même attention et c'est très tôt que les habitudes se prennent. Il est très important que les enfants dorment suffisamment et donc d'instituer des rituels de coucher à des heures normales. Là encore, l'enfant préfère rester jouer que d'aller se coucher. Il faut donc l'aider pour son bien et aussi pour le bien du couple qui pourra ainsi garder un peu de temps à lui.

☞ **Donnez à vos enfants des règles pour un usage limité de la télévision et des jeux vidéo. Poussez-les à faire du sport et faites-en avec eux.**

Comment éviter qu'ils commencent à fumer ?

Moins on fume à la maison, moins nos enfants risquent de devenir fumeurs. C'est un fait établi. Pourtant, 80 % des adolescents essaieront malgré tout de fumer une cigarette un jour ou l'autre.

Une enquête de la SOFRES a permis de mieux comprendre les motivations des jeunes quand ils s'essayent au tabac [1] : jusqu'à 10-12 ans ils sont très opposés au tabac. Mais à partir de 13-15 ans, avec l'adolescence, tout change. La cigarette devient un attribut d'adulte avec un caractère initiatique et social fort. Elle s'accompagne d'un interdit qui pousse à la transgression et puis, pensent-ils, il faut essayer pour ne pas mourir idiot !

Derrière ces généralités, que nous apprend l'étude SOFRES en pratique ?

— Les jeunes qui ont le moins de risque de devenir dépendants du tabac ont des parents non fumeurs... sauf si ceux-ci posent de très fortes interdictions. L'exemple est donc suffisant et il

---

1. Enquête SOFRES pour le Comité d'éducation pour la santé, « Les jeunes et le tabac », *Monographies européennes de recherche en éducation pour la santé*, 1983, n° 4, p. 7-116.

n'est pas nécessaire de rajouter des interdits stricts qui seront contre-productifs. Ces interdits sont déjà véhiculés par la société, l'école... Pour les parents anciens fumeurs, l'exemple est d'autant plus performant qu'ils sont arrivés au stade de l'indifférence.

— A contrario, l'enfant a d'autant plus de risques de devenir fumeur que le parent du même sexe est lui-même fumeur. Et si, en plus, les parents fumeurs sont autoritaires et lui interdisent formellement le tabac, le risque est encore plus grand.

Ne pas être trop autoritaire, ne pas trop marteler d'interdits sur le tabac est donc essentiel.

Il faut en revanche surveiller les enfants, s'intéresser à eux et être à l'écoute de leurs détresses personnelles. Les enfants les moins surveillés ont davantage tendance à fumer. Ils appartiennent plus souvent au groupe de jeunes le plus en avance sur le plan psycho-sexuel et le moins assidu à la réussite scolaire.

L'idéal est donc de placer l'enfant dans un contexte équilibrant et épanouissant, ouvert au dialogue et affichant des conduites saines. De plus ne pas interdire « officiellement » ne signifie pas ne pas informer sur les dangers du tabac et des substances psycho-actives en général, dont l'alcool.

☞ **Pour que nos enfants ne fument pas, il est bon de ne pas fumer, d'informer plutôt que d'interdire la cigarette et de rester à l'écoute de leurs difficultés.**

Le protéger du soleil

La durée d'exposition au soleil et la fréquence des coups de soleil pendant l'enfance sont responsables des cancers de la peau qui se déclareront plus tard. Il est donc important de protéger son enfant du soleil.

Il ne faut pas se contenter des crèmes solaires qui ne les protègent pas vraiment longtemps (ils se baignent, se frottent dans le sable, etc.), mais il vaut mieux les garder à l'ombre pendant les heures chaudes et leur couvrir au maximum les bras et les jambes, tout en les équipant de casquettes, bob et autres chapeaux et de lunettes de soleil.

Quant aux crèmes solaires, qu'il faut utiliser systématiquement quand ils sont exposés, choisissez-les avec un indice de protection élevé (anti-UVA et anti-UVB).

Suivre sa santé, vaccination, dentiste

Le suivi de sa santé est aussi une notion qui se consolide pendant l'adolescence. C'est pour cela qu'il est important d'expliquer l'intérêt des vaccinations. Pourquoi pas de proposer à l'enfant de prendre l'habitude de se vacciner contre la grippe chaque année ? Une mauvaise grippe peut en effet très mal tomber, en pleine période de contrôles et mettre une année scolaire à mal. Cette habitude de vacciner tout le monde contre la grippe [1] existe par exemple au Japon avec d'excellents résultats.

Le début d'un nouveau sport est aussi l'occasion d'une visite de contrôle, qu'il faut faire sérieusement et pas seulement pour obtenir un certificat. Ce qui compte c'est que l'adolescent comprenne que sa santé est importante et que son médecin est son allié. Ce dernier pourra au passage lui poser quelques questions pour s'assurer que tout va bien. Il pourra aussi inspecter sa peau et s'assurer de l'absence de tout grain de beauté suspect.

La visite annuelle chez le dentiste est tout aussi fondamentale et participe à la même habitude de prendre soin de soi.

Contraception, éducation sexuelle

C'est bien avant la puberté qu'il faut commencer à parler de notre corps qui est précieux, de ses organes sexuels et de la sexualité en général. C'est à cette condition qu'il sera possible après le début de la puberté d'échanger sur la sexualité, la protection contre les infections sexuellement transmissibles et la contraception. Là encore, l'important est de montrer à l'adolescent qu'il est

---

1. La grippe est la maladie infectieuse la plus meurtrière chez l'enfant et pour laquelle on dispose d'un vaccin. Elle provoque plus de décès que le pneumocoque, la coqueluche ou la varicelle. C'est ce que vient de montrer le Centre de contrôle des maladies américain (Center for Deaseases Contro-CDC). Bath N. *et al.*, « Influenza – associated death among children in the United States, 2003-2004 », *N. Engl. J. Med.*, 2005, 353, 2259-2267.

l'artisan de sa vie et que sa santé peut aussi engager celle des autres.

C'est aussi un temps fort pour apprendre à s'aimer soi-même ! À cet âge, on se fixe sur des détails qui paraissent anormaux. Les forums Internet sont remplis de ces questions angoissées sur la taille des seins, du pénis, des petites lèvres, ou encore sur le poids ou la maigreur, sur la grandeur ou la petitesse, etc. L'adolescent veut être normal sans se rendre compte qu'il est avant tout unique, donc normal ! Il faut le rassurer sans cesse et le soutenir dans ses expériences, le féliciter et le gratifier.

Car la meilleure motivation pour bien s'occuper de sa santé plus tard, pour faire de la prévention active, c'est d'avoir un esprit positif et de s'aimer soi-même, c'est là notre conviction la plus profonde ! Et rien ne vaut la famille et l'entourage pour savoir que l'on compte pour les autres et pour apprendre à prendre soin de soi...

Les accidents de la vie

Les accidents de la route et les accidents domestiques doivent naturellement faire l'objet d'une prévention active. Les risques sont généralement très sous-estimés. C'est ce que nous apprend une publication de l'observatoire de la MACIF[1].

Pour les accidents de la route, nous pensons que l'alcool est responsable de 25 % des accidents et la vitesse de 15 %. En réalité l'alcool est en cause dans un accident mortel sur deux et la vitesse dans 1 cas sur 3. Quant aux téléphones portables, 40 % des Français les laissent allumés dans leur voiture et la moitié décrochent quand il sonne.

À la maison, c'est l'incendie qui fait le plus peur, mis en cause dans 29 % des accidents, suivi des chutes dans 27 % des cas, les brûlures et les noyades étant évoquées dans 13 % des cas respectivement. Dans les faits, ce sont les chutes qui arrivent largement en tête avec 54 % des décès, les autres causes étant loin derrière : 6 % pour les brûlures, 3 % pour les noyades et 2 % pour les incendies.

---

1. « Prévention : les Français ne veulent pas voir les vrais dangers », *L'Argus de l'Assurance*, 6929, 13 mai 2005.

Organiser la prévention au travail

La prévention doit-elle exister dans le cadre du travail ? On pourrait considérer que c'est à chacun de se prendre en charge, de faire ce qu'il faut pour prévenir les maladies graves et se maintenir en bonne santé.

Or, entre 20 et 50 ans, la plupart des adultes ne s'occupent jamais de leur santé. Dans leur enfance, leur maman, assistée du carnet de santé s'y emploie, puis après 60 ans, la retraite et l'âge aidant, chacun réalise qu'il est temps de penser à sa santé pour profiter de la vie longtemps.

Entre les deux, la santé passe vraiment au second plan des préoccupations. C'est là que l'entreprise peut jouer un rôle extrêmement utile et positif.

C'est d'autant plus vrai que le travail n'est plus ce qu'il était ! « Nous ne sommes pas des mineurs de fond travaillant dans des conditions dangereuses... Maintenant, à cause de la médecine du travail, on en arrive à presque trop de prévention », affirme John, cadre dans une unité de production.

Cette idée est complètement démentie par les faits : **les maladies professionnelles ont été multipliées par 13 en dix ans**, entre 1990 et 2000 [1] ! Le monde du travail a profondément changé et les conséquences sur la santé sont redoutables.

Le travail a un statut paradoxal : lieu positif, source de développement personnel, il est aussi un lieu négatif, sources de tourments. La preuve, en 2004 17,2 % des consultations médicales étaient dues à

---

1. Askenazy Ph., *Les Désordres du travail*, Seuil, 2004.

des maladies liées au travail [1]. Il est aussi source de stress, un élément très négatif pour la santé !

Et quand il manque, le travail agresse encore l'organisme ! Le chômage entraîne des dépressions et des maladies cardiovasculaires.

Le travail est-ce vraiment la santé ?

Parmi les Français, 69 % sont satisfaits de leur travail [2]. Il s'agit d'un lieu d'épanouissement personnel et de reconnaissance des compétences pour 70 % d'entre eux. Il permet d'acquérir des savoirs, selon 77 % des Français qui ont une bonne opinion de leurs patrons dans 80 % des cas. Ces chiffres globaux varient selon le type d'entreprise, mais les ordres de grandeur restent les mêmes. Par exemple en matière d'épanouissement personnel, celui-ci atteint 79 % dans les entreprises de moins de 10 salariés, 69 % de 101 à 500 salariés et 60 % pour les plus de 500 employés. Le secteur privé compte 10 % de satisfaits de plus que le secteur public. L'entreprise n'est donc pas un lieu de torture, bien au contraire.

Mais le travail a profondément changé en l'espace d'une dizaine d'années et l'entreprise est devenue source de stress pour 60 % des salariés et un lieu de frustration pour 25 % des employés du privé et 34 % des fonctionnaires. Un salarié sur cinq se prend maintenant des médicaments ou compléments pour tenir le coup [3] !

Le travail est devenu plus intéressant, mais plus stressant

Les entreprises doivent faire face à toujours plus de concurrence avec un objectif : toujours plus de productivité. Selon Philippe Askenazy, « les nouvelles clés de la compétitivité passent par l'adaptation permanente et la qualité des biens et services produits.

---

1. Sondage IFOP-RSS réalisé pour Le *Quotidien du médecin*, 7565, mardi 22 juin 2004.
2. Sondage Institut CSA mai 2003.
3. Maryse Lapeyre-Mestre, *Thérapie*, avril 2005.

Le travail doit en conséquence s'organiser à partir d'une exigence de réactivité, de souplesse et de flexibilité ».

Paul, cadre dans une entreprise de services bancaires, témoigne :

> « Mon travail a beaucoup changé en dix ans. Avant je n'étais que cadre junior dans l'entreprise, mais j'avais une assistante qui dactylographiait mon courrier et mes rapports. Maintenant c'est moi qui fais tout ! Je vais même jusqu'à réserver mes billets de train ou d'avion et je prépare moi-même les contrats. Quant aux clients ils ont mon portable et mon mail... Je fais aussi des choses plus intéressantes et j'ai moins de chefs qu'avant : je suis beaucoup plus autonome et je traite souvent directement avec les clients pour certaines de leurs demandes. Mon travail est plus riche mais je suis aussi souvent sous pression ! »
> Idem pour Jacques qui est chef de rayon dans un supermarché. Maintenant c'est lui qui traite directement avec ses fournisseurs locaux, mais c'est aussi lui qui porte les colis pour regarnir le rayon s'il le faut, son équipe étant souvent surbookée !

Cette pression très liée à la demande des clients, c'est ce que Philippe Askenazy appelle le « productivisme réactif ». Ce nouveau mode d'organisation peut être positif, s'il « est source d'intellectualisation, de polyvalence, de mise en responsabilité des travailleurs, et donc a priori d'enrichissement du travail ».

Mais cet enrichissement s'est accompagné de contraintes physiques et mentales liées à une intensification du travail. On demande maintenant beaucoup aux travailleurs : polyvalence, polycompétence, flexibilité, travail autogéré, juste à temps, satisfaction totale du client, qualité zéro défauts, utilisation intensive des technologies de communication... et bien sûr en plus le sourire !

Ce haut degré d'exigence provoque des tensions psychiques et physiques terribles. Et cela touche toutes les fonctions et tous les secteurs, industriels et tertiaires. Ces souffrances sont très variées et en voici une idée pour l'Europe [1] :

— 69 % des personnes au travail se plaignent d'un rythme très exigeant imposé par la demande du client ;

— 56 % d'un rythme de travail très élevé pendant plus du quart de leur temps de travail ;

— 40 % d'un travail monotone,

---

1. Agence State of Occupational Safety and Health in the European Union.

— 28 % constatent des conséquences sur leur santé du stress lié à leur travail ;

— 20 % se plaignent encore d'un rythme infernal dicté par des machines ou par le flux des produits ;

— 9 % de harcèlement et d'intimidation ;

— 4 % de violences physiques ;

— 2 % de harcèlement sexuel.

Les conséquences sont lourdes. Les maladies professionnelles ont été multipliées par 13 en dix ans et les accidents du travail avec arrêt ont augmenté de 13 % entre 1997 et 2000 [1]. Le stress est à lui seul responsable de 50 à 60 % des journées de travail perdues [2] (ce qui correspond à quatre jours de travail par salarié par an). Le « dopage » (médicaments, drogues ou compléments) se développe et les salariés se démotivent. 48 % des cadres signalent ainsi une baisse de leur motivation [3].

Le coût du stress

Le stress est responsable de nombreuses pathologies donc de coûts pour les individus, pour la société et pour les entreprises. Au plan européen, le coût du stress dans les entreprises est estimé à 20 milliards d'euros par an soit 10 % des coûts des problèmes de santé liés au travail (estimés entre 185 et 269 milliards d'euros, soit 2,6 à 3,8 % des PIB) [4].

Pour estimer le coût du stress en France en l'an 2000, l'approche retenue (Béjean, Sultan-Taïeb, Trontin, 2004) s'est limitée aux trois grandes maladies liées au stress, les maladies cardiovasculaires, les dépressions et les troubles musculo-squelettiques (ou TMS). Sur 23,53 millions de personnes travaillant en France, 220 à 335 000 sont touchées par l'une de ces trois pathologies, soit 1 à 1,4 % des gens. Le coût du stress peut alors être estimé entre 830 et 1 656 millions d'euros, soit 10 à 20 % des dépenses de la branche accidents du travail et des maladies professionnelles de l'assurance maladie [5].

---

1. Zeggar H., Roux J. et Saintignon P., « La prévention sanitaire en milieu de travail », rapport février 2003.
2. Tom Cox. Étude Fondation Européenne en 1996 et 2000.
3. *Le Journal du Management*, février 2005.
4. Agence européenne pour la sécurité et la santé au travail, 1999.
5. INRS, *Le Stress au travail*, www.inrs.fr

Nous emboîtons le pas des États-Unis, avec dix ans de retard

Ces phénomènes s'observent partout dans le monde et ont commencé aux États-Unis avec une dizaine d'années d'avance. La courbe ci-après, tirée du livre de Philippe Askenazy [1], l'illustre parfaitement :

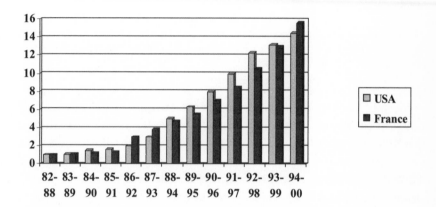

Cette courbe montre l'augmentation des maladies professionnelles dues à des traumatismes répétés de 1982 à 1994 aux USA et à des TMS en France de 1988 à 2000.

Aux États-Unis, les hausses des primes d'assurance couvrant les maladies professionnelles et les accidents du travail ont fini par représenter 2,5 du coût du travail total et 5 % des bénéfices des entreprises. Cela explique pourquoi les Américains ont pris le problème à bras-le-corps en mettant en place des programmes de prévention dans les entreprises, et cela a été très efficace !

La prévention est efficace et, en plus, source d'économies et d'efficacité

Depuis 1994, les États-Unis ont réussi à inverser la tendance en décidant d'agir.

---

1. Askenazy Ph., *Les Désordres du travail*, *op. cit.*

	Évolution
Maladies professionnelles et accidents	– 40 % [1]
Arrêt du travail	– 22 %
Présentéisme (présence improductive)	– 40 %
Dépenses de santé	– 60 % (part assurance maladie incluse)
Productivité	+ 3 %
Turn over (départ du personnel)	– 25 % [2]
Engagement des collaborateurs	+ 20 % [3]

Ce tableau montre que les accidents et maladies professionnels peuvent diminuer sans nuire à la productivité, et en permettant de diminuer les dépenses de santé, et le turn-over des salariés. Ce résultat est extrêmement positif. Si l'on met en place une politique de santé préventive en entreprise, tout le monde se porte mieux, les personnes au travail, mais aussi l'entreprise, et même ses bénéfices !

Pour parvenir à de tels résultats, les employeurs ne doivent pas considérer leurs salariés comme de simples outils de travail, mais comme la vraie richesse de l'entreprise, ce qu'elle a de plus précieux.

> Exemple de Motorola [4] : l'industriel américain, qui emploie 45 000 personnes aux États-Unis, a investi 6 millions de dollars par an, soit 133 dollars par salariés, dans un programme de prévention comprenant :
> — de l'éducation sanitaire (information sur les habitudes de vie bénéfiques pour la santé) ;
> — de l'accompagnement par des professionnels de santé des salariés confrontés à des problèmes de santé spécifiques (asthme, cancer, dépression, diabète, maladies infectieuses, vaccination, tabac, stress, problème de nutrition et de surpoids) ;
> — un plateau téléphonique répondant aux questions santé des salariés.

1. Légeron P., *Le Stress au travail*, *op. cit.*
2. Sayeed Khan, Conférence réadaptation du personnel, EEF, mai 2001.
3. Étude Gallup USA 2004 et France 2002.
4. Ministère de la Santé des États-Unis, données 2003.

Pour chaque dollar investi, 3,93 dollars ont été économisés. Les dépenses de santé n'ont augmenté que de 2,4 % dans la population des salariés ayant intégré un ou plusieurs programmes, contre 18 % pour les autres.

La prévention est prioritaire

Le nombre des maladies professionnelles devient tellement préoccupant que les gouvernements européens s'inquiètent. Au coût des maladies professionnelles en grande partie supporté par les États, il faut ajouter la bombe à retardement du financement des retraites : pour espérer tendre vers un équilibre, il est essentiel que les plus de 55 ans soient en forme et puissent encore travailler une dizaine d'années. Il faut donc que les entreprises veillent à la santé de leurs salariés de manière à ce qu'ils restent productifs longtemps. Ceci est d'autant plus important qu'une étude américaine [1] vient de montrer que ceux qui travaillaient jusqu'à 65 ans avaient une espérance de vie bien plus élevée que ceux qui s'arrêtaient à 55 ans. 3 700 employés de la compagnie pétrolière Shell ont ainsi été suivis pendant 30 ans par les services de santé de Houston (Texas). On a ainsi pu comparer le taux de mortalité de deux groupes : ceux qui prenaient leur retraite à 65 ans et ceux qui avaient également 65 ans mais avaient pris leur retraite à 55 ans. Contre toute attente, ceux qui s'étaient retirés à 55 ans vivaient moins longtemps et leur taux de mortalité était augmenté de 37 % !

En France, l'augmentation des maladies professionnelles et des arrêts du travail a entraîné une série de lois et de plans dont le dernier est le Plan santé au travail (17 février 2005). Le titre de ce plan, « La santé au travail », montre qu'un tournant important est pris : l'hygiène et la sécurité, les mots de la loi de 1946 qui a mis en place la médecine du travail, sont remplacés par la santé, mot beaucoup plus large avec ses deux composantes, mentale et physique.

---

1. Tsai S. P., Wendt J. K., Donnely R. P. *et al.*, « Age at retirement and long term survival of an industrial population : prospective cohort study », *BMJ*, 331(7523) 29 octobre 2005, p. 995.

Les patrons, nouveaux responsables de la santé de leurs salariés

C'est l'Europe avec sa directive de 1989 qui a introduit cette notion de santé mentale et physique, notion reprise dans la loi de modernisation sociale de janvier 2002, avec une nouvelle obligation pour l'employeur qui « doit prendre toutes les mesures nécessaires (action de prévention, de formation, d'information...) pour assurer la sécurité et protéger la santé physique et mentale des salariés, ces mesures devant être adaptées à l'évolution des techniques » (article L. 230-2, remanié loi janvier 2002).

Autrement dit, les employeurs sont maintenant directement tenus pour responsables de la santé de leurs salariés et ils doivent prendre des mesures d'information et de prévention concrètes. Ce changement récent est encore peu connu.

En pratique, il faut considérer l'entreprise comme une commune dont le maire est le patron. Il est responsable de tout ce qui s'y passe y compris de la santé de ses salariés. Il doit par exemple pourvoir à ce que tous puissent disposer d'une eau potable. Il doit assurer l'ordre public et éviter les accidents liés à l'alcool. Il doit faire appliquer la loi Évin et protéger son personnel du tabagisme passif, etc.

Avec cette nouvelle loi de janvier 2002, l'employeur peut être tenu pour responsable de toute cause ayant des conséquences sur la santé de ses salariés, et qui lui auraient été signalées dans son entreprise. Il peut en être ainsi des menus de la cantine, des distributeurs de sucreries, des contextes inutilement stressants, etc.

Quelles actions mener ?

Plusieurs types d'actions peuvent améliorer la santé des salariés, leur performance et leur bien-être dans l'entreprise :
— évaluer la santé des salariés pour adapter la prévention ;
— organiser des séminaires sur la santé (sommeil, activité physique, nutrition, stress, etc.) ;
— mener des actions centrées sur un sujet précis comme le tabagisme ou l'alcoolisme ;

— mettre en place un programme d'information et de prévention ;

— prévoir des programmes de prise en charge de certaines maladies et d'accompagnement des arrêts du travail.

Une obligation de résultats des employeurs pour la santé de leurs salariés

La loi Évin paraît simple à appliquer :

— Il est interdit de fumer dans les locaux à usage collectif (hall d'accueil, cantine, salle de repos, etc.), sauf espaces aménagés à cet effet.

— Les bureaux doivent être aménagés pour protéger les non-fumeurs.

Pourtant, l'employeur qui se plie à ces deux règles n'est cependant pas entièrement à l'abri, ainsi que nous l'apprend un **arrêt de la Cour de cassation en date du 29 juin 2005** (n° 03-44412).

Dans cette affaire, une salariée a pris acte de la rupture de son contrat de travail au motif, qu'en dépit de ses plaintes auprès de son employeur, certains de ses collègues continuaient de fumer au sein du même bureau qu'elle.

Pour sa défense l'employeur faisait valoir qu'il avait mis en place des panneaux d'interdiction de fumer et interdit aux salariés de fumer en présence de leurs collègues de bureau.

Ces mesures furent jugées insuffisantes par la Cour de cassation. Celle-ci pose comme principe que l'employeur est « tenu d'une **obligation de sécurité de résultat** vis-à-vis de ses salariés en ce qui concerne leur protection contre le tabagisme dans l'entreprise ». En d'autres termes, dès lors que la **protection** des salariés non-fumeurs n'est pas, dans les faits, **assurée de façon effective**, l'employeur manque à son obligation. Dans ce cas, l'employeur aurait dû sanctionner disciplinairement les salariés fumeurs qui ne respectaient pas l'interdiction de fumer dans le bureau de la salariée plaignante.

Faute de quoi, ce patron a dû payer une amende et accepter la rupture du contrat de sa salariée, cette rupture étant juridiquement considérée comme un licenciement sans cause réelle et sérieuse. Autrement dit, un salarié qui se juge victime du tabac dans son entreprise peut rompre son contrat de travail de son propre chef, l'entreprise en subissant toutes les conséquences.

Évaluer la santé des salariés

Le but est de repérer les problèmes qui génèrent des difficultés de santé dans l'entreprise. Cela permet de mettre en place des actions simples aux effets rapidement visibles. Ces actions doivent être efficaces sans mobiliser trop de ressources. En effet, l'objectif n° 1 d'une l'entreprise est d'abord d'être rentable. Soigner son personnel vient toujours en plus et aucune entreprise ne peut investir une énergie dépassant ses possibilités.

Cette démarche d'évaluation nécessite peu de moyens et permet à la santé de devenir un facteur de réflexion et d'innovation. Elle permet aussi de mobiliser l'entreprise, sur cette question.

Organiser des séminaires sur la santé

Ces séminaires aident les employés à mieux gérer leur santé au quotidien et au travail. Il s'agit de leur apporter des informations pratiques et simples à mettre en œuvre. Savoir gérer son stress fait partie des thèmes importants de ces séminaires car peu de gens savent que le stress est un tout qui dépend de la pression subie, certes, mais aussi de notre comportement et de notre façon de récupérer : sommeil, nutrition, rire, activité physique, etc., sont aussi essentiels à une bonne gestion du stress.

Plusieurs thématiques peuvent être organisées :

— des séminaires sur la nutrition, la diététique pour maigrir, l'activité physique, la reprise d'un sport, le sommeil, etc. ;

— des séminaires permettant à chacun de mieux gérer son stress et d'apprendre à bien récupérer. Il est frappant de constater à quel point la plupart des gens ignorent comment s'organiser pour ne pas se stresser inutilement et comment bien récupérer physiquement et mentalement ;

— des séminaires pour apprendre aux cadres à repérer le stress dans leurs équipes et à s'en préoccuper. Le simple fait d'apprendre aux managers à diagnostiquer les signes du stress et à leur expliquer comment en parler avec leurs collaborateurs permet de diminuer le turnover de plus de 25 %. Comprendre et parler est la base de toute solution. Une étude a montré que les collaborateurs de cadres qui avaient été formés à un meilleur management présentaient des taux d'hormone du stress, le cortisol, significativement moins élevés que ceux de leurs collègues dont les cadres n'avaient pas été formés. Chez ces collaborateurs, l'autorité des cadres formés était également significativement supérieure [1].

Pour tout cela, il faut que l'entreprise soit capable de prendre du temps pour s'occuper d'elle-même. Finalement, c'est un peu ce que nous négligeons souvent de faire individuellement... Lors de ces démarches les objectifs doivent être mesurables. À partir de là, ces méthodes sont très efficaces et permettent d'améliorer très nettement le fonctionnement des entreprises.

Mener des actions centrées sur un sujet précis

Il existe différentes sortes de programmes santé dont les plus importants concernent le tabac. Il s'agit d'aider les salariés fumeurs à arrêter de fumer dans le but notamment d'obtenir des locaux professionnels sans tabac. Les méthodes les plus intéressantes proposent des informations de base (sous forme de brochures ou de séminaires) et des séances de coaching pour accompagner les personnes dans leur démarche. Les programmes de coaching, très usités aux États-Unis, permettent de doubler le taux de réussite au bout d'un an.

Ces programmes nous paraissent d'autant plus importants qu'il est maintenant démontré que le tabagisme passif augmente de 34 % le risque de faire un cancer du poumon et de 30 % le risque de toute maladie respiratoire [2]. Avec l'évolution de la loi sur la responsabilité des chefs d'entreprise en matière de santé des salariés, et en constatant la sous-application de la loi Évin, il semble de plus en plus évident que toutes les entreprises devraient faire de leurs établissements des établissements non fumeurs. Il est probable qu'un jour des salariés non fumeurs, atteints de cancer de la gorge ou du poumon, attaqueront leurs employeurs pour mauvaise application de la loi Évin.

L'alcool constitue un autre thème de programme de santé mis en place dans les entreprises. Car il peut être à l'origine de nom-

1. Theorell T., Emrad R., Arbetz B. *et al.*, « Employee effects of an educational program for managers at an insurance company », *Psychosom Med.*, 63(5), septembre-octobre 2001, p. 734-736.

2. Vineis P., Airoldi L., Veglia F. *et al.*, « Environmental tobacco smoke and risk of respiratory cancer and chronic obstructive pulmonary disease in former smokers and never smokers in the EPIC prospective study », *BMJ*, doi :10 1136/bmj.38327 648472.82 Publication en ligne le 1er février 2005.

breux accidents et arrêts de travail. L'entreprise peut être considérée, sur le plan légal, comme responsable dans certains cas. Si par
exemple un salarié en état d'ébriété provoque un accident de la
route avec un véhicule de société, c'est le chef d'entreprise qui est
responsable. Idem pour tout type d'accident dans ou en dehors de
son établissement.

Le cas de Marlène Sharp [1]

Marlène Sharp est australienne. Elle a été victime d'un cancer de
la gorge alors qu'elle ne fumait pas. Elle avait travaillé comme
serveuse dans un pub pendant onze années, de 1984 à 1995. En mai
2001, la cour suprême de la Nouvelle-Galles du Sud a considéré
que son employeur, le patron du Port Kembla RSL, propriétaire
du pub dans lequel elle avait exercé, était pleinement responsable du
tabagisme passif qui avait provoqué son cancer. Il a été condamné à
verser à Marlène Sharp 466 000 dollars de dommage et intérêts.
Cette affaire a poussé plusieurs États australiens à interdire le tabac
dans tous lieux publics, restauration comprise.

Certaines entreprises vont jusqu'à interdire la consommation
d'alcool lors des repas d'affaires. D'autres l'interdisent dans les
pots internes ou encore dans les cantines. Ces mesures peu popu-
laires ne sont pas faciles à prendre, mais très rapidement, elles sont
acceptées, un peu comme l'interdiction de l'alcool dans les stades
qui a fait couler beaucoup d'encre, pour finalement ne changer en
rien le plaisir d'assister à des matchs. La responsabilité du chef
d'entreprise est donc lourde.

D'autres programmes de santé sont envisageables, autour de la
nutrition (comme celui mis en place par Peugeot [2]), ou encore
autour de l'activité physique. Ces programmes sont de vraies réus-
sites lorsque le personnel s'implique, assisté des médecins du travail qui peuvent participer de manière efficace.

---

1. http://www.nouvelles-caledoniennes.nc/webpress4/Articles/20010504/A9270.asp
2. *Challenges*, 236, 2 décembre 2004.

Mettre en place un programme d'information et de prévention

La loi de janvier 2002 impose aux chefs d'entreprise des obligations d'information, de formation et de prévention vis-à-vis de leur personnel. Ces obligations sont l'occasion de mettre en place dans la société une dynamique concernant la santé. Elles pousseront chacun à prendre soin de soi et des autres. De tels programmes peuvent aussi être élargies aux familles des salariés, ce qui les rend plus attractifs et efficaces.

Un programme personnel d'information et de prévention peut par exemple proposer un véritable calendrier de dépistage (dépistage du cholestérol, du diabète, des cancers...) et de prévention (vaccins, conseils spécifiques...) adapté à chacun des salariés. Ce calendrier peut être établi à partir de questionnaires individuels sur la santé de chacun. L'usage d'Internet facilite le développement de ce type d'approche, tout en permettant de garder un secret médical évidemment indispensable.

L'entreprise peut aussi mettre un numéro de téléphone à disposition des salariés et de leurs familles. Ils peuvent ainsi contacter des médecins qui répondent à toutes leurs demandes d'information sur la santé dans le strict respect du secret médical.

Prévoir des programmes de prise en charge de certaines maladies et d'accompagnement des arrêts du travail

Ces programmes se sont considérablement développés aux États-Unis où des sociétés prennent directement en charge, au sein des entreprises, les employés souffrant de dépression, de mal de dos, de risques cardiovasculaires, etc. Des consultations sont organisées sur place et des équipements médicaux sont installés. Des salles de fitness sont équipées, et des séances de gymnastique sont proposées aux salariés qui le désirent. Des établissements réservés aux salariés sont aussi ouverts à proximité des entreprises un peu comme certains restaurants d'entreprise en France. Outre cette prise en charge directe des salariés en entreprise, des programmes de santé avec coaching sont également proposés.

Pour ceux qui ont dû interrompre leurs fonctions pour des raisons de santé et pour de longues périodes, des programmes de soutiens psychologiques sont mis en place, ce qui permet de doubler le taux de retour au travail. Bien souvent, le simple fait de pouvoir parler des problèmes rencontrés permet de trouver des solutions.

En France, seuls des programmes d'aide au retour au travail existent, avec également de bons taux d'efficacité.

Et la médecine du travail ?

Comment intervient la médecine du travail particulièrement développée en France ? Elle organise surtout une visite annuelle des salariés (bisannuelle avec la nouvelle loi) et des visites sur le lieu de travail. Les médecins participent aussi aux réunions des Comités d'hygiène et de sécurité (CHSCT).

Les médecins du travail français ne sont malheureusement pas habilités à prescrire des bilans ni à traiter les employés. Et c'est dommage car entre les conseils qu'ils prodiguent, les bilans ou les traitements effectivement réalisés il y a un grand écart. Il serait peut-être très bénéfique de les autoriser à pratiquer pleinement la médecine, d'autant plus que la France manque de médecins.

Dans quelques grandes entreprises, les médecins du travail mettent en place des programmes contre le tabagisme, l'alcoolisme, la migraine ou encore pour une meilleure nutrition. Ces actions sont très positives et il faudrait certainement les multiplier.

Et moi dans mon entreprise ?

Face aux difficultés dues à l'évolution des méthodes de travail, les salariés se trouvent le plus souvent seuls. La question qui se pose alors est comment « s'en tirer » au mieux si l'on ne veut pas devenir victime du système ?

Tout d'abord, intéressez-vous à la prévention ! Et si par chance votre entreprise propose des programmes de prévention, n'hésitez pas à vous inscrire : tout le monde y gagne, vous et votre entreprise...

Sinon, avant d'accepter un poste dans une entreprise ou avant d'accepter une nouvelle fonction, vérifiez si le turn-over n'est pas trop important. Si le personnel change tous les six mois, cela vous mettra la puce à l'oreille : soit le climat de l'entreprise est délétère, soit la personnalité du chef est difficile. Bien sûr, on n'a pas toujours le choix. Il convient alors de s'investir dans son travail en restant vigilant pour sa propre santé.

Claudine et ses chefs

Jeune juriste, Claudine en est à son troisième poste en entreprise quand elle consulte pour une psychothérapie. « Je pense que j'ai de graves problèmes relationnels, explique-t-elle. À chaque poste, je me heurte à une ambiance déplorable ou à un chef comme celui qui me supervise actuellement. Il me semble complètement malade, me couvre d'insultes comme "salope" ou "pétasse" par exemple si je ne trouve pas un dossier qu'il me réclame dans la seconde. Je suis moralement à bout, mais j'ai l'impression terrible que j'attire ce genre de situations ! J'ai été licenciée une fois et j'ai démissionné la deuxième, et je vais peut-être recommencer ! » En réalité, Claudine était parfaitement équilibrée. C'est simplement que si 10 % des entreprises sont invivables, elles représentent forcément un nombre important de postes à pourvoir ! En effet, les salariés fuient dès qu'ils le peuvent et elles ont en permanence des emplois disponibles. Les entreprises où l'on travaille avec bonheur, elles, gardent leurs salariés longtemps et ne proposent pas autant d'ouvertures. Une personne qui cherche un emploi a donc un risque d'être confronté à un problème similaire à celui de Claudine. Être prévenu de cet état de fait est important, pour ne pas devenir dépressif en imaginant que c'est vous qui êtes à l'origine des difficultés que vous rencontrez... même s'il est évidemment bon de se poser la question !

Certaines personnes souffrent terriblement au travail. Des consultations sur la souffrance au travail ont été créées et leurs médecins sont très souvent confrontés à des cas de harcèlement moral ressemblant fort aux cas décrit par le docteur Marie-France Hirigoyen [1]. *Le Monde* du 26 avril 2005 rapporte quelques témoignages édifiants. Ce qui est caractéristique, c'est la rupture de communication dans la hiérarchie, la personne victime ne pouvant expliquer les difficultés qu'elle rencontre. La diminution des niveaux hiérarchiques expose davantage les salariés. Ils ne trouvent plus d'échelons intermédiaires à qui rapporter leurs problèmes.

Les entreprises peuvent innover humainement

Il existe actuellement une forte croissance des maladies professionnelles. Des solutions existent et il est possible d'organiser une

---

1. Hirigoyen M.-F., *Le Harcèlement moral*, Éditions Syros, Paris, 1998.

prévention efficace. L'entreprise pourrait même devenir un lieu privilégié pour aider les hommes et les femmes à s'intéresser à leur santé et à se prendre en main. Dans notre société, l'entreprise est en effet la structure la plus proche des gens, celle où ils passent le plus de temps et celle en qui ils ont le plus confiance.

Vu du côté de l'entreprise, la prévention est efficace sur le plan économique, sur le plan juridique et en terme de productivité. Comme elle est aussi intéressante humainement, les actions en ce sens sont positives quelle que soit la manière de les considérer ! Le challenge des nouveaux managers sera peut-être de devenir plus attentifs aux suggestions de leurs collaborateurs pour aller en ce sens. La prévention va même rapidement devenir pour les grands groupes la seule solution pour préserver leurs effectifs face aux difficultés croissantes de recrutement notamment de cadres. Il faudra bien garder les travailleurs en bonne forme pour construire avec eux, et pour longtemps, l'avenir de l'entreprise !

Madame S. craque (*Le Monde* du 26 avril 2005)

Mme S. est économe dans un hôpital privé. Depuis deux ans son établissement a fusionné avec un autre public. Et Mme S. a basculé dans un enfer sournois : « Très vite nous nous sommes rendu compte que nous étions mis à l'écart. » On lui retire les codes acheteurs, la privant de toute initiative, puis on l'oblige à signer une humiliante fiche de poste, définissant ses tâches. Surtout on la coiffe d'une supérieure, « une fille ingénieur des mines, mais qui ne connaissait rien au médical » qui la prend de haut. « J'ai vingt ans d'expérience dans l'économat et j'allais tout lui apprendre ! Dix jours après son arrivée, ça a été plus fort que moi, je l'ai envoyée promener ! » Mme S., accusée de mauvaise coopération, est mise hors circuit. Un service entier est déménagé sans elle. Sa supérieure fouille son bureau en son absence, contacte les fournisseurs sans la prévenir, organise des réunions sans la convoquer. Elles ne communiquent que par e-mails... Et puis le comble : fin 2004, « on » l'accuse de dépassement budgétaire. « Toute la journée, on a fait pression sur le magasinier pour qu'il témoigne contre moi. »... « J'ai toujours tort, je ne me sens plus capable de résister aux attaques. Je n'arrive pas à en parler sereinement, je m'angoisse avant d'aller au travail. »... « J'ai encore une dizaine d'années à travailler. Comment je vais faire ? Je ne vois plus d'issue ! »

L'essentiel de la prévention

Une conclusion inattendue ressort de ce livre : la prévention des cancers, des maladies d'Alzheimer et des maladies cardiovasculaires est similaire. Les mêmes modes de vie préviennent ces trois maladies. C'est une évidence qui s'est imposée à nous progressivement. Et elle est tout à fait réjouissante ! Si vous craignez une pathologie particulière et que vos efforts portent en ce sens, cet effort vous protégera aussi d'autres soucis graves de santé. De plus, les trois maladies sur lesquelles nous nous sommes penchés ne sont pas les seules à nous guetter. Comme la prévention dont nous parlons entretient un bon état des artères, du métabolisme des cellules, limite l'inflammation des tissus, elle contribue probablement aussi à prévenir toutes les maladies chroniques.

Mieux encore, pour suivre ces conseils de prévention, il n'est jamais trop tard ! Même si vous êtes déjà malade, une prise en charge préventive contribuera à améliorer le fonctionnement de votre corps, peut-être même à vous guérir, en parallèle aux traitements spécifiques de votre maladie.

Que peut-on retenir comme essentiel pour la prévention ? Peut-être simplement : « **Aimer la vie, prendre goût à ce qui est bon et être vigilant pour sa santé.** »

Aimer la vie, cela passe par se forger un psychisme positif :
— Refusez de voir votre vie gâchée par des maladies psychiques et donnez-vous les moyens de vous en sortir.
— Apprenez à vous relaxer à l'aide de méthodes reconnues efficaces, de manière à ne plus vous énerver pour rien et à dimi-

nuer votre niveau de stress, à voir la vie positivement, à vous sentir bien avec vous et votre entourage.

— Trouvez en vous l'énergie pour vous battre quand il le faut et restez optimiste malgré les épreuves.

Est-ce une question de volonté ? En grande partie ! Chacun peut s'améliorer avec un peu de lucidité et surtout avec l'aide des autres. Être heureux, c'est essentiellement dans la tête que cela se passe et nous, les humains, nous avons notre conscience pour comprendre, agir et nous projeter dans l'avenir... Alors profitons-en !

Prendre goût à ce qui est bon pour vous, cela se décide et se cultive. Vous allez devoir vous obliger à faire des efforts, qui petit à petit deviendront des plaisirs. Vos goûts culinaires vont changer, et vous aurez du mal à comprendre comment vous pouviez aimer ce qui faisait du mal à votre corps.

— Adoptez une cuisine élaborée à partir de fruits et légumes, de poissons et féculents. C'est une cuisine qui sent bon le soleil avec son huile d'olive et de colza, ses épices (curcuma et poivre noir), son ail, ses oignons, ses fromages et un petit verre de vin rouge de temps à autre.

— Lancez-vous dans une activité physique régulière, quel que soit le sport que vous choisissez.

— Fuyez tout ce qui est néfaste, le tabac, l'excès d'alcool, les drogues, et la sédentarité, un des pires fléaux qui soit.

Affirmez-vous, choisissez ce qui fait du bien à votre corps et non ce que le monde moderne, avec son marketing basé uniquement sur le profit financier, vous incite à manger : des barres chocolatées et autres snacks à base de graisses et de sucres devant des écrans de télévision, d'ordinateur ou de jeux vidéo. Commencez par reprendre le contrôle de notre vie : vous n'êtes pas un consommateur stupide et passif. Apprenez à dire non, pour vous et vos enfants, et redécouvrez le temps libre... Reprenez goût à la vie, la vraie !

Être vigilant pour votre santé, c'est vous tenir bien informé et ne pas attendre d'être malade pour vous intéresser à votre santé.

— Imposez-vous une révision régulière. Un contrôle technique est obligatoire pour votre voiture. Pourtant votre bien le plus précieux, c'est votre corps ! Offrez-lui un dépistage organisé des maladies comme les cancers ou l'infarctus. Pour cela il est important d'organiser votre calendrier de dépistage personnel vous-même.

— Évitez de prendre des kilos chaque année, gardez un poids constant.

— Soignez vos dents et vos gencives.

— Programmez de vous vacciner régulièrement et chaque année contre la grippe, et traitez les angines et autres infections par de l'aspirine et de la vitamine C, voire des antibiotiques si cela est nécessaire.

Les compléments et médicaments remarquables

Trois médicaments ou compléments ressortent particulièrement de notre travail, ayant prouvé une activité remarquable en prévention dans les trois maladies que sont l'Alzheimer, les cancers et les infarctus :

1. *Les vitamines et oligoéléments* : ils diminuent de 37 % la mortalité globale (toutes causes confondues) chez les hommes et de 31 % la mortalité par cancer quand ils sont pris quotidiennement à la dose étudiée dans la grande enquête SU.VI.MAX. Nous avons montré qu'ils sont probablement le plus efficace chez les femmes ou les hommes qui fument ou boivent 2 verres d'alcool par jour ou plus.

On peut probablement élargir leur intérêt à la prévention de la maladie d'Alzheimer. En effet, les vitamines antioxydantes y ont aussi démontré leur efficacité.

Cette complémentation n'expose à aucun risque car les doses préconisées sont modérées :

120 mg de vitamine C
30 mg de vitamine E
6 mg de bêta-carotène
100 µg de sélénium
20 mg de zinc

2. *Les oméga-3* : ces graisses bénéfiques réduisent la mortalité globale de 23 %... sans aucun effet secondaire notable. Ils sont aussi bénéfiques en prévention des maladies cardiovasculaires pour lesquelles ils constituent l'indication principale, et très pro-

bablement dans la maladie d'Alzheimer et les cancers. Nous les préconisons à la dose de 1 g à 2 g par jour... sauf si vous mangez du poisson au moins 3 fois par semaine.

3. *Les statines* : ces médicaments anticholestérol ont montré qu'ils avaient de nombreuses autres propriétés très positives. Ils protègent non seulement des infarctus cardiaques ou cérébraux, mais aussi de la maladie d'Alzheimer et de nombreux cancers. Même s'ils demandent un suivi médical à cause de leurs effets secondaires potentiels, toutes les études réalisées jusqu'à présent vont dans le même sens : leur effet est systématiquement bénéfique. Ils sont disponibles seulement sur prescription médicale, et remboursés uniquement lorsque leur indication est reconnue par la Sécurité sociale.

Finalement : Procédez par étapes... C'est la clé du succès. Le plaisir de se faire du bien grandit avec le temps. Bien manger augmente progressivement l'appétence pour ce qui est bon. Pratiquer un sport se transforme en plaisir. Il faut généralement douze à dix-huit mois pour qu'un effort devienne progressivement un plaisir permettant d'apprécier vraiment tout ce qui est bon. C'est long, mais une fois le goût formé, impossible de faire marche arrière ! Idem pour le psychisme... Aimer la vie, cela se cultive aussi ! Et là aussi le temps constitue le meilleur des alliés.

Bien sûr, il faut savoir s'entourer de bons médecins et suivre leurs conseils. Mais il est important de rester toujours vigilant ! Un homme (ou une femme) averti(e) vivra mieux et plus longtemps... Et plus vous vous occuperez de votre santé, plus vous constaterez que les médecins vous prendront au sérieux et s'investiront pour vous. C'est normal : eux aussi sont passionnés par la santé !

Et nous, médecins,
que faisons-nous pour notre santé ?

Nous sommes convaincus que la prévention est un sujet essentiel. Nous avons investi beaucoup d'énergie et de temps en recherche documentaire scientifique fiable, et naturellement, nous avons eu aussi envie de mettre en pratique tout ce que nous savons !

Vous verrez que même bien informés, même motivés, nous avons chacun nos difficultés à appliquer ce que nous voudrions faire dans l'idéal. Certaines habitudes sont très faciles à changer instantanément, mais d'autres demandent beaucoup d'énergie pour évoluer et d'autres encore semblent impossibles à bouger.

Nous espérons que nos témoignages vous encourageront dans votre propre démarche... Notre point de vue est que, pour réussir sa prévention, il faut commencer par **changer ce qui vous paraît très facile à changer**. Ensuite seulement, faites ce qui au début vous coûte seulement un peu. C'est en changeant progressivement que vous réussirez à pratiquer une prévention très active. Ce qui est important c'est de bien faire ce qui vous correspond et d'y prendre goût pour le faire longtemps.

Catherine Solano : j'aime naturellement
ce qui fait du bien

J'ai toujours été très curieuse, et en tant que médecin, j'ai toujours beaucoup lu la presse médicale. Je suis scientifique dans l'âme. Ma vocation de médecin était, au départ, de me consacrer à la recherche contre le cancer. Pour cette raison, j'ai fait des études de biologie parallèlement à mes études de médecine, j'ai travaillé dans un laboratoire de recherche (chez le professeur Chenal à Rennes) et bénéficié d'une bourse de recherche par l'ARC.

En lisant très régulièrement la presse médicale, nous étions sidérés de voir que presque tous les jours sortait une nouvelle étude qui nous apprenait quelque chose d'intéressant. Les progrès médicaux sont extrêmement rapides.... Ce qui me frappait aussi, c'est combien les progrès sont difficiles à intégrer dans leurs pratiques par les médecins et par les non-médecins encore plus. Quand il s'agit d'un nouveau médicament, cela se fait cahin-caha, mais quand il s'agit de mode de vie, on a l'impression que les découvertes restent souvent lettre morte! C'est pourquoi j'ai eu envie de travailler à faire diffuser des connaissances pour lesquelles il me semble que c'est un devoir.

Depuis que j'ai travaillé sur ce livre avec Philippe, j'ai changé pas mal de choses!

Tout d'abord, je n'achète plus jamais d'huile de tournesol. Je prends de l'huile de colza et d'olive. J'achète un mélange tout fait qui s'appelle Colivette ou Biocolive dans les magasins bio! Je préfère le bio, car ce sont des huiles de première pression qui ne sont pas dénaturées par l'extraction. J'utilise aussi plus souvent l'huile de noix pour les salades.

Je mangeais déjà beaucoup de fruits secs. Depuis que je sais qu'en plus c'est très bon pour la santé, quand je grignote, ce sont des noix, des pignons, des amandes, des noisettes. Je suis un vrai écureuil! C'est plutôt cher, mais c'est le prix de la bonne conscience! Au lieu de manger des gâteaux, des biscuits, je me dis qu'au moins je me fais du bien en grignotant! De préférence, je consomme des noix plus riches en oméga-3! Sur mon pain le matin, j'étale de la purée de noix de cajou (c'est d'après moi ce qu'il y a de meilleur au monde) ou si je n'en ai plus, de la purée d'amandes.

Je ne mangeais pas assez de fruits. Désormais, je mange un fruit systématiquement tous les matins. J'y suis tellement habituée que si je suis à l'hôtel et qu'il n'y avait pas de fruits, je suis malheureuse. Et les horribles jus de fruits à base de poudre qu'on sert ne me tentent pas du tout! Je mange aussi de plus en plus de fruits pour le dessert. Et plus ça va, plus j'aime les fruits. Je goûte toutes sortes de variétés de pommes et je compare leurs goûts. Si jamais je manque de fruits pendant une journée, je ne me sens pas bien!

Je suis en train d'arrêter totalement le beurre et les laitages. Pourtant, je suis bretonne et j'aimais beaucoup le beurre salé. J'en ai toujours chez moi quand même, pour le cas où je mangerais une galette de sarrasin. Mais ma dernière galette, je l'ai faite à l'huile de colza et d'olive, et finalement, c'est aussi bon ! Ma mère, bretonne 100 % (moi je ne suis que 50 %), mange depuis longtemps ses galettes à l'huile d'olive ! Elle est encore plus motivée par la prévention que moi.

Je ne mange plus jamais de laitages, seulement du fromage de brebis ou de chèvre.

J'adore les myrtilles, et l'été, j'en engloutis facilement 500 grammes par semaine ou plus ! Je trouvais que j'exagérais, mais depuis que je sais que c'est bourré de vitamines, de tanins ou d'antioxydants, je ne me culpabilise plus !

Je déteste le sport ! Pourtant, quand je regarde le journal de 20 heures, je fais du sport en regardant la télé. Car j'ai acheté un steppeur pour pratiquer devant le petit écran ! Et ça marche, j'arrive à en faire à peu près trente minutes. Je ne « steppe » pas tous les jours à cause de mon emploi du temps, mais autant que je le peux.

Si je passe une semaine sans en faire, il faut vraiment que je me force pour recommencer ! Et au début, je ne suis pas capable de tenir trente minutes. Je recommence avec vingt minutes puis j'augmente progressivement ma dose. En fait, je n'aime ni la télé ni le sport, mais les deux en même temps, ça passe ! Je me suis même mise à pédaler devant le journal de 13 heures, les jours où j'ai le temps.

Je suis en train de réaliser que regarder les informations n'est pas bon pour mon stress ! Je deviens négative et pessimiste à force de voir des informations déprimantes. Je prévois donc de regarder autre chose pour ne pas perdre psychiquement ce que je gagne physiquement !

Je fais du yoga une fois par semaine. Je souhaiterais faire plus, mais je manque de temps, et toute seule, sans enseignant, je n'arrive pas à m'y mettre ! L'été dernier, j'ai découvert l'aquagym et je projette de m'inscrire à un cours une fois par semaine si j'en trouve un près de chez moi.

Je ne fume pas, même si j'ai failli commencer en classe de terminale, j'ai arrêté à temps, juste après quelques cigarettes échangées avec des copines. J'ai compris que, si je mettais un doigt dans l'engrenage, je risquais de devenir dépendante, alors j'ai dit stop.

Je ne bois jamais, jamais d'alcool. Non par principe, mais parce que je trouve que c'est épouvantablement mauvais, y compris le vin. Je sais que si on se force, on finit par aimer, mais je n'ai pas envie de me forcer. En plus, comme ma grand-mère et une de ses sœurs ont toutes deux souffert de maladie d'Alzheimer, savoir que l'alcool est potentiellement dangereux, cela m'arrange plutôt... même si je sais que dans l'idéal, je devrais me forcer à boire un verre par semaine !

Je déteste les boissons gazeuses et ça tombe bien, puisque ce n'est pas bon pour l'estomac. J'aurais pu me laisser tenter, non par envie, mais pour faire comme tout le monde. Maintenant, je dirai carrément non merci !

On peut penser que je me prive, pas du tout. J'adore le chocolat et je n'en mangeais guère, alors qu'aujourd'hui, je m'offre un ou deux carrés de chocolat noir tous les jours systématiquement ! Comme je préfère le noir très amer, ça tombe bien, c'est aussi le meilleur pour la santé.

En revanche, au goût, je n'ai jamais aimé le thé. Je m'efforce pourtant de boire au moins un thé vert par jour. Avec du miel et de la menthe, c'est plutôt savoureux et ça cache le goût du thé !

Je m'encourage à acheter et à manger des légumes, surtout sous forme de soupe, car j'ai toujours aimé la soupe. J'ajoute maintenant un peu de poivre noir et de curcuma. Je mets aussi du curcuma dans le riz, les pâtes et même dans la salade, sans trop savoir dans quel cas c'est le plus utile. Mais de toute manière, c'est très joli, de couleur jaune d'or, et ça n'a pas énormément de saveur.

Dès que je fais cuire quelque chose de salé, j'ajoute de l'ail, des oignons et autres épices que je peux avoir sous la main, comme l'échalote...

J'ai allaité mes enfants très longtemps pour le plaisir évidemment, le leur et le mien, mais je savais aussi que c'était à la fois bon pour leur santé et pour la mienne en prévention des cancers du sein.

J'ai toujours détesté la viande. Je n'en mange quasiment pas car elle a du mal à passer. C'est un peu la même chose pour le poisson en moins violent. Aussi, au restaurant, je prends systématiquement du poisson, et si j'ai des invités, je fais aussi du poisson. J'ai un peu de mal à le cuisiner, car cru, cela me dégoûte (comme la viande) ! J'achète aussi du thon en boîte, des sardines en boîte et du foie de morue en boîte. C'est meilleur que la charcuterie !

J'ai l'habitude de faire une petite cure de vitamines d'une durée d'un mois environ quand je suis fatiguée. Je prends une multivitamine et, dès la première semaine, je me sens mieux, et surtout de meilleure humeur !

J'essaie de prendre quelques compléments alimentaires, mais c'est difficile pour moi. Je n'aime pas avaler des comprimés. J'ai pris pendant six mois des oméga-3, 4 capsules par jour, de la vitamine C, de la vitamine E et une multivitamine. Mais je n'arrive pas à tenir sur la durée. Ces temps-ci, je me suis mise aux graines de lin (une cuillerée à soupe tous les jours à mastiquer) associées à une gélule d'oméga-3.

J'ai acheté un fil dentaire, mais l'utiliser, c'est autre chose. Une fois par semaine, j'arrive à m'en servir, mais pour que ça entre dans ma routine, il va falloir que je fasse un effort. J'ai toujours l'impression d'être trop pressée !

L'année dernière, j'ai eu un petit cancer de la peau sur le front. Pourtant, je n'aime pas tellement m'exposer au soleil. Et j'utilise une crème de jour qui contient un écran solaire.

En ce qui concerne le dépistage, je m'oblige à faire des frottis assez régulièrement et, le jour de mes 40 ans, j'ai pris rendez-vous pour une mammographie.

Depuis que ce livre est en cours d'écriture, je partage mes connaissances autant que je le peux. Avec mes enfants qui sont très intéressés, avec ma famille, mes patients et toutes les personnes que je côtoie quand l'occasion se présente. J'essaie quand même de ne pas infliger des conseils à des gens qui n'ont pas envie de les entendre !

Philippe Presles : j'aime la science, les médicaments et les bonnes choses !

Le goût pour la prévention « active » m'est venu en devenant papa. J'ai eu mes quatre enfants un peu tard, entre 35 et 40 ans. Je me suis dit que je voulais rester jeune le plus longtemps possible pour eux et pour mes futurs petits enfants. J'aurai 60 ans quand ma dernière fille aura 20 ans... En tant que médecin, j'ai toujours été frappé par les différences d'aspects entre les patients. Certains paraissent beaucoup plus jeunes physiquement et d'autres beaucoup plus abîmés par l'âge.

Quelles sont les principales différences entre les uns et les autres ? Elles sautent aux yeux :
— le tabagisme qui accélère le vieillissement ;
— l'excès d'alcool ;
— l'excès de poids ;
— le manque d'exercice physique avec fonte des muscles et des formes ;
— et l'exposition prolongée au soleil qui ride la peau.

Cela a donc constitué ma base de départ : je ne fumais pas, je buvais un à trois verres de vin par jour (à l'époque je croyais que c'était la dose idéale pour une bonne santé), je faisais attention à ma ligne, je faisais du footing et de la gymnastique et enfin je limitais mon exposition au soleil. Pendant mon adolescence, je pratiquais la natation de compétition. Mais quand je suis devenu papa, je ne faisais plus vraiment de sport, je buvais régulièrement du vin, des bières et d'autres alcools plus forts. Je ne faisais pas non plus attention à ce que je mangeais. J'avais tout de même arrêté de fumer à l'âge de 28 ans.

Mon métier d'éditeur et de journaliste scientifique m'a amené à me passionner pour les publications scientifiques. Le travail de documentation scientifique que nous avons entrepris avec Catherine pour écrire ce livre m'a littéralement enthousiasmé ! Je suis toujours étonné par la richesse de cette multitude de publications et déçu par le temps qu'il faut pour que les nouveautés entrent dans les pratiques. Les exemples sont nombreux.

Pour ma part j'en ai vécu deux personnellement qui ont eu beaucoup d'influence sur ma vie. J'ai souffert depuis mon adolescence de nombreuses migraines qui étaient attribuées à des sinusites chroniques, puis, à l'âge adulte, de troubles paniques qui me gâchaient la vie, surtout quand je devais prendre l'avion, ce qui m'arrivait souvent. J'ai pris beaucoup d'antibiotiques et d'anti-inflammatoires pour mes sinus et j'ai suivi une psychanalyse pendant quatre années pour ma tête... Sans succès !

Jusqu'au jour où, peu avant 40 ans, on me découvrit des polypes dans les sinus. Il s'agissait d'une maladie encore peu connue, la polypose nasosinusienne qui, une fois soignée avec des corticoïdes par voie nasale, ne me dérangea plus jamais. Dans le même temps je fus guéri de mes troubles paniques en seulement trois séances de psychothérapie cognitive et comportementale... Adieu migraines et adieu paniques, ma vie était transformée.

Quelques années plus tard, en lisant le livre du docteur Gubler, médecin de Mitterrand, j'ai été désolé d'apprendre que notre président avait souffert toute sa vie de crises de panique, jamais traitées efficacement... Cet exemple illustre, que même pour les gens les mieux placés, les progrès scientifiques ne sont pas automatiques !

Puis vers 43 ans on me découvrit un cholestérol élevé. J'ai donc commencé un traitement par statine et depuis je m'intéresse beaucoup plus activement à mon alimentation. La prévention des maladies cardiovasculaires est devenue mon sujet préféré de veille scientifique. Depuis trois ans, de très nombreuses publications internationales montrent que la prévention de l'infarctus, des cancers et de la maladie d'Alzheimer, ont une base commune réunissant l'alimentation, l'activité physique, les vitamines, les oméga-3 et des médicaments comme les statines, etc.

Du coup je suis passé à la vitesse supérieure : en plus de ce que je faisais déjà, j'ai réduit ma consommation d'alcool pour ne boire qu'une fois par semaine un ou deux verres de vin, j'ai complètement éliminé beurre, crème ainsi que le lait, et je prends, outre des oméga-3, un complexe antioxydant associant vitamines et oligoéléments. Avec ma statine, je prends aussi du coenzyme10.

Que dire d'autre ? Eh bien que plus j'avance en âge, plus je suis heureux d'être en forme. Je suis content d'aller faire du footing avec mon fils aîné, ou bien nager avec mes autres enfants. Mes goûts se sont complètement adaptés à mon nouveau mode de vie : je préfère les fruits, légumes, céréales de qualité, amandes, noisettes, poissons à tout autre aliment. Par exemple le matin, je bois un bol de thé avec un nuage de lait de soja, je mange une pomme ou un autre fruit (prédilection pour le raisin de muscat, les myrtilles, les framboises, les poires...), puis un toast de pain complet avec un peu de confiture d'orange. Et plus cela va, plus j'éprouve du plaisir à manger sainement et à acheter des produits de qualité. Je suis aussi très content de pouvoir montrer aux enfants ce qui est bon pour eux. Finalement, la prévention, c'est communicatif !

J'aimerais ajouter que je rencontre de plus en plus de gens (surtout des femmes...) qui sont très heureux de vivre sainement et à qui ce mode de vie procure du plaisir. Ces personnes n'ont pas l'impression de se priver ! Mieux, un repas bien gras et bien arrosé ne fait plus du tout partie de leur critères de qualité de vie...

Quand il a fait l'apologie du bien-vivre avec la diététique, le sport, les bons moments à deux ou avec les autres, Jean-Louis

Servan-Schreiber [1] m'a beaucoup marqué. Vivre sainement et vivre heureux, il suffit d'essayer pour comprendre. C'est un peu comme les matchs de foot dans les stades. Avant, on n'imaginait pas de s'y amuser sans canettes de bière. Eh bien maintenant l'ambiance est toujours aussi bonne avec de l'eau plate !

Toutes les références citées dans ce livre sont disponibles sur le site www.prevenir.fr, où vous pouvez également vous inscrire pour être informé des nouvelles recherches ou découvertes en matière de prévention.

---

1. *Vivre content* de Jean-Louis Servan-Schreiber (Albin Michel, 2002).

Table